講談社文庫

本格力

本棚探偵のミステリ・ブックガイド

喜国雅彦｜国樹由香

講談社

本格力

本棚探偵のミステリ・ブックガイド

by Masahiko Kikuni, Yuka Kuniki

Hon Kaku Ryoku

Mystery book guide
of the bookshelf detective

まえがき

読書が好きです。一番好きなジャンルはミステリ、その中でも特に好きなのは本格ミステリです。

謎解きを主眼とする本格ミステリは、エドガー・アラン・ポーの短編「モルグ街の殺人」（１８４１年）によって芽生え、英国のコナン・ドイルやアガサ・クリスティらが大きく育て、アメリカのヴァン・ダインやエラリー・クイーンなどが見事な美しい花として開かせました。

その種はやがて日本にも持ち込まれ、エドガー・アラン・ポーの名前を筆名に拝借した江戸川乱歩が中心となって日本中に広め、現在の（テレビなどの他媒体も含めた）百花繚乱《ひゃっかりょうらん》の元となり、今ではこの国は世界に冠たる本格大国となりました。

乱歩チルドレンによって、日々、新しい才能が生まれ、新作が産み出されています。それだけで一生を過ごそうと思えば可能なほどの状況は、ファンには嬉しいことですが、反面、新作を追うのに忙しく、隆盛の元となった〈古典ミステリ〉に出会うチャンスが減っているのではないかと感じました。

「古典ミステリ？　なんか退屈そう」というイメージでその手を伸ばさない人は多いでしょう。確かに風俗描写が古臭かったり、堅苦しい言い回しに首をかしげることは多々あります。でも本質のおもしろさは今読んでも色あせることはありません（とある出版社が、長い間品切れだった某古典を新訳にし、顔である表紙を今風のイラストに替えて出版したらヒットしてシリーズ化されたのがその証拠です）。

というわけで「そういう〈新しい古典の読者〉のために、ファンの先輩として何かお手伝いできないかしら」と思って書いたのがこの本です。

僕自身も楽しみたくて、普通の読書ガイドではなく、いろいろなスタイル（文章、イラスト、写真＆書道〈？〉など）で遊びながら紹介してみました。遊びついでに、僕のツレで漫画家の国樹由香による〈のほほんエッセイ&漫画〉も混ぜてみました。本を楽しむ僕の姿を盛り込むことで読書自体の愉《たの》しみを伝えたい、とそういうワケです（「H－1」のコーナーは、その内容の性質上、ストーリーについて言及していますが、重要なところには触れていないので、当該作品を未読の方もご安心してお読み下さい）。

読み終わったあとで「古典が読みたい」「本格ミステリっておもしろそう」「本屋に行きたい」と思っていただけたら嬉しいのですが。

喜国雅彦

本格力

本棚探偵のミステリ・ブックガイド

Contents

本格力　第1回

本格力　第2回

本格力　第3回

本格力　第4回

本格力　第7回

本格力　第8回

本格力　第9回

本格力　第10回

本格力　第11回

本格力　第12回

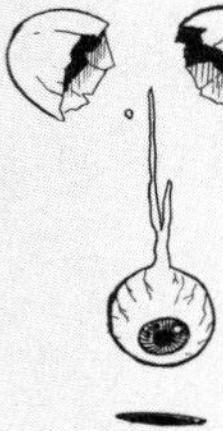

本格力　第13回

MYSTERY

本格力　第24回

本格力　第25回

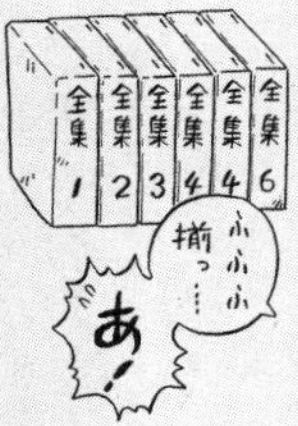

全集6
全集4
全集4
全集3
全集2
全集1
ふふふ揃っ……
あ！

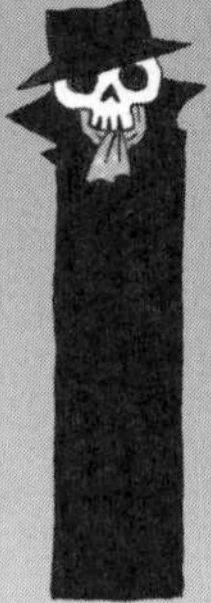

本格力

Hon Kaku Ryoku

第1回

「蟲蟲蟲ヽヽヽヽヽヽヽ」

江戸川乱歩「蟲」
『江戸川乱歩全集（5）
押絵と旅する男』
（光文社文庫）所収

いつの頃からか新聞の文字が大きくなった。数年前のテレビＣＭでは、このことしか売りにしない新聞社の姿勢に、大いに驚いたものだ。

「でもそれって、裏を返したら記事が少なくなったということちゃうんか」とツッコミもしたが、いざ自分が老眼になってみると「確かにこれはありがたいかも」と考え直すようになった。

だが、最近の〈常用漢字以外はひらきます〉という方針はどうだろう。〝競争し烈〟なんて見出しは、普通に読んだら〝競争し、烈〟と、まず頭に入って来てしまう。〈小学生にも読み易《やす》く〉が、表記変更の旗印の一つとして掲げられていたが、彼らにそんな親切が有り難迷惑なのは、ゆとり教育の失敗を例に出すまでもない。人間の子供と猿の子供を一緒に育てたら猿が人間の知能に近づくのではないか、と思いがちだが、実際は人間の知能が猿寄りになるのである。かように人間というのは、楽な方に流れがちで……

なんてことが書きたかったワケではない!!

乱歩《らんぽ》の「虫」について書きたかったのである。「虫」の字をきっかけに、正字体と新字体について考えていたのである。新字体は読み易いが、はたしてそれでいいのだろうか？　ということを考えていて、話が逸《そ》れたのである。

たった一つの文字が、一つの作品の印象をガラリと変えてしまうことをこの「虫」で知った。

最初にこれを読んだのは小学六年生のとき。テキストは春陽《しゅんよう》文庫。作品の内容が衝撃的だったのは、内容をご存知の方には説明するまでもない。だが、小学生にとってはすべての乱歩作品が衝撃だったので、特にこれが、というワケではない。その印象が変わったのは、大人になって再読したとき。「虫、虫、虫……」のくだりにショックを受けたのは、すでに自分のフェチ体質を自覚していたから、だけではなくて、その視覚効果が大きかったせいもある。なんと、春陽文庫では17文字だった〈虫〉が、講談社文庫では24文字に増えていたのである。だが、ここではまだ新字の〈虫〉の話。本当の驚きはそのあと出会った古書の世界で知ることになる。

「蟲、蟲、蟲……」乱歩が描きたかった世界がそこにあった。文字数も本当はもっと多かった。恐怖を超えて、美しくすらあった。

幸福なことに、現在ではこの文字の並びで読むことが可能だ。この作品だけ、あえて正字体で表記してある光文社文庫版を読むべし。直ちに別の世界に連れて行ってくれることを保証する。

なお、同文庫には、乱歩の自作解説もついていて〈蟲〉の正体が明かされている。

◉ ほ ん か く だ も の ◉

形式ばってたって
いいじゃないか
ほんかくだ
もの

みすを?

◉ 勝手に挿絵 ◉

ストーリー

宝石商が殺された。死体の喉笛にはひとによる咬み傷、
喉頭軟骨が砕けての窒息死だった。容疑者は何人か浮かぶが、
決めてが見つからない。犯人は誰？
それよりもなぜ、そのような殺し方をしなければならなかったのか……
霧原警部の「特等訊問法」は犯人を追いつめることが出来るのか⁉

小酒井不木「謎の咬傷」大正十四年作品
怪奇探偵小説名作選①『小酒井不木集　恋愛曲線』（ちくま文庫）所収

坂東善博士

H－1グランプリ

本当にお薦めしたい古典を選べ！

りっちゃん

第一試合

◉乱歩が選んだ名作たち◉

「というワケで『H－1グランプリ』が始まったのじゃが」

「話し始める前にまず自己紹介すれば？」

「ああ、そうじゃな。儂《わし》は坂東善《ばんどうぜん》博士。長年にわたって本格ミステリについて研究している」

「私はりこ。ごく普通の女子高生よ」

「大きくなったな、りっちゃん。初めてメフィストの漫画で出会ったときは、まだ小学生じゃった」

「そうね、まだ幼かった私に変なことといろいろ教えてくれたよね」

「こ、こら！　紛らわしい言い方するんじゃない。知らない人が聞いたら誤解するじゃろうが」

「でもどこの世界に、小学生に『ドグラ・

マグラ』の初刊本について熱く語る大人がいるかっての」

「まあ、いいじゃないか。おかげでコンパとかで披露できる鉄板ギャグが出来たんじゃろ？」

「そうそう。こう両手両足広げて『ドグラマグラー‼』。って、どこの女子高生がそんなことするかっての‼」

「今の女子高生ならそれぐらいアリじゃと思うがの」

「女子高生をなんだと思ってるのよ。で、何よH－1て？」

「おっと、それじゃ。実はな、本当に一番面白い古典本格ミステリは何じゃろか、という企画じゃ」

「ええーっ、古典？」

「何じゃ、不服か？」

「だって古典なんかに興味ないもん。今更そんなの読まなくたって、他にもいっぱいあるもん。道尾《みちお》秀介《しゅうすけ》とか辻村《つじむら》深月《みづき》とか」

「それが普通の若者の意見だと思う。じゃがな、本当に面白い古典なら読んでみたいと思わないか？　百年も読み継がれるにはそれなりの理由があるとは思わんか？」

「ええっ、百年⁉　ミステリってそんなに昔からあるの？」

「ミステリの始祖だと言われている『モルグ街の殺人』は百六十年以上も前の作品じゃ」

「百六十年前⁉　卑弥呼《ひみこ》の時代じゃん‼」

「体位の研究もいいけど、もう少し学校の勉強もせんとな」

「あーん？　誰が何を研究してるって？」

「ご、ごめんなさい。もう言いません。は、離して……」

「私がいなきゃ、このコーナー成り立たないんだからね。もちっと気をつかってしゃべってよね」

「わ、判《わか》りました。で、失礼ながらお訊《き》きするのですが、りこ様は一度でも古典を読まれたことはございますでしょうか？」

「あるよ。ちょっと興味もったからね。で、ガイドブックに載ってたのを読んでみたんだけど、これが全然つまらなくてね」

「何を読まれたんですか？」

「もういいから普通にしゃべれよ。読んだもの？　何だったかな？　題名は忘れたけど、確かクイーンて人の……」

「ああーっ、もういい、やめろ‼　北村《きたむら》薫《かおる》さんごめんなさい‼　有栖川《ありすがわ》さん聞かなかったことにして下さーい‼」

＊　＊　＊

「りっちゃんの気持ちも判るんじゃ。責任は儂らにもある。評価の定まった古典は、実際に面白いかどうかということより、教養として読まなければならないと言ってきた部分もある。作品選定は一部のブックガイドにまかせきりにしてな。じゃがな、最近その考え方に儂自身疑問を持ってきたところもある」

「どういうことよ」

「儂が古典を読んだのは中学から高校にかけてじゃったんじゃが、当時は読書メモなんか残してないから、ただ面白かったという記憶しかない。細部に関しては全く覚えてないから、これじゃイカンと思って、いろいろと再読してみたんじゃ。そしたら……」

「思ってたほど面白くなかったと？」

「実はそういう作品が多々あった」

「へぇー、ちょっと意外。博士ってバリバリの古典擁護者かと思った」

「儂も意外じゃった。というか、ちょっとショックじゃった。同じことが映画でもあった。青春時代に面白いと思った映画をDVDであれこれと再鑑賞しているのじゃが、あれ、どこが面白かったんだっけ？　と思うことが何度もある」

「感受性が鈍っちゃってるんじゃないの？」

「そうも思ったが、逆のこともあった」

「昔つまらなかったのが、面白かったとか？」

「そうじゃ。で、いろいろと考えたんじゃが、原因の一つに思い当たった。市川崑《いちかわこん》監督の『悪魔の手毬唄《てまりうた》』を観たときのことじゃ」

「博士が大好きな映画じゃん。まさか、あれが面白くなかったとか？」

「無茶苦茶《むちゃくちゃ》面白かった」

「だったらいいじゃん。何がいけないのよ」

「面白かった理由じゃよ。りっちゃんも映画を観るときは登場人物の誰かに感情移入するじゃろ？」

「そうね、普通は主人公。脇役のときは、自分に近い役かな」

「そうじゃな。昔の儂は多分、金田一耕助《きんだいちこうすけ》の立場で観てた。あるいは当時の儂にルックスが似ていた北公次《きたこうじ》」

「面倒くさいから突っ込まないわよ。話を進めて」

「ところが、先日観たときには、なんと若《わか》山富三郎《やまとみさぶろう》つまり磯川《いそかわ》警部の立場で観ちゃってた。そうしたらこの映画が更に良く思えてなあ」

「で、結局何が言いたいわけ？」

「視点が変われば評価も変わるということじゃ。例えば青春もの。小説でも映画でもいい。昔は、悩み傷つく若者の立場で観ていた。『大人は汚い』『社会が悪い』と主人公が叫べば『そうだそうだ』と声を合わせてな。それがどうじゃ。今では大人の立場で観ている自分に気がつく。主人公の行動に納得しながらも『でも、お前は甘いよ』とイラッとしたりもする。で思った。正しい評価には再会が必要じゃと」

「で、再読して、現代にお薦めしたい古典を選びたいのね？」

「そうじゃ」

「で私は、博士が自信を持って選んだのを読めば、間違いがないと」

「いいや、作品はりっちゃんが選ぶんじゃ。同時代人に向けてな」

「ええーっ⁉ 私が⁉ ただでさえ手が伸びづらい古典を大量に読むの⁉ つまんないかもしれないものを⁉」

「仕方ないじゃろ。儂はもうあの頃の気持ちには戻れない。若者にお薦めするには若者の意見を聞かんことにはな」

「絶対にいや‼」

「タダでとは言わん」

「いくらくれるのよ？」

「これこれでどうじゃ」

「もう一声」

「じゃ、あとこれだけ。その代わりと言っ

ちゃなんだが……」

「何よ？」

「その紺ハイソックスをニーソに穿《は》き替えてくれれば」

「おりゃあああああー‼」

＊　＊　＊

「ありがとう、りっちゃん」

「博士のためじゃないからね。同年代の仲間のために犠牲になってあげるのよ。で、どれを読めばいいの？」

「初心者に最適のテキストがある。集英社文庫から出ている『乱歩が選ぶ黄金時代ミステリーBEST10』じゃ。古典の代表的タイトルが勢揃いの上に、新訳だから読み易い。『ミネラルウオーター』を『鉱泉水』なんて訳してないから、今の人にはピッタリじゃ」

「十冊もあるじゃない。まさか全部読むの？」

「少なくとも五冊は読んでくれ。そこから一冊を選びたい」

「代表的古典でしょ？　五冊から一冊だけでいいの？」

「気持ち的には十冊から一冊を選びたい。それぐらいの心意気で臨まないと、本当にお薦めの古典は選べない」

「判ったわ。その心意気しかと受け取って、頑張って読んでみる」

あらすじ紹介（**読了順**）
アガサ・クリスティ『アクロイド殺害事件』
雨沢《あめざわ》　泰《やすし》訳　〇大富豪であるアクロイド

の元に、彼が再婚を考えていたフェラーズ夫人から手紙が届く。その内容は彼女にまつわる秘密に関してだったのだが、その夜、アクロイドは何者かに刺殺される。ミステリ史に残る驚愕《きょうがく》の真相とは!!

ガストン・ルルー『黄色い部屋の謎』長島良三《ながしまりょうぞう》訳　○鍵のかかった部屋の中から悲鳴が聞こえた。人々がドアを壊してかけこんでみると、血まみれの令嬢が倒れていたが、犯人の姿はどこにもない。密室殺人トリックの代表作!

A・A・ミルン『赤い館の秘密』柴田都志子《しばたとしこ》訳　○赤い館を訪ねて来た男が殺され、館の主人は行方不明になる。その場に居合わせた素人探偵ギリンガムの推理は? 限られた登場人物。軽妙な会話。『クマのプーさん』の著者が書いた唯一の長編ミステリ。

E・フィルポッツ『赤毛のレドメイン家』安藤由紀子《あんどうゆきこ》訳　○ロンドン警視庁の刑事ブレンドンは、休暇で訪れたダートムアの地で、赤毛の娘ジェニーに心を奪われる。やがて彼は彼女の一族、レドメイン家に起こった殺人事件に巻き込まれて行く。

E・C・ベントリー『トレント最後の事件』大西央士《おおにしひろし》訳　○金融界の大物が殺された。青年画家のトレントは調査に乗り出すのだが、容疑者の一人である被害者の妻メイベルに恋をしてしまう。

「読んだわよ、頑張って五冊。じゃまず『アクロイド殺害事件』からね」
「どうだった!?」
「うーん、こんなもんかな、という感じ」
「ええーっ、そんな感想なの!?　犯人は?

犯人に驚かなかった⁉」

「でも、こういうのよくあるし」

「そうかあ、確かになあ。儂がこの趣向に出会ったのは、これが最初だったから、もの凄《すご》い衝撃だったけれど、今はもっと驚くのが出てるからなあ」

「だから、その部分はどうでもいいの。驚く人がいるのは判るし。問題なのはアリバイの作り方よ」

「ああ、アレな。確かにのう、書かれた時代には新鮮だったかもしれないけれど、今の時代にアレはキツいかもなあ」

「博士が最初に読んだときはそう思わなかったの？」

「正直言うと、犯人にビックリして、その他の部分は全部許したところがある」

「恋は盲目。ましてや初恋ならば、ってやつね。別のシーンで、ちょっとした勘違いを上手く使ったところがあるでしょ？ あれがあるから余計《よけい》にアレにはガッカリしたかもしれない。博士はどうだったのよ。再読して」

「再読ならではの楽しみがある作品ではあった。ミステリーランドの某《ぼう》作品が、この作品のとある一節をあえて使っていてニヤリとしたりな」

「で、評価はどうなの？ 私は落選なんだけど『アクロイド殺害事件』」

「ううむ、残念じゃが仕方ないかのう。クリスティのお薦めは他にもあるし」

「じゃ次ね。『黄色い部屋の謎』」

「だいたい予想がつくが……」

「何なの、この探偵の造形」

「やっぱりそこか……」

「たかだか十八歳のくせにパイプをくわえてるわ、生意気だわ、『若かった頃は』なんてぬかすわ。裁判の途中に乱入してきて『ちょっといいですか』とか言って仕切っちゃうとこなんか、怒りを通り越して笑っちゃったわ」

「この作品を語るときには〈心理的密室〉が重要なキーワードなんじゃが、二番目の密室はちょっとアレじゃよなあ」

「私はあそこはアリだと思ってるわ」

「えっ？　いいの？　評判悪いんだけど」

「こういう言い方しちゃ悪いけど、トリックってそもそもそういうものでしょ？　謎が魅力的になればなるほど真相は色あせて見えるもの。博士も本格好きなら、もっと謎そのものを楽しまないと」

「ううむ、負うた子に教わるとは、まさにこのこと」

「でも構成が良くないから、その密室が生きてない。どうしてどの事件も後追いなのよ。現在進行形じゃないから、サスペンスが生きてこないのよ」

「ああ、それは多分この小説が新聞連載だったせいじゃな。新聞連載は細切れが常。読者を飽きさせないためには鼻先に人参が必要。この先話がどっちに転ぶか判らない現在進行形よりも『密室殺人がありました！』『何だと、詳しく話せ』『はい、実は――』とした方が、読者に興味を持たせ易いと思ったんじゃろうな」

「だったら単行本のときに直すべきだったわ。後追いだとある程度結果が判っているから、客観的にならざるを得ないもん。ということで、これも負け」

「犯人には驚いたんじゃが…………」

「どうしたの、文句あるの？」

「いや、次回以降取りあげるであろうクイーンもこの調子でやるのかと思うと、ちょっと怖い気がして……」

「止めるなら今のうちよ」

「いや、やってくれ。どこまで行くのか儂も見たい」

「次は『赤い館の秘密』。まあまあだったかな」

「まあまあか……」

「前書きが一番面白かった」

「いや、確かにあそこは面白いが……」

「事件も真相も面白かったけれど、もの足りなかった。なんだろ、上品すぎるのかな？　作者がプーさんを書いた童話作家だから？」

「儂は読んでいる間中、ずっとプーさんの絵が頭に浮かんでた」

「現代人からすれば、もうちょっとドロドロな部分や強烈な悪意があった方がしっくりくるかな」

「英国人、しかもこの時代。ミステリはどこまでも知的で高尚な遊戯だったんじゃろうな。――ところで犯人には驚いたじゃろ？」

「博士ったら、そればっかり！　他に気にするところないの？」

「面目ない」

「次行くわよ。『赤毛のレドメイン家』ね」

「この犯人には驚かなかったぞ」

「もう、それはいいわよ」

「で、どうだった？」

「すんごく面白かった」

「え、マジ⁉」

「口調が若者になってるわよ」

「どこが良かったんじゃ？」

「何て言えばいいんだろ。全体を包む落ち着かない雰囲気かな。どこかでザワザワってしてて妙に不安で、それが良かった」

「話がどこに向かってるか判らないもどかしさもある」

「間接的にはそうだし、犯人がターゲットに徐々に近づいて来ているという直接的なサスペンスもある」

「中学生のときは、最初の方で一回中断した覚えがある。事件が起きているのかいないのかハッキリしないし、刑事の恋愛感情が邪魔に感じた」

「私も鬱陶《うっとう》しいなあと思ったけど、読み終えたらなるほどそういうことかと。詳しいことは言えないけど嬉《うれ》しい裏切りだった。博士はどうだったの？　再読して」

「初読のときより面白かった。乱歩もそういうことを言ってるんじゃが、それとは違う意味でな。そう、さっき言った磯川警部に感情移入できる気持ちと同じというか」

「刑事が、イケメンで精悍《せいかん》な若者に嫉妬《しっと》するとことか？」

「正にそれ。昔は『いらんわ、こんなエピソード』とか思ったところが、今はひたすらに微笑《ほほえ》ましい」

「かわいいとこあるじゃん」

「残念なのは登場人物表かな」

「それのどこが？」

「被害者が多いから、それらを消すと、犯人の目星がなんとなくついてしまう」

「またそれ」

「でも集英社文庫版はまだいい。東京創元社の世界推理小説全集版だと、更に五人少ないから、犯人しか残らない」

「それも潔くていいじゃん。ということで『赤毛のレドメイン家』が、圧倒的な大差で優勝決定!!」

「ちょいと待った。まだ『トレント最後の事件』が残ってるぞ」

「試みは面白かったけど、長編で事件が一つは地味過ぎ。もっと読者サービスをしてくれと言いたい」

「でも、ミステリの黎明期にあの犯人はビックリじゃぞ」

「もう、それはいいって――!!」

◉第一試合出場作品とりっちゃんの評価

クリスティ	『アクロイド殺害事件』	惜しい、残念!	△
ルルー	『黄色い部屋の謎』	事件は魅力的だが	×
ミルン	『赤い館の秘密』	上品すぎ	△
フィルポッツ	『赤毛のレドメイン家』	後半は一気読み	◎
ベントリー	『トレント最後の事件』	地味すぎ	×

◉優勝

『赤毛のレドメイン家』

国樹由香の

本棚探偵の日常

◉第1回◉

出版社のパーティで講談社の編集Pさんにお会いしたとき、突然このコーナーの執筆依頼をされた。

「謎」がキーワードのエッセイ？　私はしがない漫画描き、そんなハードルが高い文章仕事なんて滅相《めっそう》もないとお断りしようとしたら、「国樹さんのお連れ合いであり本棚探偵でもある喜国雅彦さんの謎ということで、本棚探偵のミステリアスな日常について書いていただくのはどうでしょう」と。

悩むこと一瞬、

「……それでいいなら、書きます」

と、答えてしまった私だった。

見た目のせいか、世間一般に「酒も煙草《たばこ》もガンガンやるワイルドな男」と思われている喜国雅彦の真実を暴きたくなったというべきか。

本棚探偵の朝は（我々の職業を考えると）とても早い。愛犬二匹の散歩があるからだ。この原稿を書いている十一月現在は八時起きだが、真夏は四時起きだった。「陽が昇りきると暑くて犬たちが可哀相《かわいそう》だから」という理由で毎朝頑張っていた。

ちなみに我が家には、私が決めた「後から起きたほうがベッドメイキングをする」

という鉄の掟《おきて》があるのだが、私は八時には起きられない。まして四時など絶対に無理だ。そんなわけでベッドメイキングはずっと私がやっている。

　寝坊の私が昼近くにのろのろと仕事部屋に行くと、私の机の上に「ちょっとジョギングしてくるね」という置き手紙。探偵は置き手紙が得意なのだ。私を起こさないように&心配させないようにという気遣いである。必ず可愛《かわい》いイラスト（主にウチの犬がモデル）が添えてあるので、読み終えても大変捨てづらい。

　午後、汗だくになって戻ってきた探偵。三十キロ走ったとのこと。

「音楽聴きながらじゃないと走れないのに、途中でイヤホンが壊れてさ〜。ポケットには五百円玉しかないのにどうしようって思ったら、ダイソー発見！　このイヤホン百円なんだよ、スゴイだろ」

と、熱くダイソーの素晴《すば》らしさを語りまくったのち、シャワーを浴びに行く探偵。

ふと玄関を見ると、ジョギングシューズがぞんざいに脱ぎ捨ててある。ご機嫌でバスルームから出てきた探偵にすかさず注意。我が家の鉄の掟その二は「脱いだ靴はキチンと揃える」なのだ。

「ごめんなさい……」

　探偵は素直なのですぐに謝る。あまりに神妙な顔で謝るので、こちらが申し訳ない気持ちになるほどだ。

「さーて、ベッドでネームやるかな」

　ネームとは「漫画のストーリーを考えること」なのだが、探偵はベッドに潜り込んでストーリーを練るタイプだ。私も真似をしてみたら、ものの十秒で眠ってしまい、気分爽快にはなったが仕事にはならなかった。はたして探偵はというと、どう見ても眠っているようにしか見えないのに「出来たっ！」と飛び起きる。軽くイビキをかいていることもあるのに、飛び起きる。長年にわたり週刊連載を抱えているせいで、夢の中でも仕事が出来る体質になったとしか思えない。

夕方の犬散歩は二人で行くことが多い。探偵は川べりの散歩コースがお気に入りだ。カルガモの親子や、甲羅干《こうらぼ》ししている亀や、魚たちの観察に余念がない。猫が集《つど》うスポットも熟知している。生き物全般が好きでたまらないのだろう。

散歩を終えてくつろいでいたら、ついソファで眠ってしまった私。いい匂《にお》いで目が覚める。探偵が夕御飯を作ってくれていたのだ。私が謝ると、

「いいんだよ、由香ちゃんは疲れているんだから」

いや、私は確かに昨日空手の道場でシゴかれたので疲れてはいた。でも、空手はただの趣味だから。探偵は仕事明けで走って、更にネームまでやり遂げたというのに、心が広すぎる。探偵の作ってくれた御飯はとても美味だった。

食後は読書タイムなので、ソファに座る探偵。私と犬たちがその隣に座ろうと集まる。探偵は我が家で一番の人気者なので、横のポジションは毎回取り合いになるのだ。

犬たちに負けてしりぞく私。お風呂に入って戻ってきたら、探偵がソファで犬たちと熟睡していた。そう、犬たちは探偵を寝

かしつける天才なのだ。「仕事が残っているし、起こさないと」と思いつつ、その平和な光景を写メに収める私であった。この手の光景画像はゆうに百枚はある。

え？ 酒と煙草の話？ 探偵は体質的に完全なる下戸《げこ》。煙草は結婚と同時に禁煙してくれた。人は見かけによらないの典型のような男、それが本棚探偵なのだ。これからも飼育係並みの面倒見のよさで、私と犬たちを見守り続けて欲しいものである。

謎の儀式。
Z
本棚探偵が
この夏発明した
画期的な寝方。
2つある枕のうち1つを
お腹の上に乗せて寝る。
お腹も冷えず適度な重みが
心地いいとのこと。
最初は笑って見ていた私も
気がつけば同じことをするように。
2人してお腹に枕の寝姿は人様には見せられない。

本格力

Hon Kaku Ryoku

Mystery book guide
of the bookshelf detective

第2回

◉エンピツでなぞる美しいミステリ◉

僕が読んだ小説のひとつでは、からの注射器で空気を犠牲者に注射して、人殺しをする話があったがね。（略）実際は、君も知ってているとおり、そんな原因で死ぬのは百人にひとりあるかなしだ。

エラリー・クイーン　井上勇＝訳
『シャム双子の謎』（創元推理文庫）

数年前に、胆嚢炎《たんのうえん》で入院した。正確にはいつだったかな？　と思い出したら七年も前だった。錨《いかり》が欲しいよ、時の流れに逆らう錨が。

　なんて、おっさんの愚痴《ぐち》は置いといて、十日あまりの入院生活をひと言で括《くく》れば「点滴の日々」だった。

　痛みで本を読む気にもならず、昼間から寝る気もおきず、毎日毎日、朝から晩まで、ただぼんやりと落ち行く点滴液を見つめていた。

「一時間で、これだけ減ったから、あと何時間」「今日の点滴はスピードが早いから腕が重たいぞ」「右腕ばっかりに刺してるから、今度は左腕にしてもらおう」「ああ、動いたものだから、血液が逆流しちゃった」

　考えることは点滴のことばかり。気づくと点滴を見つめている。ああ、何てことだ。管の中に気泡が混じっているじゃないか。しばらく見つめていると、それらはどんどん腕に近づいて来る。ゆっくりと落ち着いて指でビニール管をピンピンと弾《はじ》く。そうすると、気泡は液体の中を昇りつめ、点滴パックの中へと戻る。助かった、もう少しで死ぬとこだった……。

　血管に空気を注射して、血液を凝固させて人を殺す。刑事もののドラマで、何度も見たシーンだ。病院での危険は犯罪ばかりではない。昨日の夜も、ささいな医療ミスで患者が死んだというニュースをみたばかりだ。

　恐ろしい空気を弾き返し、安心した反動で眠くなった。しばらくウトウトしたらしい。目が覚めて反射的に腕を見たら、さっきよりも大きな空気の固まりが、今まさに腕の中に消え去ろうとしていた。管を弾き、再び空気をパックへと戻し、慌ててナースコールのボタンを押す。

「どうしました?」「て、点滴の中に空気が!!」「空気ね。これならどうかしら? 大丈夫そうね。じゃ」何もなかったかのように、去ろうとするナース。その背中に必死で声をかける。

「あのう、空気が入ると死にますよね?」

ゆっくりと振り向き、笑顔を作るナース。

「いいえー、死にませんよー」「え?」

ナースの言うことなんか当てにならない。巡回のときにドクターにも訊いてみた。

「空気ですか? 大きめの注射器一本ぐらい入れたら、どうにかなるとは思いますが、死ぬかなあ?」

僕だけではないはずだ。そうやって教わったんだ。疑うことのない常識として、ドラマやミステリ小説で……

退院後、必要があって、エラリー・クイーンの『シャム双子の謎』を再読した。とある医者が、エラリーが探偵小説家と知り、皮肉る。

それが46ページのセリフだ。〈冠状動脈破裂とか、〈略〉の部分はこうだ。なんとかいったものだ〉

これが書かれたのは1933年。中学生の頃に読んだのに覚えていなかった。

どうしてくれる? 注射のたびに「空気よ入るな!!」と、注射器を睨《にら》み続けた僕の人生……

そして、改めて思った。やっぱクイーンってすごいわ。

◉ほんかくだもの◉

こいつが犯人なのはわかっているんだが

みすも

◉ 勝　手　に　挿　絵 ◉

ストーリー

「お隣へ誰か越してきたの？」——恋人・浅子の目撃情報を受け、
誰もいないはずの自宅アパート隣室へ侵入する主人公。
そこには確かに空気や影のような「何か」がいた。
この怪奇現象は酒場で耳にした「蛇男」によるものなのか、
それとも……？
解決に向け主人公は衝撃的な行動に出る！

角田喜久雄「蛇男」昭和十年作品
『底無沼』（出版芸術社）所収

◉ミステリのある風景◉

坂東善博士

H－1グランプリ

本当にお薦めしたい古典を選べ！

りっちゃん

第二試合

◉奇跡の32年◉

「というワケで、『H－1グランプリ』第二試合じゃ」

「話し始める前にまず自己紹介すれば？」

「ああ、そうじゃな。儂は坂東善博士。長年にわたって本格ミステリについて研究している」

「私はりこ。ごく普通の女子高生よ。で、今回は何を読むの？　前回読み残した乱歩《らんぽ》のお薦め？」

「それも良いと思ったんじゃが、二回目でいきなり核心に行くことにした」

「というと？」

「りっちゃんは前回苦手だと言ったが、世間一般的には、古典本格ミステリの頂点とされているのは、エラリー・クイーンじゃ」

「そうらしいわね。それで？」

「その著作からベスト1を選んでもらいたい」

「ええっ⁉　全部の中から⁉　一体何冊あるのよ⁉」

「んーと、長編だけで四十作ぐらいあるかな？」

「四十作⁉　バカ言ってるんじゃないわよ！　今までの人生で読んだ本の数より多いじゃない。そんなことしてたら、私の一生はエラリー・クイーンで終わりよ‼」

「それはそれで、幸せな人生のような気もするがの。でも大丈夫じゃ。読むのは1932年に書かれた四冊『ギリシャ棺の謎』『エジプト十字架の謎』『Xの悲劇』『Yの悲劇』だけでいい」

「どうしてよ」

「今までの古典ミステリのベストテン投票で人気の高いクイーン作品は、すべてこの年に書かれておっての。『エラリー・クイーン　パーフェクトガイド』という本によると、ファンクラブ会員の投票によるクイーンランキングでも、これらの四冊が一位、二位、三位、五位となっておるんじゃ」

「逆に言うと、他の年はなんだっての？って話ね」

「それは違うぞ。確かにクイーンの年譜的には、この年のことを、驚きと尊敬の意味を込めて〈奇跡の32年〉と呼んでいるんじゃが、残りの作品だって他の作家と比べたら、おつりがくるほどの奇跡ではあるんじゃ」

「で、いいのね？」

「何がじゃ？」

「さっきからベストテンがどうしたとか、

ファンクラブのランキングとか言ってるけどさ、そもそもこの企画って、そういう世間の常識を鵜呑《うの》みにしないで、あくまで自分の目で評価する、ってのが大前提なんだからね。私が読んでつまんなかったら、ハッキリそう言うわよ」

「受けて立とう」

「神様の奇跡に唾《つば》を吐《は》くかもよ」

「唾を吐くならぜひ儂の顔に」

「いっぺん、警察に捕まれーっ!!」

あらすじ紹介（**読了順**）

『ギリシャ棺の謎』以下すべて創元推理文庫　井上勇《いのうえいさむ》訳　○ニューヨークの大富豪ハルキスの葬儀が行われたが、金庫の中の遺言書が消失する。捜査に加わったエラリー・クイーンはそのありかをハルキスの棺の中と推理するのだが、そこにはもう一つ別の腐乱死体があった。犯人に裏をかかれ続けるクイーンに逆転はあるのか？

『エジプト十字架の謎』井上勇訳　○首を切断された死体が、T字形のエジプト十字架に磔《はりつけ》にされる事件が連続して起こる。はたして犯人は⁉　そしてその目的は⁉　さすがのクイーンも負けを覚悟するのだが、たった一つの証拠から、すべての謎を解き明かす！

『Xの悲劇』鮎川信夫《あゆかわのぶお》訳　○満員の市電の中で株式仲買人が奇妙な方法で毒殺され、その場に居合わせた人物が第二の被害者となった。聴力を失った探偵ドルリー・レーン初登場！　悲劇シリーズ第一作！

『Yの悲劇』鮎川信夫訳　○家族全員が奇人で有名なハッター家で奇妙な事件が連続

して起こる。レーンの推理では「犯人はとある人物に間違いがないのだが、その人物には、絶対に犯行が不可能」という結論になってしまう。


「読んだわよ」

「で、どうじゃった？（ドキドキ）」

「最初に総論を言うとね……」

「……（ドックンドックン）」

「どれも面白かったわ。それもかなり」

「おおおおおおおおーっ‼　おーい、おーい、おーい」

「ちょっとー、何で泣くのよー⁉」

「だってー、もしも今回の作品が全滅だったら、この企画はもうおしまいにするしかなかったんじゃぞ。クイーンのいない古典グランプリなんて、榮倉奈々《えいくらなな》ちゃんのいない『セブンティーン』と同じじゃからな」

「あのさあ、そうやってタレントに喩《たと》えると、クイーンの価値が下がると思うんだけど」

「うるさい。儂にとっては同じじゃ。それはもういいから、感想じゃ、クイーンの」

「はいはい。まずね『ギリシャ棺の謎』を読んだの。で、読んでる途中で思い出したんだけど、私が前に読んだのって『ローマ帽子の謎』だった」

「退屈じゃったんじゃよな『ローマ帽子』は」

「うん、すごく。まず『ローマ帽子』の何が気にいらなかったんだろうって、考えたんだけど、あの〈劇場〉という舞台がダメだった。容疑者が多すぎて、集中出来ないじゃん」

「何百人もの容疑者から、論理で犯人をたったの一人に絞り込んで行くというのが読みどころなんじゃから、容疑者が多いのは〈敢《あ》えて〉じゃ。『フランス白粉《おしろい》の謎』のデパートも同じ」

「本当にそういう狙いだったらさ、容疑者全員の名前を登場人物表に載せるべきだと思わない？　たとえ何百人であろうと」

「へ？」

「全員が容疑者といいながら、結局は登場人物表に名前が載ってる人が犯人なんだからさ。矛盾してるじゃない」

「それはそうじゃが、実際にそんなことは無理だし」

「だったら数学パズルで充分だわ。三つぐらいの条件で、無限の数字の中から、たった一つの x を導き出すんだからさ」

「でも、文学だから。読みどころはそこだけじゃないはずじゃ」

「だったら、舞台としての劇場に魅力はあった？」

「う‼」

「ちょっと幻想的になっちゃうけど、劇場の雰囲気が犯行に影響を与えていたとか、動機が歴史と結びついていたりとか、そういうことなら、小説としての読みがいもあるけどさ、ただ人が集まる場所ならどこでも良かった、って感じでしょ？　そこんところ『フランス白粉』はどう？」

「ううむ、同じじゃ。デパートである必然はない……」

「だったら、容疑者が十人ぐらいの場所で充分でしょ」

「そこに行くと『ギリシャ棺』は館だから

登場人物は限られる」

「でも、最初は葬儀に参列した全員が容疑者だったから、またこれかと思ったけどね。劇場とかデパートに比べて〈隣に墓地を持った館〉という舞台は雰囲気度はアップしたけど、やっぱりお屋敷自体に魅力はないし」

「ううむ。最初に面白かったという感想を聞いていたから、冷静に聞けるが……」

「ハッキリ言って、途中までは苦痛だった。でもね、エラリーが失敗をした途端に、俄《が》然《ぜん》面白くなった」

「なんと犯人の指摘を間違えるんじゃな」

「失敗しないで終わらせることもできたでしょ。そしたら『ローマ帽子』と同じ感想になったんだけどさ、あの生意気だったエラリーがシュンとしたことで、私はむちゃくちゃ盛り上がった」

「だったら一体犯人は誰なんだ⁉　次にエラリーはどうするんだ⁉」

「世間的にはそうなんだろうけどね、私は違うわ。胸がスッとしたのよ」

「へっ？」

「だって、アイツ生意気じゃない。口調も鬱陶しいしさ、上から物言うし。だから失敗して手を叩いた。ざまあ見ろって」

「ううむ、そんな読み方をしている人間がいるとは……」

「でも、そのおかげで続きを読んだんだからね。コイツがどうするんだろうっていう興味でね。それで後半を読んでやっと判ったの。みんながクイーンをすごいっていう意味が」

「おお、やっとそのセリフが。おーいおー

いおーい」

「もう、泣かなくたっていいじゃない。博士最近涙腺《るいせんゆる》緩すぎよ」

「うんうん何でもいい。で？　何がよかった？　どこがすごかった？　その可愛い口でゆってごらん」

「涙たらしながらも、おっさんの下品さは忘れないと。まあいいわ。ハッキリ言ってあげるから、ちゃんと聞いて。ビックリしたのはね、証拠が犯人が用意したものだったり、登場人物がみんな嘘を言ってたりとかさ、どれを根拠に推理していいか判らないじゃん。これってさ、ミステリとしてはすごいことよね。なのに次々と事件は起こるし。こういうのって『ローマ帽子』とかに欠けてた部分だよね。何て言うんだっけ？　判り易い読者サービスのこと。漢字三文字で」

「外連味《けれんみ》？」

「そうそれ！　さすが博士、物知りね」

「おっほん。ほら、小遣いじゃ取っとけ」

「そうかあ、ひょっとして、嘘でもいいから博士の喜ぶことを言っておけば、もっとギャラが貰《もら》えるのかしら」

「それはダメじゃ。本の感想は正直じゃなきゃイカンぞ」

「大丈夫よ。この作品は本当に面白かったもの。『ローマ帽子』は堅苦しいミステリでしかなかったけれど、これはエンターテインメントとしても最高のミステリだったわ。博士が大好きな意外な犯人だしね。クイーンが失敗してからの二転三転はずっと口を開けて読んだもの」

「ああっ、口を開けっ放しの女子高生

……」

「なんか、腹立って来たんで、悪口もひとつ」

「あ、しまった」

「相変わらず、物としての〈ギリシャ棺〉はどうでもよかった」

「その後、クイーンを真似て、国名がタイトルについた作品はいっぱい書かれたけれど、内容と題名が一番合ってないのは本家かもなあ」

「ということで、次『エジプト十字架の謎』行くわよ」

「おうし、行ったれ！」

「磔にされた首なし死体。大量の血。Tの字づくし。田舎の荒涼とした景色。出だしは最高だったんだけどねえ」

「えっ⁉　ということは、ダメだったのか？」

「エンターテインメントとしては最高だと思うけどさ。大陸をフルに使った車のおっかけなんか、クイーンさん、一体どうしちゃったの⁉　ってぐらいビックリしたけど」

「『ギリシャ棺』で外連味を覚えちゃって、そうか、こう書けば良かったのか？　って感じじゃな。このあとの『シャム双子の謎』では、クイーン父子の乗った車が山火事に追われるシーンから話が始まるし。娯楽が好きなアメリカ人の血が目覚めたんじゃろうか」

「でね、それはそれで良いんだけど、その陰にすごい欠点があることに気がついたんだけど……」

「え、どこじゃ⁉」

「エラリーがいなくても犯人を捕まえるこ

とができてるのよ」

「え？」

「そうでしょ？　この話は、エラリーがとある証拠を見つけるところがポイントなんだけど、そのときはすでに別の人が犯人を追いかけているからね。正体は判らないままに」

「確かになあ、真相なんかは、犯人さえ捕まえてしまえば、遅かれ早かれ明らかになるだろうしなあ」

「すべての事件に、裏の裏があってビックリするけどさ、裏の裏ってことは、表ってことになるわけでさ、普通の探偵だったら、もっと簡単に真相に辿《たど》り着けた気がしてならないんだけど」

「うーむ、ミステリを読み慣れた者は細かい芸に感心する傾向があるからなあ。大枠よりも」

「失礼ね、私だって細かいところにも気がつくわよ。その最後の証拠にしたってさ、読者に見せるのはエラリーじゃないでしょ。何故だか判る？」

「えーと、演出に変化を持たせたかった」

「違うわよ。あそこはね、読者にフェアに手がかりを出すためには、描写だけではダメで、どうしても〈とある会話〉が必要だったのよ。だから、一人でいたエラリーの目を通して読者に見せる訳にはいかなかったのよ」

「ええと、待てよ。あのシーンは……、うわっ、確かにそうだ。すごいぞ、りっちゃん!!」

「こういう細かい技術が、あちこちにちりばめられているんだろうね。だからこそフアンにはたまらないんだろうし、特別な存在なんだろうな、と思った」

「うんうん、そのセリフだけで、この企画をやってて良かったと思う」

「また、泣くぅ。でも面白かったけど、さっき言ったような欠点が目についたから勝ち上がりはしないからね」

「いいさ、いいさ、じゃ次」

「疲れて来たから二冊同時に行くわよ。『Yの悲劇』は最高だけれど、『Xの悲劇』はもうひとつ」

「いいじゃろう。五割なら御の字じゃ」

「まずね、『Y』は登場人物が全員異常なところがいい。探偵もそれに負けずに強烈だし」

「犯人も動機も手がかりも論理も結末もすべてが異常」

「私、読んでる間ずっとヘラヘラしてたよ。というのはね、最初に読んだのは『X』だったんだけどさ、それはそれで面白かったんだけど、『ローマ帽子』で感じた不満がまたここにもあったのよ」

「その場に居合わせた全員が犯人の可能性というヤツか?」

「そう、今度は電車の乗客。でもやっぱり名前のない人は犯人ではありえないから、それらは違う。だから名前のある人間が怪しいんだけど、どのキャラも立っていない。いっぺんに登場してきて、大したエピソードも残さないまま、みんなで移動する。名前はあるけど、ないのも同じ。だから、誰が犯人でも構わないという気になる」

「一番キャラが立っているのは探偵じゃものな」

「ちなみに、さっきのファンクラブでの順位はどうなってる?」

「『ギリシャ棺』が一位で『X』が二位。『エジプト十字架』が三位で、今回読まなかった『オランダ靴の謎』が四位。で『Y』が五位じゃ」

「みんな『X』のどこが気に入ってるの?」

「著者の飯城勇三《いいきゆうさん》氏によれば、ダイイング・メッセージの使い方がポイントだと書いてある。メッセージを解釈するのではなくて、それが残されていた、という事実を手がかりにするところだ、と」

「なるほどね。確かにダイイング・メッセージって、へ理屈でどうにでも読めるしね。探偵がどんなにそれらしい解釈をしても、本当の正解は、死んだ本人に訊くしかないし。という不満がいつも残ってたんだけど、あの使い方なら納得よね」

「でも、それを聞いても評価は変わらないと」

「『Y』がなかったら、まあまあ面白かったんだけど」

「『Y』のどこがそんなに気に入ったんじゃ?」

「さっきも言ったとおり、『X』はキャラが弱いのよ。といっても私は別に〈人間が書けてない〉とか言ってるワケではないのよ。コマでもいいの。でも『X』ではほとんどの人間がコマにもなってない。そこへいくと『Y』は全員が見事なコマ。『X』とは逆の意味で〈もう誰が犯人でも構わない〉という気にさせてくれる。私はねえ、『X』を書いたクイーンが反省したんだと思うの。犯人を目立たせないように没個性にしたけれど、探偵だけが目立ってしまった。だったら全員を異常にして、その中に混ぜてしまえと」

「探偵が目立つというのは、ある意味このシリーズの狙いではあったんじゃ。残りの悲劇シリーズを読んでもらえれば、言ってる意味が判ってもらえるんじゃが」

「じゃ今度、この企画とは関係なく読んでみるわ。この探偵のことかなり気にいったもの。だってねえ、探偵としてやっちゃいけないことしてるんだもの、最高よ」

「でもなんといっても、一番すごいのはあの犯人!!」

「はいはい。博士の決めのヒトコトが出たところで、今回はおしまい。本当は一作だけの優勝にしたかったけど、特別に二作。これで神様の面目も立ったでしょ？」

「お気遣いをありがとう」

「さて次回は、何かな？」

「紺のハイソックスじゃなくて、黒のニーソでお願い」

「やっぱりいっぺん捕まれー!!」

◉第二試合出場作品とりっちゃんの評価

『ギリシャ棺の謎』	ファンの意見と一致	◎
『エジプト十字架の謎』	第二の事件が複雑すぎ	○
『Xの悲劇』	キャラが書き分けられてない	○
『Yの悲劇』	雰囲気最高。悪意最高。不道徳万歳	◎

◉優勝

『ギリシャ棺の謎』

『Yの悲劇』

国樹由香の

本棚探偵の日常

◉第2回◉

信じられないことが起きた。一回限りだったはずのこのエッセイが、なんと連載に昇格したのである。ミステリにはほど遠い、ただの日常赤裸々エッセイなのにガクブルである。メフィスト編集部は一体何を考えているのだろうか。

でも、続きを書かせていただけるのは素直に嬉しい。ありがとうございます。と言うわけで、私の連れ合いであり本棚探偵でもある喜国雅彦の真実を今回も綴《つづ》っていこうと思う。

本棚探偵は凪《な》いだ海のように穏やかな性格である。結婚してずいぶん経つが、本気で怒っているのを見たのは片手の指の数にも満たない。

例えば現在、私がこのエッセイを書いている横で、探偵は我が家のメンテナンスをしている。愛犬が仕事部屋のドアをかじったせいで、ペンキが一部剝《は》がれてしまったのだ。お気に入りのグリーンのドアゆえ、ヘコむ私。だが探偵は少しも慌てない。

「イタズラの現場をおさえられなかったから、今更怒っても意味がないしね」

そして、おもむろにメンテ開始。

『水車館』の表紙絵を描いてる最中でよ

かった〜。アクリル（絵の具）出す手間がはぶけたよ」

なんたる前向き発言。ドアの破損部分にやすりをかけ、グリーンのアクリルでペイント。すっかり元通りだ。

数年前にこんなこともあった。探偵の誕生日は十月十七日なのだが、私は誰よりも先におめでとうを言いたくて、夜中の十二時をまわり十七日になった瞬間、仕事明けで早く休んでいた探偵を揺さぶり起こし、

「お誕生日おめでとう！」

とんだ暴挙にもかかわらず、寝ぼけまなこをぱちくりさせながら笑顔を見せてくれる探偵。そんな探偵が朝の犬散歩から戻るなり、私に向かって叫んだ。

「由香ちゃん、ありがとう！　夜中にお祝いを言ってくれて」

一体何が？

「犬散歩のときによく会うおっさんがいてさ、今朝イキナリ『お誕生日ですよね？　おめでとうございます』って言うんだよ。犬散歩でしか会ったことのないおっさんが何故《なぜ》俺の誕生日を⁉　と思ったら『今朝の情報番組で見たんですけど、十月十七日生まれの著名人にあなたが入っていましたよ』だって！　由香ちゃんが夜中のうちにおめでとうを言ってくれてなかったら、俺の四十六歳は、よく知らないおっさんのおめでとうで始まるとこだったよ！」

そんなことでこんなにも感謝されるとは。私は探偵より早く起きられないから、双方の実家から早々にかかってくるであろう「おめでとう電話」を出し抜きたかっただけなのに。余談だが、十月十七日は著名人

があまり生まれていない日。ライバルの少なさから探偵がランクインしたと思われる。

常に穏やかな探偵は冷静な分析家だ。ずいぶん昔の話になるが、珍しく探偵が激しい寝坊をした日があった。遅くに仕事部屋に現れた探偵が見た光景は、くつろぐ犬（ちなみに先代犬）、仕事机にはむき出しの百十円、毛布にくるまって寝ている私。探偵の判断は早かった。

「缶コーヒーが値上がりしてるの知らなかったでしょ」

えっ？

「由香ちゃんが朝の犬散歩に行ってくれたんだよね。コートのポケットに百十円ぶんのコインを入れて。で、自販機で缶コーヒーを買って歩きながら飲むのを楽しみにしていたけど、十円足りなくて買えなかった。それで、ふて寝してる」

ホームズかと思った。

「簡単なことだよ。いつもなら犬は俺に『おさんぽ、おさんぽ』って催促してくるしさ。自販機のドリンクは、つい最近値上がりして百二十円になったからね。絶対それを知らなかったんだろうって。今朝はすごく冷えたから、寒がりの由香ちゃんは温かいコーヒーが飲みたくてたまらなかった」

全くもって、そのとおり。唖然《あぜん》としている私をその場に残し部屋から出ていく探偵。ほどなくして戻ってきたその手には缶コーヒー。

「はい。このメーカーのでよかった？」

いくらなんでも甘やかしすぎである。

探偵はかゆいところに手が届くような心遣いの男なのだ。前述のコーヒー的なことは日々行われているのだが、その中でも特に忘れがたいエピソードがある。

とある冬、私はひどく風邪をこじらせ寝込んでいた。高熱でうなされていても食欲はあるのが私の風邪の特徴。空腹を感じて目を開けると、枕元に一枚の紙。筆ペンで何か書いてある。

【おしながき】
なべやきうどん
にゅうめん
おじや
おかゆ（梅、玉子）
※デザートあります
アイス
プリン
りんご

探偵お手製のお品書きだった。

「注文は決まりましたか？」

にこやかに現れた探偵に、なべやきうどんとプリンとりんごを注文。そのとき私の目頭《めがしら》が熱かったのは、確かに熱のせいだけではなかった。

日々穏やかに暮らす探偵が怒るとき？　軽い怒りは無謀運転や、ゴミ出しマナーや、放置自転車などに向けられている。そんな探偵を見るたび、

「お母さんみたい（お父さんでは決してない）だなー」

と思ってしまうのだが、これは探偵には内緒にしておこう。

本棚探偵の疑問。
出題編
毎木曜日の話なんだけどさ
朝の犬散歩で通る道の真ん中に
10円
同じ場所に必ず10円が落ちてるんだよ
他の曜日は落ちてないの？
うん！
不思議だろ？
今週も落ちてる
やはり木曜
朝
本棚探偵の推理はいかに？解答編に続く！

解答編
ある日の自宅前で
灯油20リットルください
はいっ
じゃおつりね
ゴソゴソッ
手が汚れるから軍手はずせないしね
チャリン
え？
これかーっ
〈お答え〉
あの場所に水曜に来る灯油屋さんがおつりを渡すとき小銭を落としていた
10円は風のうちに誰かに拾われているとみた

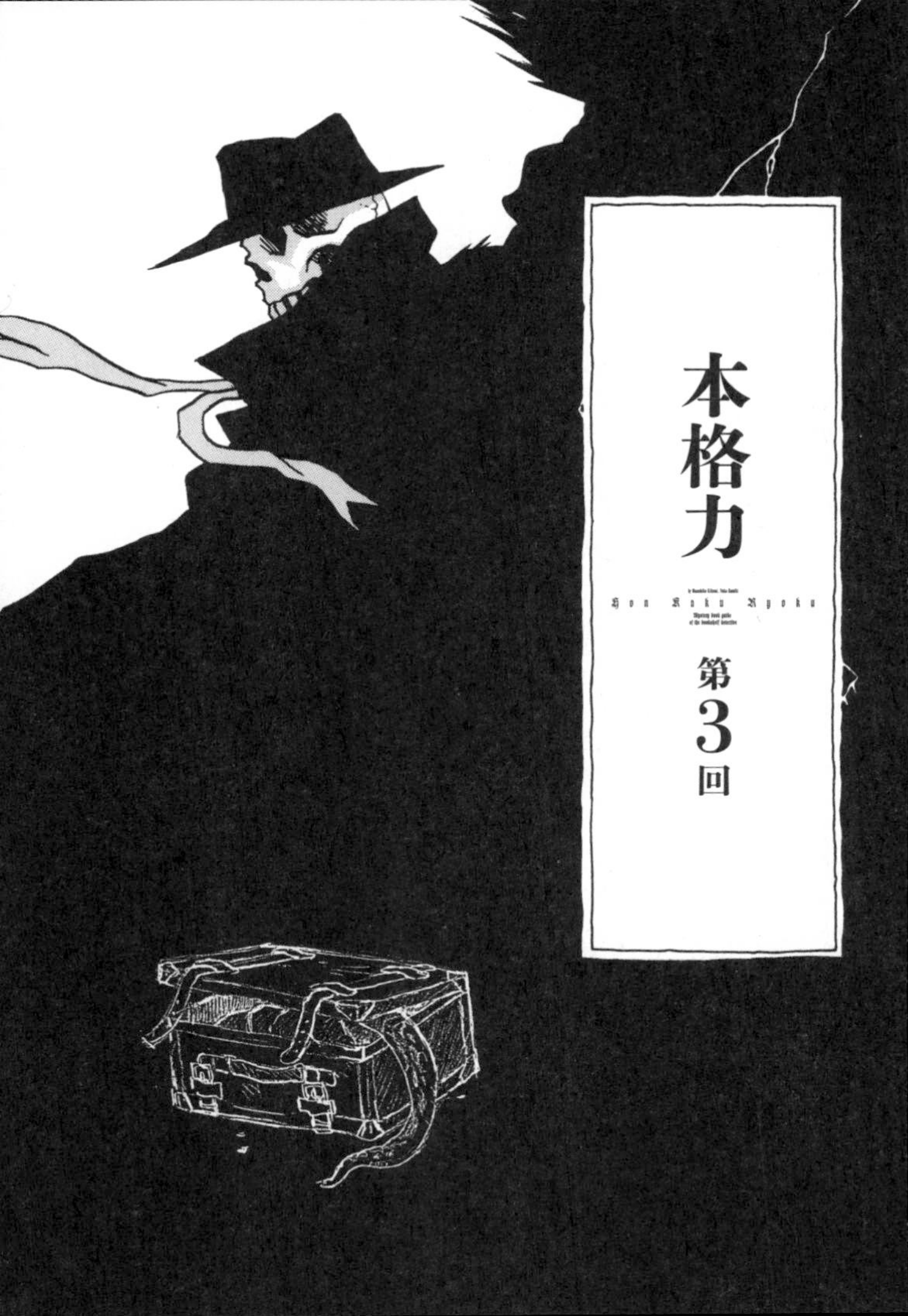

本格力

Hon Kaku Ryoku

第3回

『すると、敷物《カーペット》の波は何のためだい。』熊城が横合から訊ねた。
『それが、内惑星軌道半徑の縮伸ぢやないか。
（以下略）』

『黒死館殺人事件』（ハヤカワ・ポケット・ミステリ・ブック）　小栗虫太郎

早川書房から仕事の依頼があった。ポケミス復刊フェア用に、推薦作品を二タイトル選んでくれませんか、と。

考えるまでもなく、すぐに返事を出した。

「日本の作品なら、頑張って選べるのですが、海外ものは黄金期の作品以外は全く詳しくありません。僕には相応《ふさわ》しくない仕事です。百万円もらっても無理な相談です」

出来ないことは〈出来ません〉といつでも自分に正直な僕なのである。だが、編集部からの答えは予想外だった。

「ご存知だとは思いますが、ポケミスには日本の作品も三作あります」

「もちろんそれは知ってます。でも、せっかくの限られた復刊席を他社でも買えるタイトルで埋めるのはどうでしょう」

「敢えてポケミスで読む愉《たの》しみというのもありますよ」

そこまで言われたら話は別だ。責任は僕にはない。堂々と推薦させてもらうことにした（文句のある人はポケミス編集部に言うように）。

推薦枠は二つなので、浜尾四郎《はまおしろう》の『殺人鬼』には遠慮してもらって、夢野久作《ゆめのきゅうさく》の『ドグラ・マグラ』と小栗虫太郎《おぐりむしたろう》の『黒死館殺人事件』を選んだ。

ミステリがらみの仕事がくることだけでも幸運なのに、日本のミステリ史の、とある部分では極北に位置するであろう二作品に、自分の推薦文がつくことになるなんて、まさにマニア冥利《みょうり》!!

気持ち的には、友達のオーディションについて行って、自分だけが合格してしまった山口百恵《やまぐちももえ》と同じである。

『ドグラ・マグラ』の推薦文は数個考えたが『黒死館～』に関しては一秒も考えなかった。これ以外にはあり得なかった。『読了しただけで、他人に誇れるミステリって、そうはない!!』

『そうはない!!』のところは『他にはない!!』にしたかったのだが〈他〉の字がかぶるので、こっちにしたまでで、気持ち的には『唯一無二!!』と言いきっていると思ってもらいたい。

なぜ、読了しただけで、誇れるかと言えば、今回の例文を見てもらえれば判る。

このセリフは探偵が謎解きをしている一部分なので、本当なら、こうやって抜き出すことはルール違反にあたるのだが、読んでお判りのように、意味が判らないのでオーケーだ。

判らないのはここだけではない。ポケミス三百三十ページのうち、三百ページは何が書いてあるのかよく判らないし、そのうちの百ページは日本語なのかどうかも怪しい。

だから、未読の方はぜひ手に取って、確認してもらいたい。抜き出した部分なんかは実は可愛いものだったと判るだろうし、こんなにもワケが判らなくて、でもひたすらに美しい文章を目にしないのは、確実に人生の損だから。

そのときはぜひ、ポケミスでチャレンジしてもらいたい。ごらんのように正字体、クラクラ度が三割は増すはずだ。

あなたが
見立てに
なってるだけで
みんなの
こころが
やすらぐ

みすを

◉ ~~勝手~~正式に挿絵 ◉

綾辻行人『暗黒館の殺人』（講談社文庫）

第一巻用にはイラストが二点用意された。
使用されなかったバージョンをこの機会に公開。
（左上）デザイナーの坂野さんがわざわざ装幀してくれた（笑）

坂東善博士

H-1グランプリ
本当にお薦めしたい古典を選べ!

りっちゃん

第三試合
◉疑惑の組み合わせ◉

「というワケで、『H-1グランプリ』第三試合じゃ」

「何度も言うけど、まず自己紹介でしょ?」

「おっと、そうじゃった。儂は坂東善博士。長年にわたって本格ミステリについて研究している」

「私はりこ。ごく普通の女子高生よ」

「そう、お金と性に大変興味がある、ごく普通の女子高生じゃ」

「マジでマスコミ動かして、社会的に抹殺する」

「ごめんなちゃい。二度と言いません」

「もうそれはいいから、今回の本を紹介して」

あらすじ紹介(読了順)

F・W・クロフツ『樽《たる》』集英社文庫　二宮《にのみや》磐《けい》訳　○荷揚げの作業中に落下した樽の中から女性の死体が発見された。樽の経路を捜査する英仏両国の捜査陣だが、謎は深まるばかりだ。ミステリの世界にリアリズムを持ち込んだクロフツの第一作。

ロジャー・スカーレット『エンジェル家の殺人』創元推理文庫　大庭《おおば》忠男《ただお》訳　○エンジェル家はいささか変わっていた。敷地は対角線を引いたように二分され、年老いた双子の兄弟がそれぞれ家庭を持っていた。そして父の残した「長生きした方に全財産を譲る」という遺言に彼らは支配されていたのだが、一人が病気になったことでそのバランスが崩れ、事件が起こるのだった。

アガサ・クリスティー『そして誰もいなくなった』ハヤカワ・クリスティー文庫　清《し》水《みず》俊二《しゅんじ》訳　○互いに面識のない十人の男女が孤島に集められる。だが招待主は現れず、代わりに彼らの過去の犯罪を暴く声が流れる。無気味な童謡の歌詞のとおりに、一人ずつ殺されていく客たち。あまりにも有名なクリスティーの代表作！

クリストファ・ブッシュ『完全殺人事件』創元推理文庫　中村《なかむら》能《よし》三《み》訳　○「私は殺人を犯そうとしているものであります」新聞社に届いた一通の投書は、警察と新聞社に対して挑戦する犯人からのものであった。犯行の日時と場所まで指定する犯人の勝算はどこにあるのか？

ロナルド・A・ノックス『陸橋殺人事件』創元推理文庫　宇《う》野《の》利《とし》泰《やす》訳　○ロンドンのとある小さな村でゴルフを楽しむ四人の男たち。彼らは皆、推理小説マニアだったのだが、プレイの途中で顔が潰れた死体を発見する。にわか素人探偵となった彼らは独自の推理合戦を始める。

「課題図書は判ったけど、今回の括りは何？　書かれた年代も作家も出版社もバラバラなんだけど……」

「儂はこう見えて忙しい。本を読みたくても読めないときもある。でもこの連載があるから『読めなかった』ではすまされない。なのでズルができる作品を選んだ」

「ズル？」

「儂が中学生の頃には学習雑誌というのがあったんじゃが、それに毎月、別冊付録というのが付いていたんじゃ。日本人作家によるオリジナルの青春小説とかもあったんじゃが、一番嬉しかったのは翻訳ミステリとかSF作品での。これが実に完成度が高くて、難解な作品や長大な作品も、だいたい八十ページぐらいに纏められておってな、大人が読んでも充分に楽しめるものになっておるんじゃ」

「まさか……、今回のチョイスはそこで読めるものばっかり……とか？」

「クロフツの『樽』とノックスの『陸橋殺人事件』は、それで読める」

「えええ――――!?」

「そして世の中には映画という素晴らしい芸術があってな、どんな小説でも二時間以内で楽しめるようになっておる」

「まさか……」

「『そして誰もいなくなった』のDVDは二種類持っている」

「えええ――――!?」

「以前に紹介した江戸川乱歩は海外の作品を焼き直す天才での。『エンジェル家の殺人』は『三角館の恐怖』として書き直してくれた」

「それじゃ、今回の博士は……課題書を正しい姿で読むつもりはないと？」

「それで許してくれるなら」

「許すか————!!」


「ちゃんと読んだわね？」

「読んできました」

「で、どうだった？」

「えーと、まず『樽』なんじゃが……って、二人の立場が逆になっておるんじゃが」

「自分が下になる方が嬉しいんでしょ？」

「それはそうなんじゃが、ここではそれはまずいんで……」


「判ったわよ。言ってあげるわよ、感想を」

「ああ、お聞かせください」

「まず『樽』ね。感想の前にさ、初めて知ったんだけど、樽に嵌《は》まってるワッカのことをタガって言うのね」

「あれが外れると樽はバラバラになるから、緊張がゆるんでしまりがなくなることを〈タガが外れる〉と言う」

「一つ勉強になったわ。で、それはいいとして。感想は……うーんって感じ」

「つまらなかったか？」

「昔なら『つまんない！』のひと言ですませたけど、最近は本格を読む楽しみを覚えたから、そうは言わないけど……」

「地味な聞き込みのシーンが長いから退屈と言う人は多いが」

「一番面白かったのは、死体が発見される

までの第一部。でもよく考えたら、ここをこんなに長く書く必要はないんだよね」

「普通のミステリなら、冒頭のシーンで死体が発見されてる。で、樽を引き取りに来た男が警察に捕まって『私には何のことか判らない‼』って、そこで話が始まって何の問題もない」

「でしょ？　それが普通でしょ？　でも普通じゃないことをやっている。逆に言えば、だからそこが面白かったんだけど」

「足跡の推理のところとか面白いんじゃが」

「でも本筋には必要ない。第一部を読んでいるときにはそれが判らないから、面白いまま第二部に入るんだけど……」

「一気に退屈になったか？」

「第一部は冒険譚《ぼうけんたん》としても読めるから、それなりに勢いがあるのに、第二部で一気に立ち止まる感じがする」

「捜査の途中なのに、優雅にディナーを食べたりするしな」

「一度ホテルに帰って着替えたりしてね。で、途中から別の樽が出て来てからは、もうワケが判んない」

「探偵が出て来る第三部はまた面白いんじゃが」

「私なんか探偵が出て来てビックリした。え？　英仏の二人の刑事が主人公じゃないのって？　だったら第二部要らないじゃんって思った」

「要らないことはないが、ちょいと長過ぎるとは思う。実際第二部が一番長いし」

「あとは順番ね。第二部が最初にあって、第一部を最後に持って来たら『エジプト十字架の謎』みたいにならない？　最後の決め手があの足跡でさ」

「おおーっ、それは斬新な意見じゃ‼」

「自分の意見として、どこかに発表したりしないでしょうね？」

「そのときは、お小遣いをあげるから」

「あのさー、勘違いされるから、もうそのセリフ言わないでくれる？」

「ちぇっ、言ってるだけで楽しいのに……」

「次、『エンジェル家の殺人』ね。なんか読み易いと思ったら、古典なのに、文庫になったのは比較的最近なのね。何で？」

「最近と言っても、りっちゃんが生まれる前ではあるがの。確かに単行本が出てから、文庫になるまで三十年かかっている」

「だから、どうして？」

「こういうときの理由として多いのは〈以前のは訳に問題があった〉じゃ。この本がどうかは知らないが」

「とにかくね、博士の持ってる本って古いのが多いから、活字が小さいし、かすれて読めないとこもあるし、それだけで普通の女子高生は読んでくれないよ」

「普通の女子高生ってあれか？　お金と性に興味のある」

「じゃ、バイバイ。永久にさよなら」

「ゆ、許してくれえっ！　ほら、あれじゃよ。お笑い的には〈言うな〉ってのは〈言え〉ってことだから、ひょっとして、そっちかと」

「いつの間に私がお笑いになったのよ⁉　もうっ、せっかくこれは面白かったのに」

「おお、そうか。どこが面白かった」

「第一は要点が判り易い。奇妙な館に怪し

い人物がいて変な遺言状が読まれる。もう殺人事件が起きるしかない状況。で、舞台は最後まで館の中だから、読者は一つのことだけ考えながら読めばいい。次は誰が死ぬのか？　そして誰が犯人か？」

「登場人物のキャラも立ってるし。容疑者ではないが、何人かいるメイドたちにもそれぞれ性格があるしの」

「『Yの悲劇』のキャラも立っていたけど、あっちの狂い方と違って、こっちは俗世間にまみれた怪しさだけどね」

「要点が判り易い。キャラが立っている。ゲーム的とも言えるな」

「最初に死ぬ人のチョイスを変えたら、ストーリーとかも変えられそうだし、そういう意味でもゲームっぽいよね」

「第一試合の『赤毛のレドメイン家』もそうだったが、乱歩が自作に流用した気持ちは判ると」

「どうなの？　『三角館の恐怖』とどっちが面白かった？」

「乱歩の場合は、語り口が圧倒的に上手いから、面白く思えてしまうんじゃ。小学生の下手な作文でも森本《もりもと》レオが読んだら、多分面白く感じる。そういう意味でな」

「だったら乱歩がみんな訳してくれてれば良かったのにね」

「おおっ、乱歩訳の『カラマーゾフの兄弟』とかか⁉　うおお、そりゃ読んでみたい‼」

「光文社の古典新訳文庫以上の話題になるわね」

「ああ、乱歩先生‼　ゾンビでいいから、生き返ってくださいー」

「でね、感想の続きなんだけど……」

「その口調は何か欠点があるんじゃな？」

「読み終わったときは、すごい面白くて、これが優勝って思ってたんだけど、日にちが経ってきて思ったの。再読したらどうなんだろうと」

「儂は再読でも面白かったが」

「短いし、要点がハッキリしている分、初読は面白いんだけど、文章とかに深みがないから、再読はどうかな？　ってちょっと思った」

「さっき例に出た『Yの悲劇』は、狂気に彩《いろど》られているから、犯人を覚えていても、それはそれでゾクゾクできるが、そういう意味で言うと、確かに弱いかもしれんの」

「でも、そこまで求めるのは酷かもしれない気もする。実際におもしろかったのは確かだし」

「じゃ、そこは保留にして次『そして誰もいなくなった』じゃ」

「つまんなかった」

「ええええええええーっ⁉」

「そんなに意外？」

「ある意味、ミステリの代名詞的作品じゃからな。マニアじゃなくても知ってるし」

「博士はどうだったの？　再読してみて」

「再読どころか、四読めじゃ。正直言うと、読むたびに『あれ、こんなもんだったたっけ？』と評価が下がる」

「博士の場合、映画も観てるしね」

「それも二種類な。小説とは少し違えてあるが」

「それだけ観てたら、面白さは減って当然だと思うけど。クリスティの文章があっさりしすぎているせいだと思うの」

「よく言われることじゃが、女性作家は血が嫌いだから毒殺が多い。『そして誰も～』には首切断のシーンも出てくるが、その描写が……」

「クリスティー文庫の清水俊二訳だとこうよね。『重そうな大きな斧《おの》がドアにたてかけてあった――金属の部分が鈍い褐色に染まっていた、それは○○の首すじの深い傷と関連のあるものだった』」（編集部注：○○の部分は被害者名なので、ここでは伏せた）

「上品な描写じゃ」

「でも首の切断って、ミステリの見せ場でしょ？　上品は判るけど、あっさりしすぎていて状況が判らない。意地の悪い見方をしたら、ほんとに殺されてるかどうかも怪しく思える。これってミステリ的には重大な欠点よね」

「なるほどのう。登場人物全員の心の中を書いているパートがあって、そこに犯人らしき人物のものも含まれていて、サスペンス的な読みどころではあるのじゃが、確かに、あっさりした文章のせいで、その辺の効果も薄い」

「前々回に言ったけど、今の時代は意外な犯人だけじゃ、驚けないわ」

「孤島ものというジャンルを作り上げた功績は大きいんじゃが、このコーナーでクリスティは人気ないのう。それじゃナニだから、次回はクリスティ大会といくか」

「次行くわよ。『完全殺人事件』。本格としてどうかということより、娯楽読み物として面白かった」

「眼目はアリバイトリックなんじゃが、ち

ょいとしょぼい」

「しょぼいと言うか、今なら壁投げものよ。でも許せる。さっきの『そして誰も～』と逆の意味で」

「ミステリ部分以外に読みどころがあったんじゃな」

「そう。とある人物のエピソードが哀しみを誘うの。それもその人は一度も出て来ないのに。間接的な描写だけなのに、読み終わったらジーンとくる」

「他のミステリだと使い捨てにされる役割なんじゃが」

「そう、そこに向けた視線がいい。声高じゃないところもセンスがあう。よく言うでしょ。〈大声で叫んでも誰も聞かない。大切なことは小声で言え〉って」

「描写もあるし、ストーリーも進む。事件と捜査の量的なバランスもいい。だから欠点があっても、他の部分でカバーできているんじゃな」

「ミステリ史的な評価はどうなの？」

「名のみ有名じゃが、重要視はされてない」

「それはやっぱり、あのアリバイトリックのせい？」

「じゃと思う」

「でも、あのトリックのおかげで、読後感の深みが増したワケで」

「その深み、島《しま》田《だ》荘《そう》司《じ》氏の作品を読んだときに感じるものに近いかな」

「そう？　じゃ今度その人の読んでみるわ。教えてね」

「いいとも。さて、最後の作品。『陸橋殺人事件』」

「最初に訊くけど、この作品のミステリ史

的な評価は？」

「この著者がミステリのルールについて考察した『探偵小説十戒』という批評は歴史から外せないが、『陸橋～』は少しも重要視されていない」

「でしょうね」

「ダメじゃったんじゃな」

「だって、取り立てて魅力のないおっさんたちが主人公なのよ。仲間が死んだのに、誰も悲しまないで、推理合戦してるし。警察が来る前に重要な証拠を平気で持ってっちゃうし」

「しかも舞台がゴルフ場。そのおっさんたちはゴルフおやじ」

「ゴルフはまだいいの。日本なら嫌だけど、英国のゴルフ場なら、それなりの雰囲気があるだろうし。でも英国人は取り澄ましているところが魅力でしょ。悪ふざけしてるとこなんか見たくないわ」

「悪ふざけは『モンティ・パイソン』だけにしてくれと」

「何、それ？」

「ああ、いや、何でもない」

「実はね、これを一番最初に手に取ったの。一番薄いしね。助走にいいと思ったけど、どうにも読めない。だから途中で『樽』を読んだり『完全～』を読んだり、で結局最後までこれが残ってしまった。いかに入り込めなかったか」

「これが書かれた頃は探偵小説が百花繚乱じゃったからの。他との差別化もあって、こういうスタイルにしたんじゃろうとの予測はつく。だが、これだけを取り上げるとその意味はないと」

「最初の紹介のところに〈推理小説ファンが最後にゆきつく作品〉とあるけど、それって最初には読まなくっていいって意味にも取れるよね」

「刊行当時の帯には〈幻の名作、待望の完訳！〉とあるが、〈幻の名作〉なんてものは、やっぱりこの世にはないんじゃな」

◉第三試合出場作品とりっちゃんの評価

クロフツ	『樽』	第三部は面白いけれど	△
スカーレット	『エンジェル家の殺人』	端正なパズラー。でも深みが……	○
クリスティー	『そして誰もいなくなった』	もうこの犯人では驚けない	×
ブッシュ	『完全殺人事件』	アリバイトリックには目をつぶって	◎
ノックス	『陸橋殺人事件』	副食。メインにはなれない	×

◉優勝

『完全殺人事件』

「プロバビリティの犯罪」

◉ミステリのある風景◉

国樹由香の

本棚探偵の日常

◉第3回◉

メフィストの〆切《しめきり》は忘れた頃にやって来る。今回の〆切も忘却の彼方《かなた》だった。本棚探偵に「遊んでていいの？」と言われ、思い出した次第。本当にこの暑さで気がゆるみきって……なんて言ってる場合ではなかった！　つい先ほど担当Pさんに赤ちゃんが誕生！　おめでとうございます！　朝イチの飛行機で奥さまの下《もと》にかけつけるとのこと。なんと私の原稿待ちだ。人生最大のプレッシャー。ああ神様ごめんなさい、次回からは心を入れ替えますから助けてください。

　というわけで、本棚探偵の日常のはじまりはじまり〜。

　私は極真《きょくしん》空手の道場に七年通っている。フルコンタクトゆえ、その稽古《けいこ》内容は大変厳しい。先日もズタボロ状態で帰宅すると、

「おかえり。今日の稽古はどうだった？」

アシスタントくんと談笑しつつ仕事をしていた探偵が言った。いつもの台詞《せりふ》だ。

「めちゃくちゃキツかったよ〜。蹴られすぎて、足も腕もアザだらけ」

　私もいつもの台詞で返す。

「大変だったね。実はこっちも大変なことあってさ」

「え？　何？」

「ヤングサンデー休刊だって」

「えええ――――！」

ヤングサンデーは探偵が初めて週刊連載をした漫画雑誌だ。空手歴七年がちっぽけに思える、創刊二十一年。探偵はほぼ皆勤《かいきん》で作品を描き続けてきた。いわばホームベース。それが無くなってしまうなんて。

探偵の二十一年間を振り返り、しみじみとした気持ちがこみあげる私。しかも新連載が軌道に乗ってきた矢先だ。思わずあれこれまくしたててしまう。

「せっかく楽しんで描いてたのにね、新連載。大好きな野球をやっと題材にしてさ。もうすぐ二巻が出るけど（今号のメフィスト発売時点では既刊）、ヤンサン最終号まで描いたとして、三巻には全然枚数足りないじゃない。だいたい突然すぎでしょ、休刊の告知。前ぶれがあったならともかく。続きはどこかで描かせてもらえるのかな。完結しないのイヤだもん。漫画業界も不況だし、めちゃ心配……（ぶつぶつぶつぶつ）」

「仕方ないよ」

……コメントそれだけー⁉

「これでちょっと休めるかもってワクワクしてる」

なんたるポジティブシンキング！　いや、知ってたけど！　休刊に関する会話はこれだけ。さすが大学生になるまで「落ち込む」という言葉を知らなかった男。何で知らなかったのかって？「落ち込んだことがなかったから」だそうですよ。ありえない。

「心配してもしなくても同じだからね」

実際その通りで、私がやきもきしている

間に無事移籍先も決まり、休めなくなった探偵。こういうとき改めて驚かされる。探偵の冷静さに。

思うに探偵は理数系の人なんだろう。かつて美大生であり、趣味は読書。まごうかたなき文系の香りを漂わせていてもだ。

そういえば以前二人で定食屋に入ったとき、メニューを見つめ何か思案した探偵は、にっこり笑ってこう言った。

「ここのメニューは正しい」

何の話?

「A定食、B定食、本日のおすすめ定食ってあるでしょ。生玉子とみそ汁は単品の値段が表示されてるけど、おかずと付け合わせの値段は表示されてない。三つの定食の値段で連立方程式を作って計算すると、海苔やら漬け物やら納豆やら、個々の値段が綺麗に一致したの。十円くらいは合計金額ゴマかしてるかと思ったのに」

はあ。

「海苔は三十円だったよ」

高校時代に数学で八点を取ったことのある私には、どうにも理解出来ない喜びだ。理解出来ないと言えば数字へのこだわり。

「頭の中でずっと二の累乗を考えるんだ。二、四、八、十六……、一万六千三百八十四、三万二千七百六十八……」

それやると何かいいことあるの?

「二の何乗っていう数学の問題解くときに有利かと思ってさ」

学生時代以来、数学の問題を解く機会がない私には、その素晴らしさ全く判らないよ。三の倍数なら現在タイムリーな人気者になれたかもしれないけどね（このエッセイが誌面に載る頃には下火か。お笑いの世界も厳しいな。売れすぎると飽きられるなら低め安定のほうが……って関係ない話だった）。

探偵が「とてもいい」と思っていることが、私にとって「？」なことはよくある。その最たるものは逆さ言葉だ。遥《はる》か昔、まだ漫画描きになっていなかった私は、アシスタントとして探偵の仕事を手伝っていた。ある日の仕事中に、

「由香ちゃん、ちょっと何か話してみて」

「何かって何ですか？」

「かすでんなてっかにな」

「？　今、何て言いました？」

「たしまいいてんなまい」

「？？　意味が全然判らないんですけど」

「どけすでんいならかわんぜんぜがみい」

私の言ったことを次から次へと逆さまに言っていた探偵。のちに判ったのだが、私に「カッコイイところを見せようとした」らしい。今だから言うが、逆さ言葉をスラスラ言う男はモテないと思う。

とか言いつつ、今こうして結婚しているわけだし、探偵の冷静な計算能力にしてやられたのかもしれないな。

埋める男。
私はクロスワードパズルが普通に好きです
でも結婚してからというもの
全てのパズルが先に埋め尽くされている
新聞のも
届いたばかりのマンガのもっ
あれもこれも
よほど好きなんだなやらせてあげよう
と思っていたのに
ん?。別に好きじゃないよ
けろっ
俺が好きなのは数字系!
数独とかカックロとか
じゃあ何でやるんじゃーーい
「空白を埋めないと、気が済まないから」だそうです

悲しいロボットのようだ↳

本格力
Hon Kaku Ryoku
Mystery book guide
of the bookshelf detective
第4回

◉エンピツでなぞる美しいミステリ◉

『あなた、アフガニスタンに行っていましたね？』

アーサー・コナン・ドイル
日暮雅通＝訳
新訳シャーロック・ホームズ全集
『緋色の研究』（光文社文庫）

ミステリ好きのほとんどの人がそうであるように、ホームズとの出会いは、小学校の図書館にあったポプラ社の全集だ。

　最初は好んでそれを手に取ったわけではない。一番のお目当ては江戸川乱歩《えどがわらんぽ》の「少年探偵団」シリーズで、それらが借りられているときに、仕方なくホームズに手を伸ばした（だって、普通の少年なら、パイプを持ったおじさんより、きりりとした瞳の、自分と同じような少年が主人公の方が、取っ付き易いに決まってるでしょ？）。

　とまあ、そのようにして読んだホームズだが、個々のストーリーについてはあまり記憶がない。さすがに『まだらの紐《ひも》』は、その〈まだら〉という語感が印象深くて心に残ったが、それ以外はほとんど覚えていない。「お前はあほうか？」と思われる前に言い訳をする。

　一番面白かったのは、ホームズ本人だった。彼の凄さに比べたら、扱われる事件など瑣末《さまつ》なこと。その証拠に、シリーズの中で心に残っているエピソードは『恐怖の谷』と『怪盗の宝（四つの署名）』の過去の部分、つまりホームズが登場しない場面ばっかりなのだ。ここで、以前劇作家（宮沢章夫《みやざわあきお》さんだったかな？）が言っていたセリフを思い出す。

「竹中直人《たけなかなおと》をキャスティングするのは嫌だ。芝居は面白くなるけれど、受けるのは、私が意図してないところばっかりだから」

　つまりそういうことだ。飛び抜けたキャラにストーリーは必要ない。だからホームズ物の一番の見せ場は事件が始まる前に用意されている。

　それが今回抜き出した部分だ。これは

ワトスンが初めてホームズと会った時に言われたセリフだが（ポプラ社版では「インドの山奥の戦争うんぬん」と判り易く変えられている）、依頼人の服や歩き方を見て、その人の職業や病歴などを言い当てるホームズは、神懸かって見えたものだ。

小学生は単純だ。読んだらすぐに真似をする。家の近くの交差点に立ち、見知らぬ通行人を探して、その人の構成要素を推理する。

だが、そこが田舎の哀しさ。一時間立ち続けても、見知らぬ人は現れない。文房具屋のおばちゃん、乾物屋のおじさん、北原《きたはら》君のおかあさん。挨拶《あいさつ》したり、不思議な目で見られたりして、その日のホームズごっこは空しく終わる。

たまにあきらかにヨソから来た人が通っても「包丁《ほうちょう》研《と》ぎます」なんて幕を下げたリヤカーを引っ張っている人の職業を当ててみても仕方がない。

ごくごく稀《まれ》に、全く知らない人が通ることもあるのだが、もちろんホームズのような推理なぞ出来ようもない。今から思えば、仮に出鱈目《でたらめ》な決めつけで「この人は医者かも⁉」と予想したとしても、その本人に尋ねる勇気など、あるはずもないのだから、それを確かめるすべはなかったはずで、そんなことさえ気がつかないで、名探偵もないものだ。

でも今ならいくらか常識も身についた。「ワイキキ」と書かれたシャツを着て、マカダミアナッツチョコの袋を下げた人になら間違いなくこう言える。

「あなた、ハワイに行っていましたね？」

それを確かめる度胸は、今も変わらずないのだけれど。

一生とりっく
一生ろじっく

みすぎ

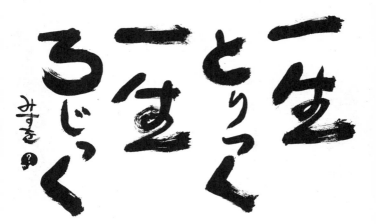

◉　勝　手　に　挿　絵　◉

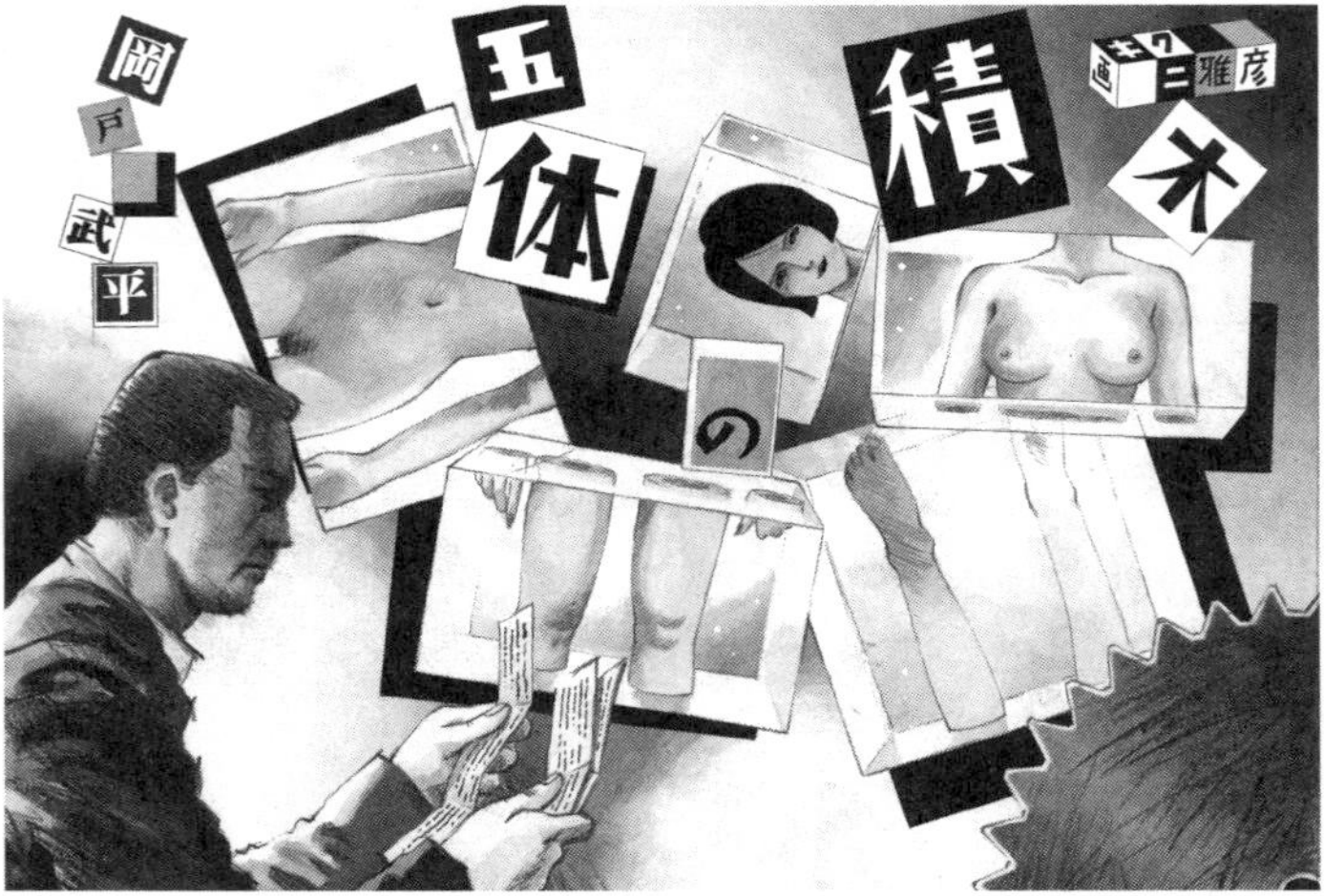

ストーリー

ある男の元に見知らぬ製氷技師から手紙が届く。
「君は金の力で僕の愛する女性を奪った。女ともども許せない」と。
怨みの言葉に続いて、そこに書かれていた残忍な復讐計画とは……。

岡戸武平「五体の積木」昭和四年作品
鮎川哲也・島田荘司編『ミステリーの愉しみ（1）奇想の森』
（立風書房）所収

◉ ミステリのある風景 ◉

坂東善博士

H-1グランプリ

本当にお薦めしたい古典を選べ！

りっちゃん

第四試合

◉ミステリの女王!?◉

「儂は坂東善博士。長年にわたって本格ミステリについて研究している」

「私はりこ。ごく普通の女子高生よ」

「その二人が、〈現代でも通用する古典本格ミステリとはなんぞや〉をテーマに、議論を戦わせるこのコーナー。今回が第四試合となるわけじゃが」

「なんだか、まともなオープニングね」

「なにがじゃ？」

「いつもは、私にセクハラ発言を一発かましてから、本題に入るじゃないの。一体どういう心境の変化？」

「は？」

「〆切が、やばくてな」

「忙しくて、のんびり導入部を考えてる暇がないんじゃ」

「何よそれ。聞き方によっては『ふざけるより、まともに議論する方が簡単だ』って言ってるみたいよ」

「言ってるみたいじゃなくて、そう言ってるんじゃ。ただ真面目にやるなんてのは実に簡単なこと。例えばこれが積み木ならどうじゃ？〈普通にただ積む〉のと、〈線路上に置いた風船が、先っぽに針を付けたおもちゃの電車に割られないように、電車が近づくたびに、作業を中断して風船を持ち上げ、針をかわしながら積む〉のとでは、どっちが難しいかなんて、考えなくても判るじゃろうが」

「そりゃTVのバラエティ番組の場合でしょ！」

「このコーナーだってそうじゃぞ」

「は？」

「メフィスト誌の目次を見てみい。最初、編集部は漫画的なモノを期待してて、リニューアル創刊号では〈マンガ〉ってジャンル分けをしていた。でも届いた原稿を見たらどうも違う。かといって〈エッセイ〉でも〈評論〉でもない。で、困ったあげく括ったのが〈バラエティ〉。二号目以後はずっとこれじゃ」

「知らなかった……。ということは私はバラエティの出演者？　青木《あおき》さやかとかハリセンボンみたいなもの？」

「儂的には『ロンドンハーツ』のあびる優《ゆう》がいいな。大人びた表情と生意気な口調。パッと見はただの不良娘。でも本当は優しくて涙もろく、そんな自分を悟られたくなくて、無理して突っ張ってる感じ。ああ、彼女に思いっきり罵倒《ばとう》されてみたい！　顔に唾とか吐きかけられながらな！　さあ、りっちゃん、頼む。どうか、儂に汚い言葉を吐いてくれ！　トーク・ダーティ・トゥ・ミーしてくれ————い!!」

「なんだかんだ言って、本筋に入るのに、結局57行も使っちゃってるじゃないの————!!」

＊　＊　＊

「というわけで今回はクリスティ特集じゃ。選ばれたテキストは『ABC殺人事件』『三幕の殺人』『予告殺人』『オリエント急行の殺人』『ナイルに死す』の五冊」

「どうして、これらが選ばれたの？」

「儂はクリスティには詳しくないから、ミステリ専門誌『EQ』の'99年7月号の〈オールタイム・ベスト100〉という企画を参考にした」

「なるほど。ベスト100だけど、同ポイントがあるから、計113作」

「そこに入ってるクリスティ作品が全部で五冊。その中から、すでにこの企画で取り上げた『そして誰もいなくなった』と『アクロイド殺害事件』を外して、『ABC殺人事件』『オリエント急行の殺人』『ナイルに死す』の三冊が決定。あとは有名タイトルからなんとなく『三幕の殺人』。ここまでの四冊がすべてポアロ物だったから、ミス・マープルの中から評判のいい『予告殺人』をチョイス。以上で五作じゃ」

「大丈夫かな？」

「何が？」

「このオールタイム・ベストなんだけど、

『そして誰もいなくなった』が三位。そして『アクロイド殺害事件』八位。つまりクリスティの中で、一番名作とされている二冊が、この企画では評判悪かったのよ。よくクリスティ大会やろうと思ったものよね」

「だからこそ、敢えてじゃ。〈本当にクリスティはミステリの女王なのか!?〉ってな」

「先に結論を言うと、優勝作品はあったわよ」

「おお、そうか、それは一安心!! じゃ早速、読んだ順に感想を聞こうか」

「その前に質問。さっき博士はクリスティをあまり読んでないようなことを言っていたけど、どうして?」

「文章——かのう……。『アクロイド』は高校生のとき読んで、ひっくり返るぐらい面白かったんじゃが、その後読んだ作品がどうもピンと来ない。それぞれに工夫はこらしてあって、決して駄作ではないんじゃが、どうも心に残らない。で、なぜかとじっくり考えてみて、文章のせいじゃと気がついた。奇《く》しくも前回りっちゃんが『そして誰もいなくなった』のときに漏らした感想と同じ。良く言えば〈読み易い〉ということになるかもしれんのじゃが、どうにもさらりと流れすぎている。女性故《ゆえ》の上品さもあると思うんじゃが、儂の望むミステリとは違っておる気がして……」

「博士の中ではミステリはラーメンみたいなもの? 下品でナンボ。あっさりしていて舌に残らないラーメンはラーメンじゃない、と」

「そうじゃ、いいところに気がついた。儂にとってミステリはラーメンじゃ」

「でもみんながみんなラーメンじゃないよね。人によってはフランス料理だろうし、或《ある》いは芳醇《ほうじゅん》なウイスキー。ひょっとしてアフタヌーン・ティーだと思ってる人もいるかもしれない。そういう人にはクリスティはピッタリかもね」

「僕の近くには〈ミステリは米だ〉と思ってる者が何人もいる。それがないと生きていけない」

「粉ものだと思ってる関西人もいるよね」

「いるいるいるいるいるいる」

あらすじ紹介（**読了順**）

『ABC殺人事件』以下すべてハヤカワ・クリスティー文庫　堀内静子《ほりうちしずこ》訳　○Aで始まる町で頭文字Aが殺された。そして、Bの町でBが、Cの地でCが標的にされる。犯行の前には必ずポアロの元に犯人からの挑戦状が届く。犯人の狙いは何？　無関係に見える被害者を繋ぐ糸は？　果たしてポアロは次の犯行を止めることができるのか⁉

『三幕の殺人』長野《ながの》きよみ訳　○パーティの席で一人の男が不可解な死を遂げた。彼の死は偶然だったのか、それとも狙われたのか？　数ヵ月後、全く同じ状況で第二の事件が起きた。パーティの参加者は大勢いたが、両方に出席していた者の中に怪しい人物はいそうにない。第二幕で中抜けしたポアロはいつ舞台に帰って来る⁉

『予告殺人』田村隆一《たむらりゅういち》訳　○ある朝、新聞の広告欄に殺人のお知らせが載った。その記事を読んだ町の住人は半信半疑で、予告された家へと出向く。こんなことはふざけた冗談に決まっていると。だが予告された時刻になったとき、突然照明が落ち、銃声が響いた。

『オリエント急行の殺人』中村能三訳　◯国際列車オリエント急行は様々な国籍の客を乗せ、雪の中をひた走る。偶然乗り合わせたポアロは一人の乗客から「命を狙われている」と相談を受けるのだが……。密室の中の死体。逃げ道のない犯人。すべての容疑者にアリバイ。世界で最も有名なミステリ、世界で最も有名な犯人とは……。

『ナイルに死す』加島祥造《かじましょうぞう》訳　◯ナイル河を往く豪華船に乗る一組のカップル。彼らの目的は新婚旅行だったが、船内には様々な理由でそのカップルを追う人々が乗り込んでいた。『オリエント急行』で世界を驚かせたクリスティが、今度は船に舞台を移し、再度読者に挑む不可能犯罪。

「ということで『ABC殺人事件』からね。これは面白かったわ」

「ええっ!?『ABC』が!?『アクロイド』も『そして誰も』もダメだったのに!?」

「ミステリ的にはダメだったわよ、これも。私みたいな初心者にも仕掛けは見え見えだし。でもね、この作品には今まで読んだクリスティとは違ったところがあった。アフタヌーン・ティーぽくないところというか」

「ひょっとして退役軍人のことかな?」

「そう、あの人のことがちょっと心に残った。ブッシュの『完全殺人事件』のときにも感じたことだけど、私そういうのに弱いみたい」

「実を言うと、僕はこれを読むのが三度目

なんじゃが、ひょっとして読みどころはそこじゃないかと、今回初めて気がついた。高校生のとき『アクロイド』に感動して、次にコレを手に取ったのじゃが、さっぱり面白くなかった。期待が大きすぎたのかの。で、大人になって、この作品の評判がいいことが気になり、全部忘れていたので、もう一度読んでみた。だが、やっぱりダメじゃった。で、ネタを知った上で読んだ今回がやっと面白かった」

「気づくの遅すぎよ。てゆうか、そろそろ〈意外な犯人〉に重きを置いて読むスタイルを止《や》めにすれば？」

「犯人当てはミステリの基本じゃぞ。でも、犯人を知った上で読んだら面白かったというのは、皮肉なことではある」

「でもさあ、ポアロってどうなの？」

「どうとは？」

「あんまり愛される性格じゃないわね。生意気だし、皮肉屋だし、ところどころ挿《はさ》むフランス語がうざったいし。なんなのアレ？　途中から鬱陶しいを通り越して、ギャグにしか思えなかったんですけど」

「まあな。アレで細身の体軀《たいく》なら、それに相応しい性格なんだが、丸っこい容姿の分、その落差で腹が立つ。デブは〈好人物〉という思い込みがあるせいかもな」

「犯人だったら余計に腹立つよね。こんなのに捕まえられたら」

「だから、この犯人は最後に罵倒のセリフを吐く（笑）」

「仕掛けに関して言うと『アクロイド』『そして誰も』と続けて読んで、私はそんなに驚かなかったんだけど、それは私が〈今〉

という時代に生きているからであって、最初にやったクリスティの発想そのものはすごいなって思った」

「すごいから、みんながそのバリエーションを追った。クリスティありきを前提にして、このネタだったら、もっと面白くなるはずだと」

「本当に完璧な作品だったら、後に続こうとは思わなかったんじゃないかな。演出とかムードとか文章とか、どこかがヌルいから、みんながやる気をもったんだと思う」

「ミステリの女王をヌルいとは……、さすがKYな女子高生ならではの発言じゃ」

「誰がKYよ。てゆうか、そういう、ちょっと古い流行語を使うとこが、おじさんの証明よね」

「なんだったら、おじさんならではの読みどころを教えてやろうか？」

「どこよ？」

「ポアロが『ストッキング……ストッキング……ストッキング……ストッキング……』とつぶやくところ」

「面倒臭いから、突っ込まないわよ」

「ああ、突っ込んで欲しいのに」

「次は『三幕の殺人』ね」

「ああっ、マジで突っ込む気がない!!」

「これはダメだったわ。『そして誰も』でも感じたことだけど、最初に登場人物がいっぺんに登場してくる作品って読み難い。誰がどのキャラなのか、全然覚えられない。いつまでも登場人物表とにらめっこして、無駄な時間がかかってしかたがない。このあとに読んだ『予告殺人』も『オリエント急行』もそれは同じ。覚えられないのは、重要なキャラじゃないから。犯人を紛れ込ませるための道具でしかない。現にどの作品もそうだった」

「今あげたタイトルに一つだけ、表面的にはその理論が当てはまらないものがあるが、深いところでは真理をついておる」

「あとは途中が退屈。探偵がその場にいないからしろうとの推理にページが費やされてるんだけど、概《おおむ》ね、しろうとの推理は間違っているから、この部分は読み飛ばしていい、とさえ言える。これは『予告殺人』も同じ」

「ボロクソじゃな。だが確かに両作とも構成が悪い。そもそも長編向きのネタじゃないのかもしれんな。『三幕』は中編、『予告』は短編にしたら、かなり面白くなったと思う。なんとかの一つ覚えじゃないが、犯人には本当にビックリするから勿体ない」

「でも『予告』の犯人が驚きなのは、クリスティの文章のせいかも知れないわよ。言葉足らずだからこそ、成り立つトリック。クイーンとかなら絶対無理だと思う」

「関係ないけど『三幕』にハーマイオニーという娘が出て来る」

「それが何か？」

「『ハリー・ポッター』に同じ名前の娘が出て来るじゃないか。儂は映画でしか知らんが、髪型とかイメージが同じ。同じ英国の女性作家ローリングがクリスティを読んでいた可能性は限りなく高い。ああ、あの娘可愛《こ》かったなあ、罵倒されたいのお」

「突っ込まないからね。『予告殺人』で唯一面白かったのは、探偵がおばあちゃんだった故のエピソードね」

「あれか？　電気が消えたトリックを考えるところ」

「そう。一応、電気関係を調べるんだけど『電気のことには詳しくなかったので、何もわからなかった』と書かれてる（笑）。読みどころはそこだけ」

「身も蓋《ふた》もないのお」

「あと一つ。もし私が犯罪者だったら、おばあちゃんにだけは捕まりたくないと思った。プライドズタズタだよ。次『オリエント急行の殺人』」

「犯人には驚いたじゃろ!?」

「驚いたわ」

「やっぱりそうなのか!?　ああ、羨《うらや》ましいのお」

「どういうことよ？」

「この小説のネタは有名じゃからな。普通のミステリファンは、読む前に知っておるんじゃよ。他の作品でバラされたり、友人に聞かされたりして。ああ、記憶喪失になって、無心な気持ちで読んでみたいのお」

「でもさっきも言ったとおり、登場人物が覚えられないから驚きは半分てとこね。あと致命的なのは、オリエント急行の個室がどうなってるのか、よく判らないこと。個室なのに、隣に通じるドアがあったり」

「グループの人数によって、続き部屋として使えるようになっておるんじゃが、長距離移動が新幹線メインの日本人には確かに判り難いかも」

「で、その辺の不満を全部解消してくれたのが『ナイルに死す』ね」

「この作品も一度にすべての人物が登場してくるが……」

「第一部で一章ずつを使って、説明してくれてるから、覚えられるし、全員が違う理由で船に乗り込むから、混乱もしない」

「その手法のおかげで、判り易くはなったが、おかげで事件が起こるのが遅い。なんと、文庫で二六〇ページになってから！」

「確かにちょっと遅いとは思ったけど、その分ストーリーに入り込めたから、そんなに気にはならなかった」

「前半をきっちり描いた分、後半はガガッと面白くなる」

「あれもこれも伏線だったんだ、と驚く」

「ただし、ポアロの推理には根拠がないことが多いんじゃよ。その辺がクリスティの甘さというかな。手がかりの一つに本があるのじゃが、あれなんか簡単に伏線が張れるんじゃがのう」

「続けてクリスティを読んだせいで、犯人はすぐに判っちゃった。そういうのって、こういう読み方の欠点かな？」

「今回取り上げた作品を読んで気づいたのは、とにかくクリスティは〈意外な犯人〉に心血を注いでいる。でも〈意外も続くと意外でなくなる〉ということかの。あと、ポアロの性格だな。私の考えはいつも正しいとか、私がどんなに賢いかおわかりでしょうとか、飛ばしまくる。途中で失敗したにもかかわらず、全然懲りない。ほんと、どれだけイヤなヤツなんだと（笑）」

「マープル物を読んだおかげで、ポアロの強気なキャラも、これはこれでいいのか、と思えた。要するに、作品がつまらなかったから、そう感じただけだったのかも」

「坊主憎けりゃ袈裟《けさ》まで、じゃな」

「何それ？」

「ううむ、ミステリの読み方は覚えて来たけど、一般常識は相変わらずアホ丸出しじゃな」

「誰がアホ丸出しだって!?　いい加減にしろよ、この腐れオヤジ――!!」

「ああ、やっと、りっちゃんが罵倒してくれた!!」

「ううむ、このおっさん、どうしてくれよう……」

◉第四試合出場作品とりっちゃんの評価

『ＡＢＣ殺人事件』	仕掛けはバレバレだけど	○
『三幕の殺人』	中盤が死ぬほど退屈	×
『予告殺人』	のどかすぎる	×
『オリエント急行の殺人』	客の動きが頭に入らない	×
『ナイルに死す』	クリスティの最高傑作	◎

◉優勝

『ナイルに死す』

国樹由香の

本棚探偵の日常

第4回

ここ数年、本棚探偵はジョギングにハマっている。きっかけは私が第一回の東京マラソンを走ったことだったように思う。冷たい雨が降りしきる中、沿道で応援してくれた探偵は「見ているだけでこんなに面白いんだから、走ったらさぞかし」と考えたに違いないのだ。

　そうと決めたら真剣に取り組むのが探偵。日々コツコツとトレーニングを重ね、大会も何度か経験し、平成二十年十一月現在では一回のトレーニングで軽くハーフを走る人になってしまった。先日など、

「気持ちよく走ってたら、折り返す前に二十キロ超えてたんだよ。今日はあくまでも仕事中の息抜きで走ってただろ、いくらなんでもフルはやばい！って焦って駅探して電車で帰ってきた。結局、走行距離は二十九キロ」

　距離。探偵のモチベーションをあげている要素のひとつがこれだ。実際探偵は走るのが全く好きではない。それでもジョギングを続けていられるのはｉＰｏｄのおかげだった。お気に入りの曲を聴きながら走れば辛《つら》くない。主に聴いているのは疾走感のあるヘヴィメタル。ちなみに江戸川乱歩《えどがわらんぽ》の朗読テープを聴いて走るのはテンポ的に無

理だったようだ。試す前に判りそうなものだが。

そんなある日、探偵はナイキプラスを手に入れる。iPodに連動させれば走った距離を記録してくれる、素晴らしいアイテム。数字マニアの探偵だけに、これには燃えた。走行距離が増えていくのを日々ほくそえみつつ、トレーニングに励んでいるというわけだ。

そんな探偵が最近新たに見つけたモチあげ要素がある。それは「知らない道を開拓しながら走る」というもの。

「川沿いの舗装《ほそう》されたジョギングコースも、大きな公園の整備されたコースも飽き飽きだ。迷ったって構わない。いや、むしろ迷子になりたいんだよ！」

土地勘がいい探偵ならではの発言である。方向音痴ゆえ、ひたすら同じコースを走ることにしている私からすると、贅沢極《ぜいたく》まりない。先日も探偵と一緒に行ったミステリーランドのパーティー会場から一人先に帰ったのだが、銀座《ぎんざ》二丁目駅に向かっていたはずが何故か京橋《きょうばし》駅に着くという不思議な出来事があったばかりだ。

そういえば、我が家のアシスタントN川くんも方向音痴。彼もジョギングをやっていて、同じコースを走る派。やっぱりね。

それはともかく。新しい楽しみを見つけてからの探偵の走りはすごかった。枝分かれをしていたら、絶対知らないほうに進んでみる。雑木林の中を抜けていく仄暗《ほのぐら》い道など発見すると、たまらなく嬉しい。この河はどこにつながっているのかな、海に着いたら面白いよな。ひょっとしたら誰も知らない古本屋を見つけたりして……という風。走行距離はどんどん伸びて、今に至るというわけだ。

「でも、この間はやばかったよ。遠くまで行きすぎて、すっかり日は暮れるしさ。さすがに不安になったもん。早く家に帰りたいよ〜って」

芥川龍之介《あくたがわりゅうのすけ》の「トロッコ」ですか、あなたは。あの主人公は暴走も仕方ない子どもだったけどね。

さて、未《いま》だ海には辿り着いていない探偵だが、マイナーな古本屋を見つけるのには成功した。

「五冊も買えて嬉しかったよ。その荷物抱えて、残り十キロを走るのは辛かったけど」

もはや何がしたいのか判らない。

思えば探偵は昔から年季の入った「道マニア」だった。ドライブをしているときも、「あえてカーナビが示しているのとは違う道を行ってみようと思う」

あえなくていいのに！　意外な抜け道が見つかるのがほとんどだが、一方通行のドツボにハマることもある。どんどん遠くなる目的地。そんなとき探偵はワクワク、私はスヤスヤだ。

どれぐらいの時間が経ったのだろう。悪夢にうなされて目を覚ますと、カーステレオからは江戸川乱歩の朗読テープ（またかい！）が流れている。しかも、よりによって「芋虫《いもむし》」とは。悪夢の原因はこれか。睡眠学習恐るべし。キリキリ廻《まわ》る肉ゴマ怖いよう。

「よく眠れた？　もうすぐ着くから。ちょっと時間かかったけど、知らない道を通るの楽しかったよ」

ご機嫌な探偵。目を輝かせて説明を始める。

「その道っていうのがさ、本来A町の交差点を左に行くところを右に行ってね〜中略〜そしたらD町の外《はず》れにつながってたの！　スゴイだろ」

延々と続く説明に、また私はスヤスヤである。道の話は数字の話の次に興味がないのだ。


探偵がどれだけ道好きだったかを再認識させてくれたのは、元を辿れば東京マラソン。来年のエントリーには二人仲良く落選してしまったが、このエッセイがメフィストに載る頃には、二人して十一月十六日開催の湘南《しょうなん》国際マラソンを無事に走り終えている予定だ。迷子覚悟でトレーニングを続けた探偵はたぶん完走出来ているはず。私はどうだろう。空手の稽古で痛めた足が不安すぎる。走り始めたのは私が先なんだし、頑張らないと。幸い私のｉＰｏｄに乱歩は入っていないので、リズムが狂うことはないだろうから。

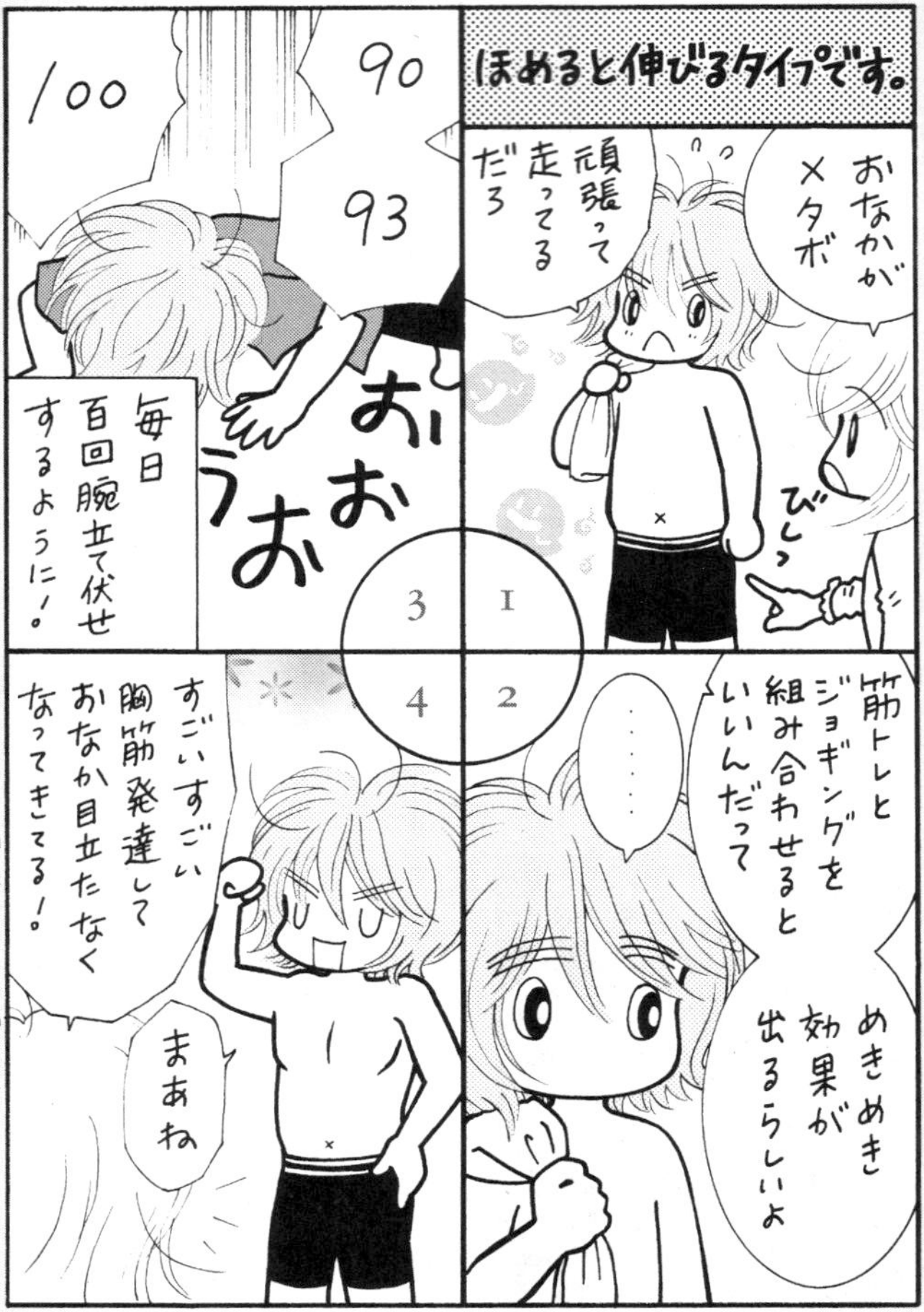

↱ほめてるんだかなんなんだか

「そんな体、マンガ家じゃないっすよ！」（N川くん談）

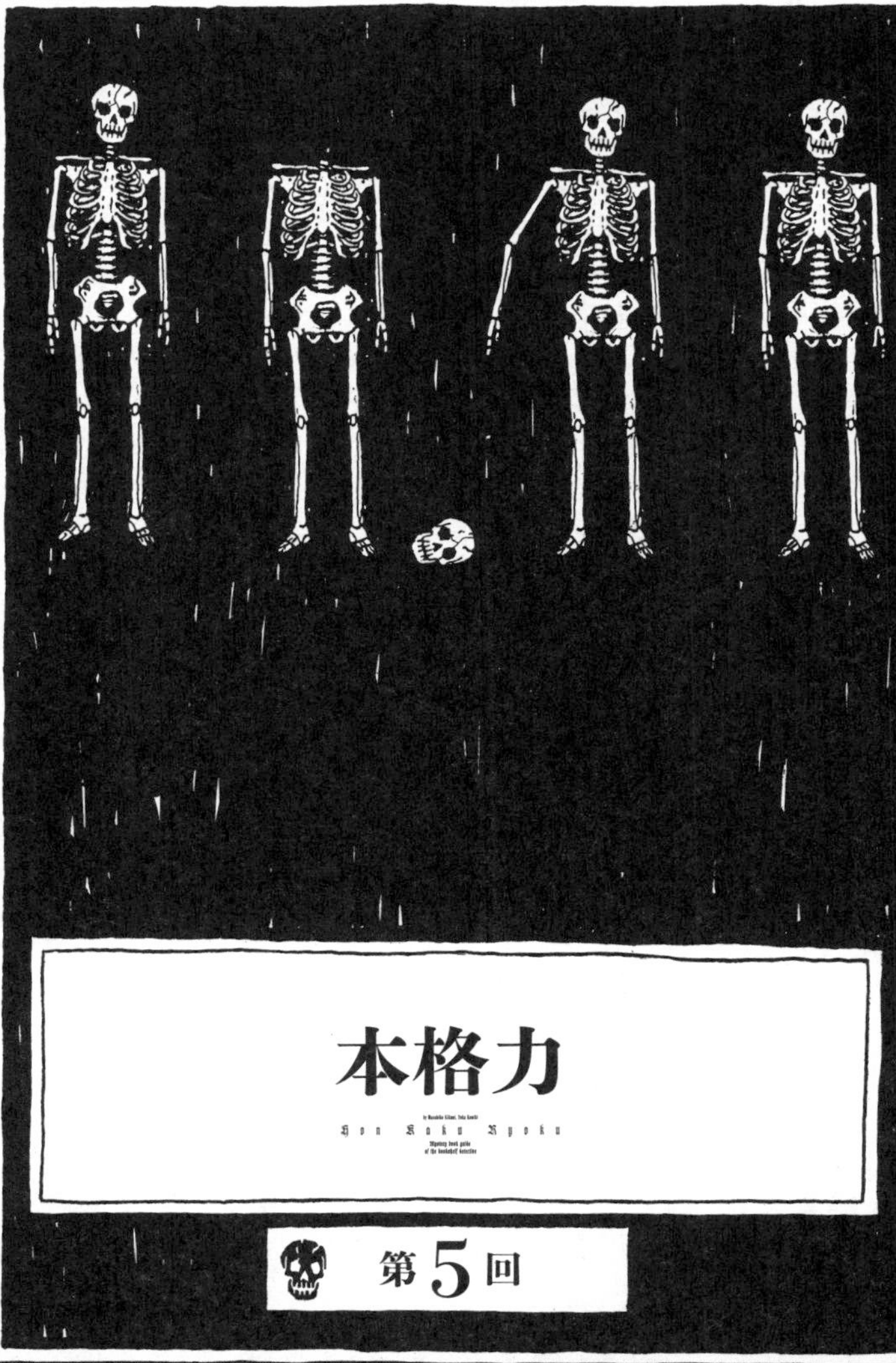

本格力

by Masahiko Kikuni, Yuka Kuniki

Hon Kaku Ryoku

Mystery book guide
of the bookshelf detective

第5回

◉エンピツでなぞる美しいミステリ◉

何か、しら私の体内には、やむにやまれぬ衝動があってどうしても地下道へもぐりこまずにはいられなかったのだ。

横溝正史
『八つ墓村』(角川文庫)

初めて洞窟《どうくつ》に足を踏み入れたのは小学生のとき。高知県の龍《りゅう》河《が》洞《どう》という有名観光地の鍾乳洞《しょうにゅうどう》だった。もちろん感動した。だがそれは、その美しさ故、だけではなかった。

江《え》戸《ど》川《がわ》乱歩《らんぽ》の「少年探偵団」シリーズには、洞窟や鍾乳洞が頻繁《ひんぱん》に登場する。空想することが仕事の小学生は、それらを体験として記憶する。洞窟＝ワクワクドキドキ、と。

龍河洞に足を踏み入れた瞬間から、僕はすっかり小林《こばやし》少年だった。これが、洞窟!?　響く足音、奥の見えない枝道、足元を流れる水、すべるズック……。

だが一通りの雰囲気を味わうと、ちょっと小林少年気分には物足りなくなってきた。なぜだ？　考えなくてもすぐ判る。この洞窟には、僕を追いかけて来る黒衣の怪人がいないからだ。振り向けば両親。そのすぐ後ろにはおばさん数人の団体。アベックが何組か。更に何人かのシルエットが照明の逆光に浮かび上がっている。

小林少年は道に迷って洞窟を彷徨《さまよ》った。だが僕は順路から外れられない。安全のための手すりがある。ロープが張られている。注意書きが貼られている。

ちょっと違う、理想の洞窟はこうじゃない……。

そのあとも洞窟小説には特別な興奮を覚えた。乱歩の『孤島の鬼』、横溝《よこみぞ》正史《せいし》の『八つ墓村』『不死蝶』。少年小説では描かれなかったセクシャルな要素もプラスされ、憧れはさらに増す。

　中学生になって地元に洞窟があることを知った。有名な国立公園の中なのだが、洞窟があることはあまり公《おおやけ》にはなっていない（今でも公式ＨＰには載っていない）。理由は多分〈危険〉だからだ。

　遠足のとき、友人数人でコースを外れて、そこに辿り着いた。

　観光地化されていない自然のままの洞窟。正確な探索はされていない。平《へい》家《け》の落人《おちうど》が隠れ住んだとの伝説もある。入り口から数メートルのところから奥に入る根性はなかったが（遠足のリュックに照明が入っているはずもない）、想像の翼は闇《やみ》の中へ迷い込み、怪人や美女と追いかけっこを愉しみ、そして思った。将来、もし漫画家になれることがあったら、絶対にこの洞窟を描こう。乱歩や横溝で覚えたワクワクドキドキを自分でも表現してみるんだ、と。

　というわけで、今回のエンピツミステリは三つ子の魂に火を点《つ》けてくれた『八つ墓村』から選んでみた。

　このシーンは事件に巻き込まれた主人公が、地下の洞窟に入るときの心情を語ったものだが、ごらんのとおり説得力はあまりない。このあとの方でもう少し詳しく説明されるので、そこを要約すると〈昔、鍾乳洞が舞台の探偵小説を読んで魅了された。自分も一度行ってみたいと考えた〉である。

　なんだ、大横溝の動機も僕と同じだ

ったんじゃないかと微笑ましくなった。
乱歩が耽読《たんどく》した黒岩涙香《くろいわるいこう》の小説にはたびたび洞窟が登場する。洞窟は必ず別の洞窟と地下で繋《つな》がっている。二階《にかい》堂黎人《どうれいと》さんや有栖川有栖《ありすがわありす》さんの洞窟もきっとそうだ。

僕の洞窟もどうにか繋がった。『月光の囁《ささや》き』のラストが洞窟だったのは、こういうわけだ。かつての僕のように、ドキドキしながらページを捲《めく》ってくれる少年がいたら嬉しいのだけれど。

あからさまな証拠
くどいほどの伏線
読んでるときは
みえねんだ
なあ

みすを

◉　勝　手　に　挿　絵　◉

ストーリー

夜のサーカス小屋。酒盛する団員たちは、
興が乗って一人の道化役者をいびり始める。
先頭に立つのは道化が想いを寄せる美人玉乗り。
やがて、狂気の宴は、思いもよらない地獄へと転がっていく。

江戸川乱歩「踊る一寸法師」大正十五年作品
『江戸川乱歩全集（3）陰獣』（光文社文庫）所収

◉ ミステリのある風景 ◉

坂東善博士

H-1グランプリ

本当にお薦めしたい古典を選べ！

りっちゃん

第五試合

◉　世界探偵小説全集　◉

「儂は坂東善博士。長年にわたって本格ミステリについて研究している」

「私はりこ。ごく普通の女子高生よ」

「この二人が、〈現代でも通用する古典本格ミステリとはなんぞや〉をテーマに、議論を戦わせるこのコーナー。今回が第五試合となるのじゃが」

「博士、何の本を持ってるの？」

「これはな、『クラシック・ミステリのススメPart1』。著・編集、ヴィンテージ・ミステリ・クラブ。発行日は二〇〇八年の四月。hontoでは千二百九十六円、今は購入できないみたいじゃな……」

「あのね、そんな、細かいことは訊いてないの。内容が知りたいの」

「ガイドブックじゃよ。ここ十五年の間に

単行本で出版された、海外古典ミステリの」

「このコーナーと同じようなものね。いわばライバル？」

「ライバルというか、同志じゃな。こういうものの指針はいくつあってもいいからの」

「で？　その本を持って来た理由は？」

「この本の巻頭に、藤原義也《ふじわらよしや》という編集者のインタビューが載っておる」

「藤原義也？　藤原竜也《たつや》みたいな名前ね」

「お願いだから、顔が似ているかどうかは訊かんでくれ」

「訊いてないし、しかもそれって、違うって言ってるのと同じだし」

「藤原竜也といえばヌード写真集。藤原義也のヌードを想像したら、ちょっと気分が悪くなったぞ」

「勝手になってれば。で、その藤原さんて何をした人なの？」

「かつて古典ミステリと言えば、東京創元社と早川書房が長年にわたって両巨頭だったのじゃが、この人が国書刊行会というところで〈世界探偵小説全集〉という企画を立ち上げたことがきっかけとなって、現在の古典ミステリ発掘ブームがおきたのじゃ」

「このコーナーで取り上げてきたタイトルも、ほとんど創元と早川だったけど、今は色々な出版社から出てるのね？」

「そうじゃ。で、インタビューではその辺のことを答えているのじゃが、それを読んでたら、儂もこの人の業績に触れなきゃイカンかな、と思っての。藤原さんには個人的な恩義もあるし」

「こっそりヌードを見せてくれたの？」

「ああ、大事なところもバッチリとな、

――って、オエエエエッ。何を言わすんじゃー」

「いいから、何をしてくれたの？」

「儂がとある雑誌で〈今一番欲しいものは、カーの『毒殺魔《どくさつま》』〉とコメントしたんじゃ。その当時、『毒殺魔』は古書価で五千円ほどしたんでの。そしたらそれを読んだ藤原さんが手紙をくれての。〈『毒殺魔』は来年、新訳で出します〉と。出たばっかりのカーの『一角獣《いっかくじゅう》殺人事件』を同封してくれて」

「いい人じゃん」

「じゃろ。で、翌年にはちゃんと『死が二人をわかつまで』（『毒殺魔』の新訳）も献本してくれて」

「得したね」

「おかげで、四十三冊、買うことになってしまったがの」

「どういうこと？」

「くれたのは全集の中の二冊。本棚に並べるじゃろ。すると目に入るんじゃ。背に入ってる通し番号の〈4〉と〈11〉が」

「？」

「気持ち悪いじゃろ、本棚が。数字が揃《そろ》ってないと」

「まさか、そのために残りを全部買ったの？ ……呆《あき》れた。完全に戦略にハメられちゃってるじゃないの。何がいい人よ」

「忍者同士の戦いのようにハラハラするじゃろ？」

「しないわよ。博士のボロ負けだし」

「シロートには判らんて。とまあ、そういうワケで、今回はその全集の中から、特に評判のいいものを選んでみた」

「評判の根拠は？」

「具合のいいことに『クラシック・ミステリのススメ』の中に、過去の各種ベスト企画の結果が載っておっての。そこから人気上位で、本格度の高そうなのを選んでみた」

「これらの六冊ね。バークリーという人のが二冊ある」

「人気でいうと四冊選ばれてもおかしくなかったのじゃが、片寄るので、二冊に減らした。で、その代わりにベスト圏外のカーの『一角獣殺人事件』を入れてみた」

「バークリー以外で評判いいのは他にもあるのに、どうして『一角獣』を選んだの？」

「単に儂が読みたかったから。ちゅうか、今回は儂は事前に一冊も読んでない。立場的にはりっちゃんと全く同じ」

「えっ⁉　わざわざ四十五冊集めて、一冊も読んでない⁉」

「いや、一冊は読んだ。『カリブ諸島の手がかり』」

「どうしてそれだけ？」

「カリブ海のケイマン諸島に遊びに行くことになっての。どうせならカリブが舞台のミステリを読んだら、雰囲気が出るんではないかと思って。カリブが舞台のミステリって、これしか持ってないから、仕方なしに」

「雄大なんだか、テキトーなんだか判らない行動ね。で、どうだった？　その甲斐あった？」

「大正解じゃった。これは短編集なんじゃが、最後の作品『ベナレスへの道』ではマジにヒックリ返った。『うひゃあああ』なんて声をあげての」

「へー」

「ミステリの歴史的に、かなりすごいラストが待っておる。これを読まないのは人生の大損。短編集じゃなかったら、今回のテキストに選んでおった」

「じゃ、企画とは別に読んでみるわ。最後の作品ね」

「おっと、それ単独ではダメなんじゃ。最初から全部読まんと」

「独立した話じゃないの？」

「独立はしておるが、空気がつながっておる。主人公の探偵がカリブで過ごすうちに、カリブの雰囲気に取り込まれ、短編が進むごとに、日常と非日常が曖昧《あいまい》になってきて……、という流れがあってこその、最後の一撃なんじゃ」

「うわあーん。気になるよお。そっちの方が読みたいよお」

「ダメじゃ。まずは目の前のその六冊から」

「ひどーい。博士の意地悪う～」

あらすじ紹介（読了順）

C・ディクスン『一角獣殺人事件』田中《たなか》潤《じゅんじ》司訳　○嵐の中、とある古城に集まったいわくありげな人物たち。この中には怪盗がいて、探偵もいて、情報部員もいるらしい。だが、語り手を含め、すべての登場人物の正体はハッキリしない。はたして本当のことを語っているのは誰か？　殺されたのは誰か？　集められたのは偶然か必然か？　犯人は本当に一角獣なのか⁉

A・バークリー『第二の銃声』西崎《にしざき》憲《けん》訳　○ミステリ小説の可能性を考察するため、ミステリ好きが集まって、殺人劇を演じることになった。だが、芝居であったはずなのに、被害者は本当に死体で見つかった。事故なのか殺人なのか。動機は全員にある。作者は既存のミステリに対して、どんな挑戦を企てたのか？

J・T・ロジャーズ『赤い右手』夏来健次《なつきけんじ》訳　○山中の小さな村は恐怖に包まれる。切りとられた手首、疾走する犯人、増える被害者、消失した自動車。全体像がつかめないまま、謎はどんどん増えて行く。主人公と一緒に引っぱり回され、読者は一体どこに向かう？

C・ヘアー『自殺じゃない！』富塚由美《とみづかゆみ》訳
○ホテルで老人が死に、死因は自殺とされた。だが納得できない子供たちは、自分たちで調査を始める。自殺のはずがない。殺人でなければ困る。なんとしても犯人が必要だ。

A・バークリー『ジャンピング・ジェニイ』狩野一郎《かのういちろう》訳　○とある屋敷での仮装パーティ。一人の女性のせいで、座はしらけぎみ。やがて彼女は飾り物の絞首台に吊るされる。事件に全く興味を覚えなかった探偵だが、必要に迫られて事件の解明に腰をあげる。だが、状況は次々に探偵を裏切って……。

E・クリスピン『白鳥の歌』滝口達也《たきぐちたつや》訳
○主人公はテノール歌手。その友人で世界的バス歌手が、楽屋で死んだ。殺人を思わせる証拠も見つかるが、不可能状況下にあり、自殺としか説明がつかない。不安の中、代役を立て、オペラは公演にむかって動き出す。主人公の新妻が何気に放ったひとことが、次の事件の幕を上げる。

「感想を言う前に訊いていい？　博士は

〈藤原さんには恩義もあるし〉って言ってたけど、もし私が全部ボロカスに言ったらどうするの？　恩をアダで返すことになるのよ」

「それは仕方ない。四十三冊分のお金はちゃんと払ったんじゃからな。感想を言う権利はある。そのために今後献本してくれなくなっても構わない。それぐらい儂はこのコーナーを真剣にやっておるんじゃ」

「判ったわ。じゃ、遠慮なく言うわね」

「いや、それは建前じゃ。大人にはいろいろ都合もある」

「つまらなかったなー『一角獣殺人事件』」

「ああ……、大人の事情……」

「まずね、登場人物名が覚えられない」

「は？」

「フラマンド、ドラモンド、ミドルトン、ラムズデン。どいつもこいつも名前が似すぎ。中盤過ぎても、誰が誰やらさっぱり区別がつかない」

「大人の事情を、そんな子供の論理で……」

「うるさいわね。私だってバカじゃないんだからね、キャラがはっきりしてたら、少しは区別できるわよ」

「少しは……」

「でも、どの人も本当の正体を隠してるから、素顔が見えて来ない。だから尚更名前が覚えられない。これってミステリとしては致命的じゃない？」

「名前の件はともかくとして、ミステリ的にはやはり失敗じゃと思う。誰の発言に根拠を置いていいか判らないから、読者は推理のしようがない。最低限、自分が今いる場所が判らないと、地図があっても使えないのと同じじゃ」

「おまけに一角獣って何？　そんなのこの世にいるはずないし。〈一角獣が犯人とし
か思えない〉って言われても、おいおい、そうか？　何か尖《とが》ったもので刺したらそうなるだろ、ってなぜ誰も主張しない」

「はっきり言おう。これを選んだのは、あきらかに儂の失敗じゃった。カーには他に面白いものがわんさとあるのに、未読の魅力に負けてこれを選んでしまったと。いつものカーなら、もっと一角獣に踏み込んだであろうに、これはいかにも取って付けましたって感じじゃった」

「カーって有名な作家でしょ？　面白かったらとっくに発売されてたわよ。でしょ？」

「すまんかった。おわびに汚れたソックスを洗ってやろう」

「次『第二の銃声』ね」

「ああ、すっかり無視の仕方が堂に入《い》って」

「これもひどかったなあ」

「ああ、藤原さん……」

「前書きで〈従来の謎解き探偵小説は古い。これからはもっと人物の魅力や文体に凝《こ》るべきだ〉みたいなことを書いてるよね」

「バークリーという作家は、いつもミステリの新しい可能性を追求していたからの」

「なのに、それに挑戦したこれが、従来の小説よりつまらないってのはどういうワケ？　恋愛部分の描写がそれ？　ただの気の弱い童貞男のウダウダ思考を書くことが、人間の内面を描くってこと？」

「こりゃまた手厳しい」

「博士はどうなのよ。面白かった？」

「人間の内面を描いた成功作としては、このあとに書かれた『殺意』がある。この作品はそういうことより、とある名作ミステリの欠陥部分を補ったということで意味がある、と世間では言われている」

「何よ、そのくどい言い方」

「儂自身はそっちでも成功しているとは思ってない。やはり不自然さは残っている。結果そのものより、直そうとした苦心ばっかり目立っておる」

「なのに、'95年の『このミス』で第五位。何で？」

「時代的なものがあるのかも。最初に言ったとおり、この本が出るまでは、古典ミステリが新刊のハードカバーで刊行される、なんてことはなかったんじゃからな。内容そのものより、刊行されたことに、悦びの一票を入れたのではないかと思う」

「でも、'98年の『「このミス」が選ぶ過去10年のベスト20』でも第十位に入ってるよ」

「ううむ、判らん」

「いいの？　インタビューで藤原さんが〈思い出の一冊〉に挙げてるよ」

「世間よ教えてくれーい、どこがそんなに良いんじゃあ。志はともかく、事件が地味すぎるじゃろうがあああ」

「困ってる博士はおいといて、『赤い右手』。これはすんごい面白かった。三冊目にしてやっと、優勝候補に当たった」

「すごい構成の作品じゃったのう」

「退屈なのを二冊読んだあとだったから、冒頭からの盛り上がりが嬉しかったわ」

「プロローグに緊迫した場面を持って来る

のはよくある手法じゃが、この作品はそのあとが変わっている」

「普通は次の章で事件前の時間に戻るわよね。でもこれはちょっと前に戻っただけ。相変わらず事件は起きたあと」

「読者は早く事件前に戻って、最初の状況を把握したいのに、いつまで経っても戻らない。壊れたタイムマシーンのように、ちょっとずつしか戻れない。それがまどろっこしくて、ページをめくる手が早くなる」

「例えばこれが全十章のテキストだとして、普通のミステリなら〈5章、1章、2、3、4、6〜10〉って書くよねえ。或いは〈9、1、9、2、9、3〜9、10〉とか。でもこれは読んでる自分が、時間軸のどの辺にいるのか全く判らない。〈8、6、4、5、2、9〉みたいに滅茶滅茶で規則性がない。


おまけに、その章を表す数字がなくて、一行空いてるだけだから、時間が戻ったのか飛んだのかすぐには判らない。素直に読んでいて、普通にさっきまで会話をしていた人が、三行後に死体になってたりすると、ええーってなるしかない」

「儂の記憶では、章タイトルや章数字が入ってないミステリは読んだことがないのう。少なくとも、このように時間軸があっちゃこっちゃに行ったりする作品では」

「あまりに変わった構成だったから、何かの実験かと思ったけど、最後まで読むと、ものすごくちゃんとしたミステリだったので嬉しかった」

「真相を考えさせないための構成だったとしたら、策士じゃな。どのピースが欠けているか、どこが不自然なのか、判断できないからの。作者本人にも設計図が見えてないのか、回収していないエピソードがいくつかあるのが気になるが」

「そんなの些細《ささい》なことよ。全部を説明することは不可能じゃないはずよ。でもそれをやったらこの作品が持っているスピード感がなくなってしまうわ。真相を語る時の手順のすっ飛ばしなんか快感よ。そこって、探偵小説にとって一番大切でありながら、一番退屈なところだったりするもんね」

「そこまで極端なことは言わんが、〈物語としての面白さ〉を書こうとしたバークリーが、ルールに厳密であったせいで退屈になってしまい、ルールにいい加減だったこっちが、結果的にバークリーが目指したものになってしまった気がするのは皮肉じゃの」

「解説を読むと、この人、日本で出た長編はこれだけみたいね」

「そのせいで、作品としては得をしていると言える。作家のスタイルが判らないと、話がどっちに転がるか判らない面白さがあるからの。例えばこれがクイーンだったら、どんな無茶であろうと、ちゃんと着地する保証があるが、これはどうなるか判らなかった。ひょっとしたら全部うっちゃって逃げるんじゃないかと不安でたまらなかった」

「だから着地して嬉しかったよね。片足はふらついたけど、演技中の姿勢も悪かったけど、回転のスピードは見事だったと。てなわけで、この作品の優勝決定！」

「おいおい、決めるんは全部読んでからじゃ。でも取りあえずホッ。良かったのー、藤原さ〜ん!!」

「次は『自殺じゃない!』。危なかったなあ」

「どういう意味じゃ?」

「'01年『本ミス』三位だと聞いてなかったら、途中で読むのを止めてたかもしれない。なぜこれが? とその興味だけで読み続けた」

「で、最後まで読んでどうじゃった?」

「ありがとう『本ミス』と言いたい。でも、結果から言えば、『本ミス』の評価がなければもっと驚けたと残念」

「それを言ったら、このコーナーの意味もなくなる。難しいところじゃ」

「最初に老人が死んだだけで、あとは事件が起きない。主人公はその家族の三人。殺人の疑いを持って、捜査をするけれど素人なので特別な捜査方法を持つわけでもない。関係者に会ってただ話を聞くだけ。知らないと言われたら、ただそれを信じるしかない。こんなんでどうやって解決するのかと思ったら、なるほど、そういうことか、と」

「ストーリーは退屈じゃが、文章が上手《うま》いのですいすい読める。その上手さは真相の書き方にも顕《あら》われておる。あそこのエピソードはこういう意味でした。あれも伏線でしたなんて野暮《やぼ》ったいことは一切説明しない。気づく読者だけ判ってくれればいい、という大人のスタンス。だから、何と言うか〈品〉がある。これは作者が英国人ということにもよるのじゃろうか? 一番の読みどころである犯人の動機の皮肉さなんかは、やはり英国人のヒッチコックと通じるものがある」

「盛り上がりのない展開だったけど、『赤

い右手』のぶっ飛びがあったから、逆に新鮮だった」

「確かにのう。そういう意味では、読む順番も大切じゃな」

「次、バークリーの二冊目『ジャンピング・ジェニイ』。判ったの。私にはバークリーは合わないって。これって今回の候補作では一番評判が高かったヤツだよね？」

「'02年『本ミス』一位、『このミス』六位」

「クリスティのときにも言ったけど、私すべての登場人物が一度に出て来る作品てダメなの。名前が全然覚えられない。しかも、この作品ではみんな犯罪者の仮装してるから、コスプレ名まで持ってる。切り裂きジャックぐらいは知ってるけど、チャーマーズとメイブリックなんて、どっちが犯罪者名か判る？」

「これには儂もまいった。しかも事件が起きないで、延々と下らない会話が続くだけだしな。もちろんその会話の中に伏線が隠されているワケじゃが、正直しんどかった」

「仮装パーティの意味なんかなかったじゃない。絞首台が欲しかっただけ。でも一番ひどいのは探偵。何よあの行動」

「前代未聞じゃよな。ある意味犯人よりひどい。読者の共感を得た上での行動なら、非道も納得出来るんじゃが、ただ身勝手なだけ」

「今度こそ知りたい。どうしてこれが『本ミス』一位だったのか？」

「当該ムックが手元にないから判らんが、きっとその掟破りのところが良かったんじゃないのかのう」

「それってつまりマニア向けってことよ

ね？　普通の美味《おい》しいものは食べ飽きて、珍味を求めてるというか。でも人に勧めちゃいけないと思う」

「儂も事前に読んでいたら、外していたな。これは絶対に一位にしちゃダメな作品じゃ。ひそひそ声で〈あれ読んだ？〉〈読んだ読んだ〉〈ひどいねえ〉〈本当だねえ〉〈何の話してるの？〉〈ひどいミステリの話さ〉〈何ていうヤツ？〉〈教えていいけど読んじゃダメだよ〉〈ええーっ、何それ。教えてよ〉〈いいけどさ、本当に怒っちゃダメだよ〉〈判ったわよ〉〈じゃあね、ひそひそ〉ってな感じで評価すべき作品じゃと思う」

「悪口ばっかり言ってちゃ藤原さんに悪いから、一つぐらい褒めようか？　これってこの全集すべてに言えそうなんだけど、解説が懇切丁寧でページが多いじゃない？　だからね、普通の文庫の感覚で読んでいたら、終わりが突然に来るのよ」

「まだページがたくさん残ってるから、油断してるんじゃな。まだ終わりじゃないだろうと。だから、不意打ちの衝撃が味わえる」

「だからこの作品も、そこだけは良かった。でもこれは原作の利点とは言えないけどね」

「いつもより長くしゃべってるから急ぐぞ。最後『白鳥の歌』」

「今回の六冊の中で、登場人物が一番魅力的に描かれてたわ」

「なるほど。バークリーの二冊と『自殺じゃない！』は嫌なヤツばっかり。『赤い右手』と『一角獣』は得体の知れないのばっかり。キャラに思い入れができるのはこれだけか」

「被害者だけは悪人に描かれてるけど、そ

れ以外は全員魅力的なのよ、ささいな脇役さえもね。全員に相応しいラストが用意されてるし」

「女の子ならではの目線じゃな」

「大人な目線だってあるつもりよ。終盤のサスペンス部分なんか、上手いじゃない。三つの場面が同時進行で、タイムリミットがあって、映画にしたら最高の見せ場になるわよ」

「緩急《かんきゅう》がいいというか、押すところと引くところのバランスも絶妙。人間をきっちり描いているかと思えば、物理トリックもあるし」

「褒めてばっかりね。欠点はないかしら?」

「タイトルがちょっとそそらないのう。損をしてる。面白く思えない」

「あとは、そうねえ……、優等生すぎるというか」

「は?」

「また『赤い右手』に戻るけどね。あれはインパクトが強烈だったでしょ? 欠点もいっぱいあったけど、それを力で押さえ込んでるというか。それに比べて『白鳥の歌』は整いすぎてる。そんなこと言ったらただの難癖《なんくせ》にしか聞こえないけど、ちょっと欠点が欲しかった」

「優等生のお嬢様より、ちょっとギャルっぽい子の方に惹《ひ》かれる、みたいなもんじゃな」

「ということで、優勝は『赤い右手』と『自殺じゃない!』。『白鳥の歌』は涙を飲んで……」

「悩むなら三作にすればいいじゃないか」

「でもね、選んだ二作が孤高の存在なのに

対して、『白鳥』は正統派であるが故に、他に比べるものがあると思うのよ。だから心の中で準優勝ということにしておくわ」

「今回は毛色の違うものがあって面白かったな」

「私はいつも面白いわよ。でも今回は博士も初読だったからね」

「では、しばらくこの〈世界探偵小説全集〉を続けるか。藤原さんにも喜んでもらえるじゃろうし」

「ヌード見せてくれるかもよ」

「それはそれでおもしろいがな」

◉第五試合出場作品とりっちゃんの評価

ディクスン	『一角獣殺人事件』	ワケ判んない	×
バークリー	『第二の銃声』	退屈	×
ロジャーズ	『赤い右手』	ドキドキ	◎
ヘアー	『自殺じゃない!』	なるほど!!	○
バークリー	『ジャンピング・ジェニイ』	ムカムカ!	×
クリスピン	『白鳥の歌』	パチパチ	○

◉優勝

『赤い右手』『自殺じゃない!』

国樹由香の

本棚探偵の日常

◉第5回◉

気がつけばこの連載も五回目。メフィストは年三回刊だから、一年以上経ったのか。うーん、時の流れって早！　私の側《そば》では腕立て伏せ百七十回をやり終えた探偵が床に寝そべり呼吸を整えている。え？　前回百五十回に増えたばかりなのに、更に二十回増えているのはどうしてかって？　皆さまのご想像通り「私に注意された探偵が、腕立て伏せの回数で反省の気持ちを表している」わけだが、このパターン、いいかげん私の人格が疑われるのではと不安に思う今日この頃だ。

私は探偵に対して口うるさくしたいわけではない。でも言わずにはいられない事態が多々起こるのだから仕方ない。

例えばショッピング。美大出身の漫画家である探偵のセンスを信じ、一人で服を買いに行かせたらさあ大変。信じられない大失敗服を嬉々《きき》として買ってくるので油断できない。以前、受けた衝撃そのままに、

「どうしてこれ買ったの？　試着した？　しかもブランド品！　安いならともかく高いって……」

などとまくし立てたらすごく気にしたらしくその服は二度と着ていない。

「もう俺、一人では服買わない。べつに服にこだわりがあるわけじゃないし」

　一番困るのは探偵が自身のこだわりに気が付いていないところだ。我々夫婦はヘヴィメタル&ハードロックが大好き（メタルの様式美は本格の様式美に通じると有栖川有栖《ありすがわありす》さんもよく言われていた。これについて語り出すと長くなるのでまた今度）。当然服装もロックテイストのものを選びがちになる。

　私が探偵に着て欲しいのは、その体型や顔立ちから考えて「ストリート系でちょっと汚め」な服だ。ボトムはルーズなジーンズを腰ばきで。やっぱり男はラウドロックテイストだよ。

　なのに探偵ときたら「ヒラヒラブラウスにラメのマフラー」など着たがる。追い打ちをかけるようにボトムは黒のスリムジーンズ。美白で長身の細身ならともかく、地黒で小柄のがっちり体型にグラムロックテイストはキツイって！

　こんこんと説得した甲斐あって、今現在は私が納得するスタイルに落ち着いているが、グラムへの夢が捨てきれないのか突然薔薇柄《ばらがら》のベストなどを買ってくるので注意が必要だ。


　身につけるものにこだわらないと言い張る探偵は、下着にもこだわっていた。

「俺はスーパービキニパンツしかはかないよ」

　喜国雅彦のウィキペディアにも載っている衝撃の事実である。変態的嗜好《しこう》ではなく、「スリムジーンズをはいているときモタつくのが嫌だから絶対ビキニ」

なのだとか。そういう理由ならせめて普通のビキニを選んで欲しいのに、なんと探偵はレースやシルク素材を特に好んでいたのである。いくら夫婦とはいえ、下着の好みにまで口を出す気はさらさらなかったのだが、洗濯物を干すたびに、

「こんな派手でセクシーなパンツが強風で飛ばされたとして、私のだって誤解されたらどうしよう」

というわけで、またしてもこんこんと説得したものの、なんといっても肌着。心地よさを優先したいと言われれば、ごり押しするわけにもいかず。どうするべきかと悩んでいたとき事件は起きた。

探偵、胆石で緊急入院。

本当に緊急だったので、着の身着のまま入院させられた探偵はベッドで激痛にうなされながら私に言った。

「普通のパンツ、買ってきて〜」

ここまで追い込まれないと気が付かないのか！　この事件がきっかけとなり今や完全にボクサーパンツ派の探偵である。よかったよかった。

そして二〇〇八年現在。

「もう判ってるから一人でも大丈夫」

自信満々で探偵は服を買いに行く。留守番の私は探偵のチョイスが気になって仕事が手につかない。ついていけばいいのにって？　だから仕事なんですよ。とにかく一人やきもきしていたら、なかなかいいデザインのパーカーを買ってきたのでホッとした。ちょっと素材がチープだけど。後日、街で見かけた女子高生が探偵とお揃いの

パーカーを着ていた。女子高生が入るような店で買ったのか。なるほどチープなわけだ。

でも、気にならない。私が気に入ったので「あり」だ。探偵が気に入って私が気に入らなかったら「なし」なので、我ながら心狭いなあと思うが、探偵から不満の声は聞こえてこないのでよしとしよう。

今気になっているのは探偵のジョギングウェアだ。大昔に通販で買ったもので、端的に言うとダサい。最近はマラソンが国民的ブームとなり、カッコイイウェアも沢山《たくさん》発売されている。海外の大会にエントリーするくらいマラソンにハマっている探偵なのだから、見た目は大事にして欲しい。コーディネイトのキモはピンクのTシャツだ。以前小学館の企画で探偵が湘南国際マラソンを走ったときに作ってもらったシャツ。探偵と友人漫画家さんの絵がどーんと載っていて、とても目立つ。漫画絵で、しかもピンク地のシャツはダサくないのかって？　正直微妙だが「あり」で。このシャツをどうにかしない限りカッコよくなるのは無理なんだけど、本人画だし許してあげなくては。

「ありがとう」

いつの間にか立ち上がりPCを覗《のぞ》き込んでいた探偵。やっと私も心の広い発言が出来たようだ。

アシ時代1
大昔
探偵のアシスタントをしていた私
もうすぐ出版社のパーティがあるけど一緒に行く?
私も行っていいんですか?
髪黒かった
緊張の当日
ドキドキ
この服でよかったかな~
お待たせ!
じゃっ行こうか
セットしすぎて巨大化したアタマ
ロングコート
ヒラヒラ白ブラウス
赤ブーツ

アシ時代2
1
ある日髪型について意見を求められる
どうしたらいいと思う？。
この頃金髪ロン毛
2
「麻雀まんが大王」に載っている写真の髪型が似合っていたと思います
おだやかなウェーブの…
ああ　あれね
探偵が昔出した麻雀コミックス。本人写真がいっぱい。
3
次の仕事のとき
こんにちはー
俺を見るなああ
4
そこにはアニーが。
こんなになっちゃった…
今でもこの声を思い出すとふびんで泣きそうになります（マジ）

本格力

Hon Kaku Ryoku

Mystery book guide
of the bookshelf detective

第6回

◉エンピツでなぞる美しいミステリ◉

ぼくは慎重に、それらの書物をあらためてみた。公然と二冊か三冊くらい持ち出すことはできるかもしれない——もちろん、火事が起るときには、ぼくはどこかへ出かけているからだ——

リチャード・ハル
大久保康雄＝訳
『伯母殺人事件』（創元推理文庫）

ミステリの中に出てきた美しい文章、印象的なフレーズを紹介しようと思って始めたこのコーナーだったが、趣旨に則《のっと》ったのは、一回目の江《え》戸川乱歩《どがわらんぽ》「蟲」ぐらいで、二回目からは少し方向が変わっている。

　というのは、名文というのは誰が読んでも名文であり、〈ここがこのように美しい〉等と解説しても意味がないことに、改めて気がついたのである（ましてや僕は国語学者でも文学者でもないしね）。

　結局、語るのは自分のことである。決めゼリフでもない、普通の文章に、心の琴線を弾かれることはある。作者が意識しないところで、深く頷《うなず》かされることもある。あくまでも〈自分にとっての〉名文。そういう文章を紹介していきたいと思う。

　というわけで、ハルの『伯母《おば》殺人事件』の中の一文である。嫌な性格の伯母と同居する青年が、その伯母を亡き者にしようと計画する倒叙《とうじょ》形式のミステリで、気の弱い主人公が、交通事故や火事等を次々に計画するのだが……という内容。

　右の文章は、火事計画の骨子《こっし》が出来上がったあとに、彼が唯一気になった心配事。つまり〈家を燃やしたら、自分の大切にしている蔵書も一緒に焼けてしまう。本当は前もって持ち出したいが、空の本棚を伯母に見られたらバレてしまうかも〉と悩むシーンだ。

思わず納得の名場面。だけど先に気づけよ主人公。

火事でコレクションがすべて灰になる。世のコレクター共通の心配事だろう。

僕もときどき考える。火事（計画ではなく、あくまでも災害ね、念のため）になったら、何を運び出すべきかと。

コレクションしているのは、主人公と同じく書物。火勢の程度にもよるが、抱えられるのはせいぜい腕一杯分、二十冊といったところか。もちろんアレやコレやと選んでいる暇はない。棚のどこか一段をゴソッと攫《さら》って駆け出してお終《しま》い、だろう。我が家の書庫は二階にあるので、階段で数冊落としてしまうかもしれない。となると、救えるのはわずか十数冊。なんとも悲しい数字だ。

棚の前に立って考える。選ぶのはどの一段だ？　乱歩の著作は大切だが、後に買い直せないこともない。希少なのはどれ？　それとも値段で選ぶか？そのときのために、今から並べ直しておくのがいいかもしれない。うん、それがいいだろう。並べる棚はどこだ？部屋の奥の方は危険だから、手前のこの辺りか。待て待て、大切な本はミステリだけではない。寺山修司《てらやましゅうじ》やマンガだって忘れてはならない。だがそうなると、ミステリだけのこの部屋に、それらの本が並ぶことになるのか。それは嫌だ。美しくない。火事が起こる保証があればまだいいが（良くないって)、一生なかったら、ただの乱雑な本棚だ。ならば主人公のように前もって運び出しておくか。トランクに詰めて、車の中だ。いや待った待った。どう考えても、その方が危険だろう。火事より交通事故の方が確率が高そうだ。

なんてことを考えてたら、面倒臭くなった。よく判った。僕は主人公と同じ方法はとらない。それとも……全部燃えてしまえば、二度と悩まなくていいのだろうか。

◉ ほ ん か く だ も の ◉

やわらかい
あたま
やわらかい
こころ
それでも騙される
ほんかく
だもの

◉ 勝手に挿絵 ◉

ストーリー

辻川教授が蜘蛛を研究する円筒形の塔で、同僚の潮見教授が転落死。
警察は毒蜘蛛に驚いた潮見が階段から誤って落ちたと断定した。
また事件後、辻川は毒蜘蛛に咬まれ死亡。
そして研究室の処分を任されて塔に入った私の目の前で、
思いもよらぬ出来事が——。

甲賀三郎「蜘蛛」昭和五年作品
『日本探偵小説全集１黒岩涙香小酒井不木甲賀三郎集』
（創元推理文庫）所収

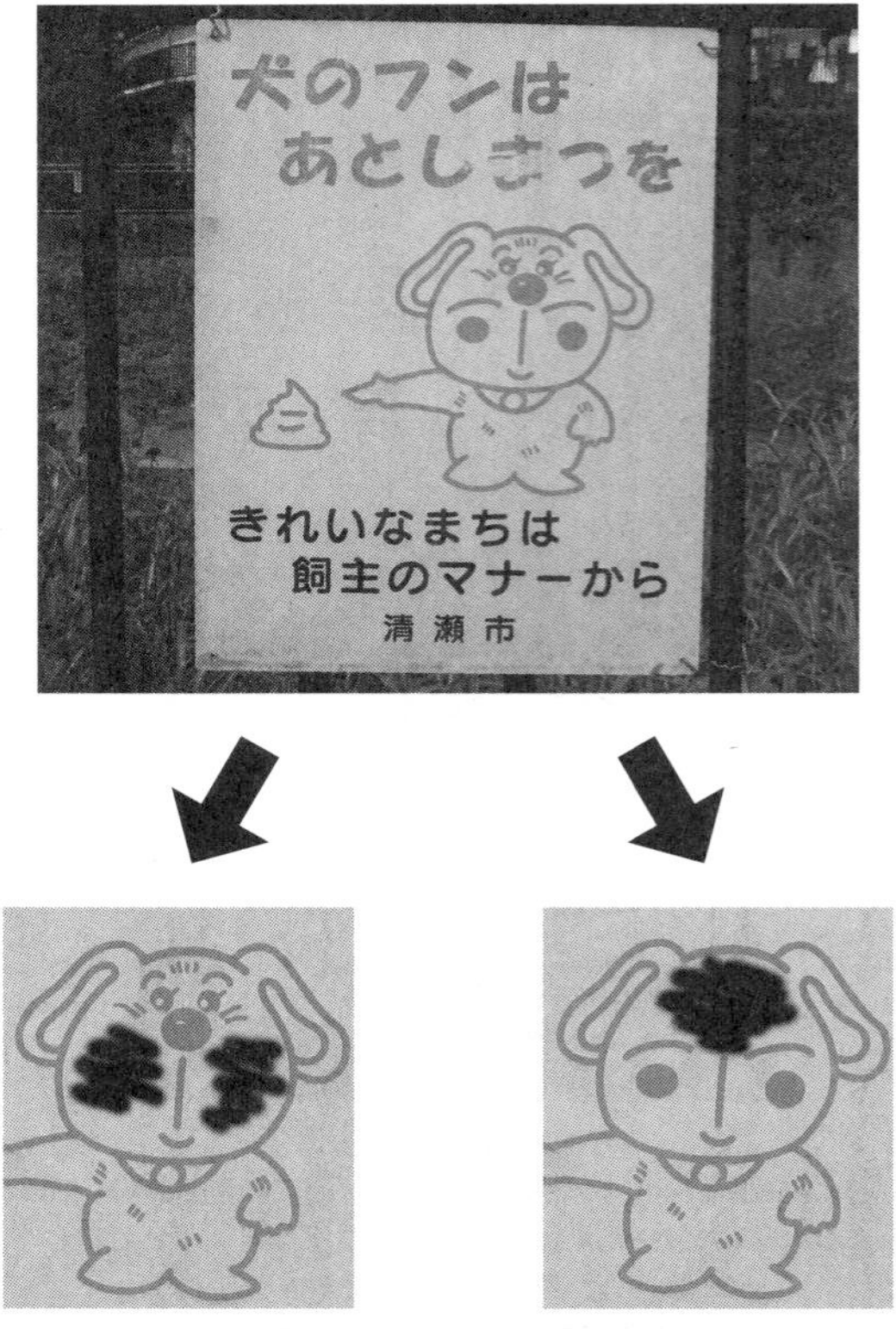

一人二役

◉ ミステリのある風景 ◉

坂東善博士

H-1グランプリ

本当にお薦めしたい古典を選べ！

りっちゃん

第六試合

◉ 達人たちが薦める創元推理文庫 ◉

「儂は坂東善博士。長年にわたって本格ミステリについて研究している」

「私はりこ。ごく普通の女子高生よ」

「その二人が、〈現代でも通用する古典本格ミステリとはなんぞや〉をテーマに、議論を戦わせるこのコーナー。今回が第六試合なのじゃが」

「あのさあ、秋じゃない？　ちょっと本が読みたくなってね、博士の書庫に入っちゃった」

「え？　まさか、雑誌『宝石』が並んでる棚には触ってないだろうな!?」

「触ってないよ。あんな古い雑誌が並んでるところなんて。見たのは創元推理文庫の棚だけ」

「嘘を言うな！　それで『宝石』の後ろに

隠してあった『フランス書院文庫』や『マドンナメイト文庫』を見つけたんじゃろうが!!」

「知らないわよ、そんなの」

「何十冊も並んでただろうけど、ストーリーはほとんど一緒での。基本は童貞少年が年上の女性に色々教わる初体験ものじゃ」

「だから知らないっての!」

「隣のお姉さんとか女教師の家の洗濯機の中から、汚れた下着を見つけた少年が、それを使って一人で気持ち良くなってるところを持ち主に見つかっての。『今、何をしてたの⁉』『な、何も……』『嘘おっしゃい! そんなにビンビンにしてるじゃないの。正直に言わないと、このこと、あなたの親に言うわよ』『ああっ、ごめんなさい。それだけは許して下さい。何でも言うこときききますから』『本当ね。本当に言うこときくのね。じゃ、今してたことを私の前でやってみなさい』『ええっ、そんな!!』そうして、やがて少年はお姉さんの性の玩具に――」

「それ以上その話を続けたら、博士のお母さんに言いつけるわよ!」

「ああっ、それだけは――――!!」

「判ったらそれでよし。でね、創元推理文庫を読もうと思ったんだけど、何を読んだらいいか判らなかったのよ。で、ふと見たらこの本があった」

「お、創元推理文庫の解説目録じゃな、七二年版の。中学二年のときに、高松《たかまつ》の宮武《みやたけ》書店でもらったヤツじゃ」

「え、ちょっと待って。三十六年前に中学二年生って、博士今何歳?」

「五十歳じゃが」

「えええええええっ、まだそんなもんー!?」

「何でじゃ、いかんか?」

「だってー、髪も髭《ひげ》も真っ白だし、語尾が〈なになにじゃが〉とかだし、もっとじいさんかと思った!」

「心は童貞少年じゃぞ」

「博士のお母さ――――ん!」

「ああっ、ごめん、もう言わない」

「効き目あるわね、お母さんは。で、この目録なんだけど……」

「これには巻末に座談会が載ってるんじゃ。中島河太郎《なかじまかわたろう》、石川喬司《いしかわたかし》、権田萬治《ごんだまんじ》、稲葉明雄《いなばあきお》の四氏が創元推理文庫のベスト十二を選ぶというテーマの。この記事に惹かれて、創元推理文庫を読んだのが、儂がこの道に進むきっかけとなったんじゃが」

「へー、そうなんだ。そうなのよ、私もこれを参考に選んでみたのよ。ベスト候補リストの中から、今までに読んだ物を外して、私が勝手に対戦相手選んでみた」

「おお、それはすごい!」

「それでもいい?」

「もちろんじゃ」

あらすじ紹介（読了順）

パトリック・クェンティン『二人の妻をもつ男』大久保康雄《おおくぼやすお》訳　○社長の娘と再婚し、幸せな生活を送る主人公。だが夜の街で、偶然に前の妻に出会ってしまう。かつて美しかった妻は哀れな暮らしを。その日から主人公の生活には影が差し、やがては殺人事件が……。

G・K・チェスタトン『木曜の男』吉田健《よしだけん》一《いち》訳　○無政府主義者の秘密結社に入会した詩人。彼は実は警察の人間だった。彼が探るのは委員長「日曜日」の正体。次々と身分が明かされる各曜日の委員たち。熾烈《しれつ》な追跡の果て、辿り着いた場所とは……。

リチャード・ハル『伯母殺人事件』大久保康雄訳　○同居する伯母を殺そうと考えた主人公。もちろん自分が、犯人として捕まるわけにはいかない。事故に見せかけるため、考え出された計画とは。そしてそれは成功するのか？　倒叙形式の代表作。


「三冊か？」

「だって本格っぽい物がそれだけだったんだもの」

「まあいいじゃろう。まずは『二人の妻をもつ男』か。あれって本格マークじゃったか？」

「持って来たわよ。ほら」

「ありゃ、ほんとじゃ。でも内容は本格じゃなかったはずじゃが……」

「そうなのよ。もう頭に来ちゃった。ストーリー自体は面白かったのよ。でも本格というよりは、TVの二時間サスペンス。一応、意外な犯人ものではあるけど」

「この小説の読みどころは、登場人物の性格づけじゃな。ほとんど全員のキャラが、登場のときと読み終わるときとで、印象が百八十度変わるとこが面白い」

「言われてみればそうね。だから小説としては面白かったけれど……。なぜこれが本格なの？」

「どう考えても猫マーク（サスペンス、スリラー）なんじゃがの……」

「で、次に読んだのが『木曜の男』なんだけど……」

「まさかあれを読むとはの」

「だって、本格マークついてたし、お薦めされてたし……」

「感想を聞くのが怖いが……」

「感想は……ないわ。2Pで投げ出さなかった私を褒めて」

「二〇〇八年に光文社の古典新訳文庫から『木曜日だった男』の題で出たんじゃが、そっちならまだ読み易かった」

「そんなの知らないし。最後の解説もね。プロがどう褒めてるか参考にしようと思ったら、内容にほとんど触れてない」

「新訳文庫版でも同じじゃ。〈内容で驚いてもらいたいから触れない〉ってあったけど、あれは怪しい。にしても、これがなぜ本格マークなんじゃろか？　どう考えても、猫か拳銃（警察、ハードボイルド）じゃと思うんじゃが」

「もう、本当に腹が立ってさ。最後に読んだのがリチャード・ハルの『伯母殺人事件』」

「それこそ本格じゃないぞ。ちゃんと時計マーク（法廷、倒叙）がついてるじゃろが」

「だってー、もうどうでも良くなったのよー。タイトルに〈殺人事件〉てついてるから、本格っぽいだろうと」

「だったらなぜ『僭正殺人事件』と『グリーン家殺人事件』を読まんのだ。ちゃんとリストに載ってるじゃないか」

「だってー〈僭正〉は題名の意味が判らないし、〈グリーン家〉って、海老名《えびな》美《み》どり家の話？　って感じ。確かにあの家は、ずっと虐《しいた》げられてた夫が、嫁をどうにかしそうではあるけど」

「あのな〈グリーン家〉のグリーンは緑じゃないんじゃが。まあそれは置いといて、それを言ったら〈伯母〉だって、タイトルに使われるような単語じゃないぞ」

「いいの。内容が判り易そうだったから」

「よっぽど『木曜の男』が応《こた》えたとみえる」

「でね……。どうしてこんなのをお薦めするのよ、選者のおじさんたちー！」

「おお、泣いてる泣いてる。〈倒叙形式の最高作〉みたいな紹介されてるけれど、あの頃読んでも退屈だった覚えがあるから、今だとさぞかし……」

「伯母のキャラがひどくてね。確かに主人公に同情はするけど、殺すほどではない。なんか作品に漂う空気も呑気《のんき》だし。しかも計画が杜撰《ずさん》。あんなの警察が調べたらすぐに判るでしょ？」

「倒叙なんだから、せめてそこだけは綿密にして欲しかった」

「手記の形式にしている意味も判らない。何のためにあの記録を残していたの？　最終章なんか特にね。警察に読まれたらアウトじゃないの」

「一ヵ所だけ面白いとこがあったな」

「どこよ？」

「それはここで言うより〈エンピツでなぞる美しいミステリ〉で扱った方が相応しいな。ぜひそっちを読んでくれ」

「じゃ、いつもより多めにお小遣いもらわなきゃね。私のおかげで、ネタが出来たんだから」

「抜け目がない娘じゃ」

「少なくとも『伯母殺人事件』の主人公よりはね」

「で、読んだのはこれだけと」

「そう、その三冊。散々な三冊。博士はどう？　その中に後世に残すべきものはある？」

「ハッキリ言ってないな。でもおかげでこのコーナーの意義がよく判ったじゃろ。過去の評価は過去のもの。現代の評価は儂らが作らなきゃいけないと言うことじゃ。というわけで今回の課題図書じゃが……」

「ええっ、まだ読むの⁉」

「当たり前じゃ。儂の意見も聞かずに勝手に読んだのが悪いんじゃからな。ええと、せっかくじゃから、その対談で言及されていたタイトルがいいかの。さっき出たヴァン・ダインの『僧正殺人事件』と『グリーン家殺人事件』。おお、カーの『皇帝のかぎ煙草入れ』もあるじゃないか。あとはすでに読んだヤツばっかりか……ということで、以上の三冊でよろしく哀愁‼」

「まあいいか、秋の夜は長いし」

あらすじ紹介（読了順）

ヴァン・ダイン『僧正殺人事件』日暮雅《ひぐらしまさ》通《みち》訳　○「コック・ロビンを殺したのはだあれ？」マザーグースの歌詞に則って発生する連続殺人。見立ての意図は何なのか？　犯人の残したチェスの駒が意味するものは？　推理小説史に残る最高傑作の一つ。

ヴァン・ダイン『グリーン家殺人事件』井上勇訳　○巨額の財産を持ったグリーン家。これを相続するには、奇妙な条件に従わなければならない。そのために、殺人者が闊《かっ》歩《ぽ》する屋敷から、逃げ出すことができない相続者たち。一人、また一人とその命が奪われる。

ディクスン・カー『皇帝のかぎ煙草入れ』駒月雅子《こまつきまさこ》訳　○婚約者の父親が殺される場面を自宅の寝室から目撃した女性。疑われる彼女だが、別の男といたために、本当のアリバイを申し立てることができない。追いつめられていく女性。そして、唯一の証言者は……。


「感想を聞く前に、大変なことが判ったので教えとこう」

「何？」

「奈良泰明《ならやすあき》という古本仲間がおるんじゃが、彼が『初期創元推理文庫　書影&作品目録』という同人誌を作っていたのを思い出しての。それを見たら、なんと『二人の妻をもつ男』も『木曜の男』も本格マークじゃない時代があったんじゃ」

「ええっ!?　何ですって!?」

「『木曜～』は初版の時は猫マーク。『二人の妻～』はややこしくて、初版は本格マークなのに二刷で猫。でいつの間にかまた本格に戻っていたと」

「どうして、そうなったの？　猫マークが消えてた時期なんてないんでしょ？」

「もっとすごいのは『伯母殺人事件』じゃ。これのカバー装の初版と再版分は表紙が本格マークなのに、背が時計マークという迷走ぶり。まあこれに関してはただのミスじゃと思うが、もし儂の持ってるのがこの版だったら、りっちゃんの怒りはもっと大きくなっていたと……」

「私ったら、よりにもよって、そんなのば

っかり選んでたのね」

「不思議なことは他にもある。儂は昔、クリストファー・ランドンの『日時計』が本格マークだったから読んだんじゃが、これがどう見ても拳銃マークが相応しい。で、この本で確認してみたら、これに関しては最初から本格マーク。一体何がどうなっておるのか」

「そうやって色々面倒くさいから、マーク方式がなくなったのかもね」

「とまあ、そういうわけで、儂の薦めた本格らしい本格はどうじゃった?」

「ホッとしたわ。またこれかと思わないでもなかったけれど、事件が起きて、警察が素人探偵に捜査を要請する、その現実感のなさが、本格の魅力だと(笑)」

「では、紙幅《しふく》がないんで、駆け足で感想を頼む」

「紙幅って何?」

「いいから、とにかく感想じゃ」

『僧正殺人事件』と『皇帝のかぎ煙草入れ』が面白かった。『グリーン家殺人事件』はもう少し面白くなりそうなのに残念」

「なるほど『グリーン家~』はダメじゃったか」

「そう言えば、博士はこれが一番好きなんじゃなかったっけ?」

「人生で一番初めに読んだ創元推理文庫だったんじゃが、そのときの印象が強烈だったんで、それ以後、今に至るまで、海外ベストワンを訊かれると、必ずこれと答えてた。じゃが、何十年ぶりかで読んでみて、かなり驚いた。こんなに単純な話だったのかと。犯人も動機もこんなに見え見えだったのかと」

「犯人や動機はともかく、一番の失敗は雰囲気作りね。館の恐怖感が迫って来ないというか。クイーンの『Yの悲劇』が同じテイストの話だけど、あっちは住人の異常さがすごかったからね。こっちは普通すぎて物足りなかった」

「儂もそう思った。暗闇の中で被害者が犯人に触ってしまうというエピソードが両作にあったが、効果では百点と零点。でもこれが初恋の恐ろしさというんかの。可愛いと思った子が、同窓会で会ってガッカリというか……。世間が『僧正〜』の方が上と言ってた意味が今やっと判った」

「青春の大事な一ページをなくしてしまった気分？」

「まあの。でもいい。それこそ、この企画をやった意味があったというもの。さっき出た『Yの悲劇』のアレやコレやソレ、『エジプト十字架の謎』の追っかけシーンとか、明らかにクイーンはこの作品に影響を受けて、そしてそれをもっと面白くしようとしたのが判ったし。今頃『僧正〜』の良さに気づいたし」

「でも〈僧正〉という題はないよね。読んだから意味は判ったけど、これじゃ普通の女子高生はまず手に取らない」

「だからといって『チェス殺人事件』にしたら、読まれるとも思えんがの。どっちみち〈チェス〉ではダメな理由もあるし」

「途中で、チェスの僧正とは違う意味で使われるしね」

「『グレイシー・アレン殺人事件』を除いて、タイトルはすべてアルファベット六文字の単語で統一されとるからの」

「難点を言えば、後半の面白さに比べて、前半がちょっと退屈なとこかな。でも、その前半があるから後半が引き立っているとも言えるけど」

「一番感心したのは、トランプのエピソード。あの手がかりはシンプルだけど、美しい。小説より絵で見せたいところ」

「『皇帝のかぎ煙草入れ』はすっきりとまとまっていて面白かった。前回読んだ『一角獣殺人事件』と同じ人とは思えない」

「だから『一角獣～』が特別なんじゃ。カーには他にも面白いのがたくさんある」

「トリックの、とある錯誤について考えたの。どうして、私騙《だま》されたんだろうって。そうしたら、そっちに気がいかないようになってるのね、構成が。読者の感情を操ってる」

「喫茶店で向かいの席のお姉さんのパンツが見えそうになってたら、コーヒーの味なんか覚えてない、みたいな手法（笑）」

「あとは探偵が物語の途中で真相に気づいたのに、それを主人公（と読者）に教えない理由。なるほど、あれなら最後まで伏せておいても納得できる」

「残念なのは、大事なところで誤植があること。何時何分前という表記が正しいのに〈前〉の字が抜けていて、間違った時間を示している。もちろんこれは作者のせいではないが、アリバイのところだから痛恨のミス。儂は他社の版も持っているから、それで確認して判ったが、気になって読み返す人がいたら可哀相じゃ」

「私は気づかなかった」

「手がかりのところじゃなくて、謎解きのところじゃから、みんな読み飛ばしてるんじゃろう」

「博士の本が古いからよ。今の版だと直ってるよ、きっと」

「そう思って、ちゃんと書店で確認したが、そのままじゃった。悲しいのう」

「でも私はこれを押すわよ。博士は他にもっと面白いものがあるって言うけど、博士の評価は信用できないって判ったしね」

「うわあ～ん、『グリーン家～』のバカ――!!」

◉第六試合出場作品とりっちゃんの評価

クェンティン	『二人の妻をもつ男』	ストーリーは面白いけれど	×
チェスタトン	『木曜の男』	なぜこれが創元推理文庫に？	×
ハル	『伯母殺人事件』	田舎のイヤさはよく出てるけど	×
ヴァン・ダイン	『僧正殺人事件』	読み応えたっぷり。満腹。	◎
〃	『グリーン家殺人事件』	もっと雰囲気を	△
カー	『皇帝のかぎ煙草入れ』	ミステリはこんなことも可能	◎

◉優勝

『僧正殺人事件』『皇帝のかぎ煙草入れ』

国樹由香の

本棚探偵の日常

◉第6回◉

本棚探偵は懐《なつ》かない野良犬のようだといつも思う。最初は寄ってこず遠くからこちらを観察。自分に危害を加えないと判ると、しっぽをふりふり寄ってくる。信頼が芽生えると決して裏切ることはない。

この話をすると誰もが驚くが、私の人生における「初対面の印象ランキング」堂々の最下位は、他ならぬ探偵だ。

遥《はる》か昔、私はカット描きのアルバイトをしていた。漫画家のタマゴ以前の私を、編集さんが某出版社のパーティに連れて行ってくれた。そこで見かけたのが探偵である。

バンドマン的な風貌《ふうぼう》からすぐに探偵と判った。つまらなそうに柱を背にして立っている。にわかにテンションが上がる私。まだ初単行本も出版していない探偵だったが、私は連載作品を読んでいて、ファンだったのだ。こんな機会はそうそうないだろうと早速話しかけに行く。

「いつも読ませていただいています。作品、大好きです」

とか言ったはずだ。人見知りは全くしない私とはいえ、それなりの勇気を出して。なのに探偵は目線も合わさず、

「あ……、どうも」

と一言だけ。しかも超暗く。

当時の私のがっかりぶりは相当なもので、すぐに漫画家アシスタントをやっている友人に電話をかけた。

「ねえねえ、喜国雅彦って知ってる？　昨日パーティで見かけたんだけどすごく」

感じ悪くてショック……と続けようとしたら、

「ああ、うちの先生の友だち。いい人だよね」

ええ？

「アシスタント探してるみたいだよ。応募してみたら？」

とまで。そりゃ作品はかなり好きだから、アシスタントとして勉強させてもらえるなんて夢のようだけど。

「うーん、実はね」

パーティでの出来事を話してみる。

「変だなあ。全然そんな人じゃないけど。判った、私が喜国さんに電話かけてみるよ。パーティで話しかけてきた子を覚えてるかどうか」

釈然としないまま、友人からの連絡を待った。すると驚きの返事。

「覚えてるってよ。変な態度に見えたなら謝る、初めて直《じか》にファンって言われて緊張してたって。漫画家志望なら、是非《ぜひ》アシスタントに来てもらえないかって」

それで即行ったかというと、行かなかった。いい人と言われても、とても信じられなかったのだ。二週間くらい経った頃だろうか、再び友人から電話。

「彼女から連絡が来ないんだけどって、言ってきたよ」

ううむ。悩んだあげく探偵に電話をかけることにした。これで印象が変わらなかったら、きっぱりお断りするつもりで。そしたら、

「本当にごめんね！　あのときはすごく嬉しかったんです。ありがとう。俺、人見知りで、初めて会った人とは上手く話せなくて」

明るい声。この間と全く違い、実に紳士的だ。単純な私は一度アシスタントに行ってみることに。すると、なんとも素晴らしい仕事環境ではないか。指導は細やか、無理のない拘束時間、音楽と小説の趣味も合うから話題には事欠かないし、給料がよく、しかも食事が豪華（最重要）。

「めちゃくちゃいい人じゃない！　ここで働こう！　いっぱい漫画のことを教えてもらうんだ」

数年後。探偵に鍛えてもらったおかげで私は漫画家になれた。その上、何故か連れ合いにもなってしまった。本人もびっくりの展開はどうやら運命だったらしい。

結婚してからも探偵はいい人だったが、人見知りは相変わらず。そんなある日、私の知り合いだった翻訳家の大森望《おおもりのぞみ》さんに京都旅行のお誘いを受ける。

「二人とも新本格マニアなんでしょ。京大ミス研出身の作家全員に紹介してあげるよ」

「「絶対行く！」」

私と探偵の返事がかぶった。思えばこの瞬間がターニングポイントだったのだ。人好きの私はともかく、探偵が即答するなんて。京都では未だかつてない勢いで楽しそ

うにしゃべりまくる探偵を見ることが出来た。本格愛が人見知りに打ち勝ったのだろう。

「由香ちゃんにずっと、初対面での仏頂《ぶっちょう》面《づら》を直さないと誤解されて勿体《もったい》ないって言われてたしさ。またとない機会だったから、思いきってみたんだよ」

とことん真面目だなあと思う。


今現在仲良くしている皆さんは口を揃えて探偵のことを「面白い」と言ってくださる。探偵の心の兄みうらじゅんさんにだけは、

「キクちゃんの漫画は面白いけど、本人は全然面白くないな〜」

とダメ出しされ続けているが。まさにお笑い虎の穴である。


話を戻す。今年の「本格ミステリ大賞贈呈式」では乾杯の大役をまかされた探偵。なんとか無事に笑いを取ることが出来た。全《すべ》ての始まりが本格愛だと思うと、多方面に感謝を述べまくりたいほどだ。

探偵は自分のギャグで笑わない。破天荒《はてんこう》ではなく常識的。大人数より一人派だった。でも今はほら、我が家の犬たちより懐っこいはずだ。

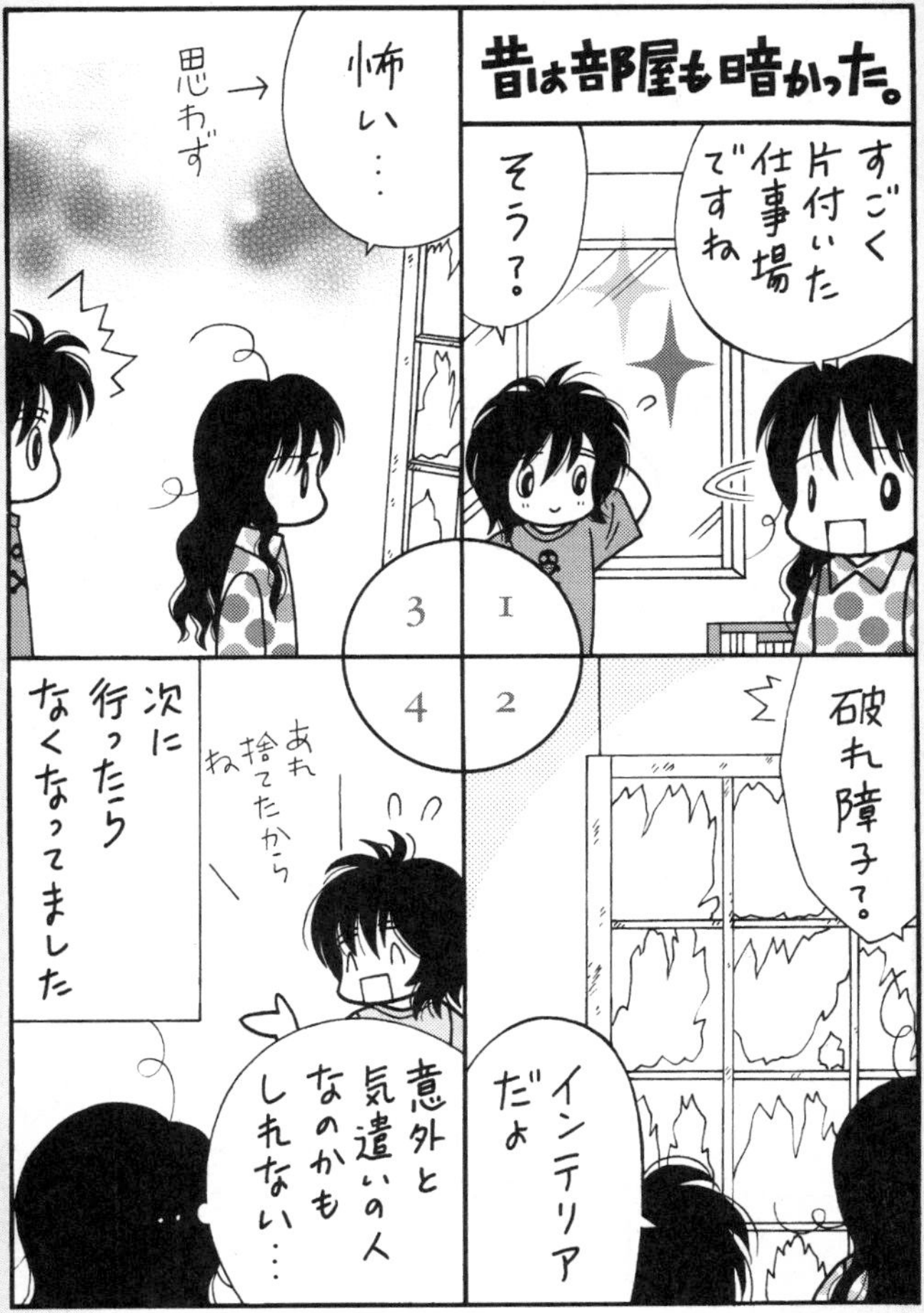
昔は部屋も暗かった。
すごく片付いた仕事場ですね
そう？
破れ障子？
インテリアだよ
怖い…
思わず →
次に行ったらなくなってました
あれ捨てたからね
意外と気遣いの人なのかもしれない…

今は明るくなりました。
うくく♥
何？嬉しそうな顔して
それがさあ
全米オープンにさ「クリスティ・カー」って選手が出てるんだよ
よかったね
そんなことでそこまで幸せになれて…と私は思った

本格力

Hon Kaku Ryoku

Mystery book guide
of the bookshelf detective

第7回

◉ 勝 手 に 挿 絵 ◉

ストーリー

若くして、両親の遺産を受け継いだ青年・景岡は
幼い頃から女性の足に異常な愛情を持っていた。
そんなある日、
博覧会で見た安っぽい見せ物からひとつの怪しい計画を思いつく。

蘭郁二郎「足の裏」昭和十年作品
怪奇探偵小説名作選⑦『蘭郁二郎集　魔像』（ちくま文庫）所収

坂東善博士

H-1グランプリ

本当にお薦めしたい古典を選べ！

りっちゃん

第七試合

◉ヴィンテージ・ミステリ◉

「儂は坂東善博士。長年にわたって本格ミステリについて研究している」

「私はりこ。ごく普通の女子高生よ」

「その二人が、〈現代でも通用する古典本格ミステリとはなんぞや〉をテーマに、議論を戦わせるこのコーナー。今回が第七試合となるのじゃが」

「お決まりの会話で、毎回始まってるけどねえ、そろそろ本当のことを言ってもらえないかしら？」

「本当のこと？　何がだ？　儂の性癖なら、とっくに熟知しておるじゃろうが」

「おっさんの性癖なんか誰が知りたいかっての。無理矢理何度も聞かされて、知ってるのが腹立たしいけどさ。動機よ動機。博士がこのコーナーを始めた本当の動機」

「だからそれは、さっきも言ったように、古典本格ミステリを知らない若い世代に、儂らがお薦めの作品を選んでじゃな……」

「違うでしょ。私、知っているんだから」

「えっ、まさか⁉ 儂がお気に入りの官能小説を隠している場所をか⁉」

「それも前回聞かされたしー‼ もういい。私が言うわ。このコーナーが始まった本当の理由を」

「ひょっとして読んだんじゃないだろうな？」

「読んだわよ。『小説現代三月号』」

「ぬわーにぃー⁉」

「クールポコの真似したって、文字じゃ伝わらないから」

「やっちまったなー！」

「ひつこいっての。で『小説現代』よ。博士の机の上にミステリ専門誌以外の小説誌がのってることなんてないじゃない。だから何でだろうと思って、ページを開いたら……」

「浅田次郎《あさだじろう》氏が頭にタオルをのせて温泉に浸かっていたと」

「そうそう。すっごく気持ち良さそうにね。草津《くさつ》の奈良屋《ならや》って私も家族旅行で行ったことあるかも。湯畑から近くて…って、そうじゃなくってー‼」

「草津温泉に詳しい女子高生って、どうかと思うが」

「だからそれは置いといて。博士のコラムが載っていたの！〈bookmark〉というページにね」

「色々な作家が、月替わりで、その月に読んだ本のことを紹介するコーナーじゃ。儂が読んだのは全部ミステリ。本当はあの三倍は読んだけど、あの字数じゃ紹介しきれなかったからカットしたんじゃ」

「自慢はいいの。普段はあんなに読んでないの知ってるから。でね、そこに書いてあったのよ、このコーナーのことが。その部分を書き写してみるわよ」

> 人生が折り返し点を過ぎてから、新刊書を読むよりも、再読に熱心になった。残り少ない時間。〈ハズレ〉を引くとダメージが大きいからね。（略）またまた仕事で読書。メフィスト誌（講談社）で、古典ミステリをテーマにしたコーナーを持っているので、こうやって定期的に古典を読まなければいけないのだ。（略）その連載が始まったきっかけは（冒頭で書いた理由で）古典を再読しているうちに〈読むだけじゃ勿体ない。どうせならこれで、少しお金を回収しちゃえ〉と思ったから。

「どうよ。これが真相。小説誌なんて、私が読むワケないと思って本心を晒《さら》したわね。何が〈若い世代に、お薦めの作品を〉よ。単に読書という趣味をお金に換えたかったんじゃないの」

「ふん、りっちゃんだって、偉そうなことは言えんぞ」

「どういうことよ？」

「何が〈書き写す〉じゃ。儂の原稿を見つけてコピペしただけじゃないか」

「そんなことはただの言葉のあやよ。それよりも問題なのは、私が引用した『新刊書を読むよりも、再読に熱心になった。残り少ない時間。〈ハズレ〉を引くとダメージが大きいから』の部分。そこが実は嘘だったってことよ」

「おいおい、何を言い出すんじゃ。それは言いがかりじゃ。最近の儂が熱心に古典を読んでいる姿は、りっちゃんだって、見ていて知っているじゃろうが」

「ここに『小説推理』の一月号があるんだけどさ、博士はここにこう書いてるのよ」

「またコピペするのか？」

「いいから黙って読んで！」

> 七年で、倉庫がいっぱいになってしまった。さて、どうしよう。これからも本は増えるが、もう一つ倉庫を借りる余裕はない。どう考えても、ここの本を減らす以外に手はない。（略）そんなとき、ツレの従兄弟《いとこ》のことを思い出した。（略）彼に本を送るのはどうだろう。（略）早速メールで訊いてみた。（略）返事はすぐにきた。〈それは嬉しいです。どんな本でも有り難いです。楽しみに待ってます〉

「よくもまあ、あっちこっちから儂の文章を見つけるものじゃ。ストーカーだな、完全に」

「私に読書の種を植え付けたのは博士なんだからね。でね、つまり私が言いたいのはこういうことよ。1、蔵書整理用に借りている倉庫がいっぱいになったので、どうにかしなければならないと博士は考えた。2、読書好きの従兄弟がいるので、もう必要としない本は彼に譲ってしまおう。3、本を確実に取捨選択するためには、そういう基準で読み直さなければならない。4、どうせ本を読むなら、それをギャラに換えたい。5、H−1グランプリという企画を考え、それに相応しい大義名分をでっち上げた。それが〈現代でも通用する古典本格ミステリとはうんぬん〉というテーマ。以上、私の推理に間違っているところはあるかしら？」

「はい、ご苦労さん。全部正解」

「は、なにそれ？」

「いやあ、それを言ってもらって、悩みが解決した」

「どういうことよ？」

「大義名分を作ったときにはそれで上手く行くと思ったんじゃ。で、数回やってみて気がついた。減るのは創元推理文庫ばっかりだと。文庫なんかいくら減らしても、倉庫の整理にはならないと。どうせなら、単行本サイズの本を減らしたいと。そこで前々回に、国書刊行会の本を取り上げたのじゃが、そこで実は矛盾が生まれていた」

「矛盾？」

「そう、第一回目で、儂はこう言った。百年、読み継がれる本にはそれなりの理由があるはず。それを自分で再確認したいと」

「確かにそう言っていたわね。時代の波に揉《も》まれた作品を、改めて自分の目で選別する的なことを。で、それのどこが矛盾を……」

「国書刊行会の本は、時代の波に揉まれていない」

「あ！」

「テキストそのものは古典と呼ばれる時期に書かれたもので、一部には再訳ものもあったけれど、初訳作品に関しては、その意味合いは新刊と全く同じ！」

「悪い言い方をするなら、あれらの作品が次の時代まで残る保証はどこにもないのだから、あえて、選ぶ意味はなかったと」

「そういうことじゃ。だから儂は次の回で、再び創元推理文庫に戻った。だが、知ってしまったのじゃ……。単行本を減らす愉しみを」

「あ、それじゃ、あのとき選ばれなかった本はもうすでに」

「処分した。そしてそれらが無くなったあとのスペースの広さと言ったら……。だから今回もまた単行本をやろうと思った。だけど、誰かにその矛盾を指摘されるのではないかと、それが心配で踏ん切りが……」

「そんなとき私にそれを指摘された」

「そう。最初はヤバいと思った。だがこれは、自分の好き勝手にできるチャンスでもあるぞと。変態がパートナーに自分の性癖を告白して、快適なプレイライフを送るみたいにな」

「なーんだ、そんなこと心配してたの。大丈夫よ」

「おおっ、りっちゃんは彼氏がどんな変態でもオールオッケーなのか⁉」

「そっちじゃなくて、このコーナーの話。どこからも抗議は来ないって」

「どうしてじゃ」

「このページに、そんなに真剣な読者なんていないから」

「ええーっ、嘘ー⁉」

「〈ほんかくだもの〉や〈エンピツでなぞる美しいミステリ〉の感想はあったけど、この〈H-1グランプリ〉は聞かないもの」

「それはあれかもしれんな。書評コーナーだから〈ネタばらし〉や〈トリックへの言及〉をされていたらイヤだと。だから読みたいけれど、読めない」

「大丈夫なのにねー。ネタばらしどころか、実のある話なんてこれっぽっちもしてないし。今回だって、こんなに紙幅使って、内輪話ばっかり。だから単行本になるときは最初に断り書きを入れればいいよね〈未読の方でも大丈夫です〉とか」

「〈女子高生に罵倒されたいおっさんにお薦めです〉とかな」

「もう絶対に罵倒してやらない」

「ああっしてくれっ!!」

＊　＊　＊

「ということで、今回は堂々と新刊の単行本を持ってきた」

「新刊と言っても、数年は経ってるけどね」

「儂的には、平成出版は全部新刊じゃ、ということで、今回取り上げるのは原書房の〈ヴィンテージ・ミステリ・シリーズ〉の次の七冊」

「ええっ、七冊!?　いつもより多いじゃないの」

「理由は後で言う。ということで、まずはあらすじ紹介」

あらすじ紹介（**読了順**）

カーター・ディクスン『殺人者と恐喝者』

森英俊《もりひでとし》訳　○とある屋敷の晩餐《ばんさん》。その余興として、披露された催眠術の席で、殺人事件がおきてしまう。いつの間にかおもちゃの短剣が本物にすり替えられていたためなのだが、衆人環視の中でそれは不可能なことだった。解決に乗り出したメリヴェール卿《きょう》だが……。論争を巻き起こした巨匠最大の問題作。

レオ・ブルース『骨と髪』小林晋《こばやしすすむ》訳　○失踪した女性の調査を依頼された主人公。調べるうちに、夫に殺害された可能性が浮かび上がってくる。だが目撃者たちの証言は、主人公が探している女性とは別人としか思えないものばかり。失踪女性は他にもいるのか？

セオドア・ロスコー『死の相続』横山啓明《よこやまひろあき》訳　○ハイチに住む実業家が死に、世界各地から七人の相続者が集められた。だが、彼らが聞かされた遺言状の内容は信じられないものだった。やがて、その遺言状に操られるかのように、第二、第三の事件がおきる。生き残るのは誰？　そして犯人の目的は⁉

オースティン・フリーマン『証拠は眠る』武藤崇恵《むとうたかえ》訳　○夫が病死し、哀しみに暮れる未亡人。だが、死因が毒殺と判明した途《と》端《たん》、彼女の立場は苦しいものとなる。未亡人の友人はソーンダイク博士に真相究明の依頼をする。病理学、化学、物理学、生物学の権威ソーンダイクが、証拠から導き出した結論とは⁉

C・デイリー・キング『海のオベリスト』横山啓明訳　○豪華客船、衆人環視の中で、どこからか飛んで来た銃弾に倒れた男。だが彼の死因は銃殺ではなく、毒殺だった。乗り合わせた四人の心理学者がそれぞれに推理をする。真相に辿り着くのは誰？

クレイトン・ロースン『虚空から現れた死』白須清美《しらすきよみ》訳　○地上五階の部屋で女性が殺された。すべての手がかりが指し示す犯人は、なんとコウモリ‼　だが警察がそんなことを信じるワケがない。その場にいたせいで疑われたマジシャンは、自らの潔白を証明するために奮迅《ふんじん》する。

パトリック・クェンティン『グリンドルの悪夢』武藤崇恵訳　○片田舎の小さな村で少女が行方不明になった。それと前後して、村では、残虐な方法で殺された動物が、次々と発見される。不穏な空気に包まれる村。隣人を疑うしかできない人々。そして、ついに、殺人事件がおこる。はたして悪夢は覚めるときが来るのか？

「読んだわよ。博士がリストアップした順番にね。そして判った。なぜ七冊もあったのか」

「結論になってしまうが、まあいい。聞こうか、その理由を」

「最初の五冊までに優勝作品が、なかったからよ」

「正にそのとおり。りっちゃんがどう思うかは判らなかったが、儂の中では、この中にはないと思った。それならそれで原稿にはなるが、スッキリした判定のためには、面白い物に当たるまで読もうと思った。それが……」

「七冊目だったってわけね」

「そうじゃ」

「でもその方が博士は嬉しいんでしょ？」

「もちろんじゃ。その方が、処分してもいい本が増えるんじゃからな。どうやら今回は六冊。それも単行本サイズ」

「この企画が始まったときと、真逆な価値観。ひどい話よね」

「いいじゃないか。では早速、負け組の六冊を発表してもらおうか」

「私が、そのとおりの結果を言うかどうかは判らないけどね。では最初の一冊。カーの『殺人者と恐喝者』ね。まず読んでいる間、帯に書いてある〈論争を巻き起こした巨匠最大の問題作〉というのが、ずっと気になっていたのだけど……」

「どこがどう問題なのかが、読んでる間は判らない」

「そうね。そして読み終わったあとも、しばらくは判らなかった」

「儂が心配したのはそこだった。ミステリを読み慣れない者に、そこが通じるのかと」

「で、しばらく考えて判ったんだけど……これってアリなの？　私は全然納得がいかない!!」

「儂はカバーなしの頃の創元推理文庫で持っているが、読んでなかったので今回が初読。もちろん帯の惹句《じゃっく》は気になった。だが、りっちゃんと違って、ミステリに少しは詳しい。そこで、半分ほど読んだところで〈こういうことなのでは？〉と予測がついた。だが、当該部分を何度読んでも、そうは読めない。だったら違うな……と思ったら……」

「これじゃ、論争になるわよねー」

「問題なのは、これが翻訳だということ。

英語で読んだら、また違うとは思うんじゃがの。本当のことを言うと、その部分についてはしゃべりたくなかったんじゃ。未読の人の興味をそぐと思っての。じゃが、帯に書いてあるのだからしかたがない。触れないワケにはいかない」

「私も思うわ。ミステリにはよく〈驚異のどんでん返し〉とかって帯に書かれてるけど、そうやって表記した段階で、もうどんでん返しにはならないよね」

「儂みたいに、古書で読むなら、そこは問題ないがの」

「帯がないのが多いからね」

「ひーん、帯が欲しいぞ――」

「ところで、創元推理文庫版だと、問題の箇所はどうなってるの？」

「おお、いいところに気がついた。ここに持って来ておる。長谷川《はせがわ》修二《しゅうじ》訳じゃ、比べてみなさい」

「どれどれ、えーと……、あっ、こっちの方がいい気がする。これなら怒らないかも。博士は？」

「うーん、正解を知った後だからな。真っ白な気持ちで見たらどうなんじゃろう。原書房版には、解説のところに原文も載っているが、そこを見た限りでは、今回の方が忠実っぽいが……」

「ふーん。だったら私はダメだな。原書房版のはズルい。認めない」

「その部分以外の感想はどうじゃ？」

「ストーリーは面白かった。本格してるしね。けど、凶器の件が……」

「じゃな。だがそこがカーの魅力とも言える。よく出来たトリックというのは、意外に忘れられることがある。だが、これはきっと生涯忘れない。こういう場合、どちらが作品として力があったかという話にもできるが……」

「それは屁理屈《へりくつ》よ。だって実際、長い間絶版になってたんでしょ？」

「まあな。愛すべき作品ではあるのじゃが、未来に残すべきかと問われたら、否と答えるしかない。今までに何度か言ったセリフをもう一度繰り返してな。この著者には、他にもっと面白い物がある」

「次行くわよ。『骨と髪』。まずね、導入部は面白かった。一人の女性が行方不明になったのだけれど、犯罪に巻き込まれたのか、自分の意志で失踪したのか判らない。判らないまま、探偵役が捜査する。その辺の、ハッキリしないモヤモヤ感がいい。一番最初の優勝作『赤毛のレドメイン家』みたいでね。でも良かったのはそこまで。いつまで経っても、話が全然進まない」

「儂みたいに、ミステリを読み慣れていると、途中でだいたい予測がつく。ははーん、これはアレパターンだなと。だが、探偵役は少しもそれに気づかない。途中で、お、やっと気づいたか？　と思える場所もあるのだが、読み進めるとそうじゃなかった」

「それって、探偵役が一般人のせい？　特殊なひらめきを敢《あ》えて排除してるとか？」

「いいや、一般人でも、ミステリの主人公なら、もう少し賢いじゃろう」

「だから、ただ行動するだけなのよね。推理をしないから、手順も悪いし。そもそも、何でこの人が、探偵役を引き受けたかが判らない。もうちょっと本格してたら、そこは〈お約束〉ということで許せるけど、じっくり書いてる分、納得できない」

「普通、聞き込み型の探偵の場合は、もっとキャラが立っているもの。ハードボイルド系の探偵とか、コロンボとかな。でも、この探偵は普通の人だから、そこも退屈」

「で、最後までほとんど推理なし。ねえ、これって本格？」

「まず、方法論から見れば、完全に違うと言える。探偵目線の一人称は本格とは水と油。事件は、最初に予想したより、複雑な展開を見せるし、最後には、関係者を集めての謎解きもあるんじゃが、本格にあるはずのカタルシスが得られない。それはやっぱり、方法論が間違っているとしか思えない」

「唯一面白かったのは家政婦のキャラ。彼女が出て来るシーンだけ退屈じゃなかった」

「そこだけは、探偵目線だったおかげじゃろうな。では次に行くか」

「『死の相続』ねえ……」

「どうした、その口の重さは？」

「感情を落ち着けているのよ。口にまかせていたら、罵詈雑言《ばりぞうごん》を吐きそうで……」

「相当つまらなかったんじゃな」

「ひょっとしたら人生で一番かも。私の読書人生は短いけれど」

「人生で一番はすごいな。だが、最初から、その予想はついたな。帯の惹句で」

「〈おそるべき怪作品〉ってとこ？」

「あとは〈異端児〉ってのも。そもそも〈怪作〉とか〈異端児〉というのは、褒《ほ》めるとこがないときに使う用語。それが二つ並んでいる時点で、かなりヤバいぞ、と」

「あと、私が発見したダメ判定ポイントにも合致してるし」

「〈すべてのキャラが一度に登場する作品は良くない〉というヤツじゃな」

「そう、それって構成を考えてないってことでしょ？　同時に出せば楽だし、ってなもん」

「では、どうダメだったか語ってもらおうか。ある意味楽しみではある」

「まずね、登場人物が全員変。『Yの悲劇』も変だったけど、あっちは奥に籠《こも》った変さ。で、話が進むにつれて、おかしくなってくるからゾゾッとくる。でも、こっちはもう最初から怪物みたいなのばっかり」

「妖怪図鑑というか、オール怪獣総進撃というか」

「おかしな屋敷に、おかしな登場人物に、おかしすぎる遺言に、続発するおかしな事件。もう何から何までおかしいから、何がおきても驚けない。だから、いきなり〈密室〉とか、本格的なことを言われても、あ、そうですか、どうせトンでもないトリックなんでしょ、としか思えない。実際そういう方向に進むしね。真面目に読んでるのがバカバカしかった」

「だが、これが'07年の〈本格ミステリ・ベスト10〉の第三位。ここに当該誌があるので、投票した人がどこを評価したかを、拾い読むと……」

「いいえ、教えてくれなくていいわ。そこに投票してる人って、みんなミステリのプロでしょ？　だから〈怪作〉を珍味や超絶盛りとして楽しむ余裕があるのよ。でも私はただの素人。歴史的な意義やミステリ的な立ち位置は関係ない。料金分、楽しめたかどうかだけ。この場合は二千四百円か」

「その本はというか、そのシリーズは全部、原書房が献本してくれたから、タダじゃがな」

「ええっ、もらったヤツなの⁉　だったら悪口言っちゃダメじゃないの‼」

「いいさ。〈乞御高評〉の札が一緒だしな。何も考えず、正直な感想を言えばいいんじゃ。ギャラをもらって、解説を書くのとは違うし。それにじゃ、ダメなものにダメと言っておけば、面白いものに出会ったとき、胸を張って堂々とお薦めできる。さ、思い切ってケナすんじゃ！」

「もういい。その気がなくなったわ。他人と自分の評価のあまりの違いにビックリして……。大仰《おおぎょう》なメイン・トリックも、書き様によっては面白くなったんじゃないかと思うんだけどね。見た目の派手な演出ではなく、雰囲気でそっちに持って行ければ」

「奇妙な遺書、密室、連続殺人、不可能犯罪、ホラーテイストと、キーワードだけ見れば、儂好みの要素が満載なんじゃが、ただ詰め込んでいるだけで、交通整理ができていない。一つだけ、かばうところがあるとすれば、この作品がパルプ・マガジンに連載されていたということ」

「パルプ・マガジンって？」

「B級の娯楽雑誌のこと。この手の本の読者が求めているのは、話の整合性や完成度ではなく、極端なケレン。だからアクションやエロなんかの判り易いものが好まれるんじゃ。見せ場の連続で〈次号に続く！〉と」

「ふーん。なら本当は2点の作品だけど、そこを割り引いて5点にしておくか」

「何点満点で？」

「もちろん100点満点で」

「どひゃーん。ある意味、記憶に残る作品になったたな。じゃ次『証拠は眠る』」

「『骨と髪』が地味すぎで、『死の相続』が派手すぎで、今度はまたすごい地味だった……」

「地味だが、じっくりと書かれた良品。料理に喩《たと》えると、料亭の味というか」

「逆に言うと、牛丼やラーメンが食べたい人には向いていない」

「開巻すぐに死人が出るが、病死だから盛り上がりはない。その後も劇的なことがおこらないまま、ストーリーは進む。登場人物が極端に少ないので、場面の変化もない。淡々と書かれているのは、記述者の心情と、ソーンダイク博士の丹念な証拠調べだけ」

「それぞれが好感の持てるキャラとして描かれ、本格が揶揄《やゆ》されるときの記号感もないんだけど……」

「でもやっぱり、この内容で長編はつらい」

「あとね、初心者から言えば、登場人物表はぜひ付けておいて欲しい。原書に忠実なのかどうか判らないけど、このシリーズは付いてない作品が多い」

「それは同感じゃ」

「あ、博士もやっぱり外人名が覚えられない？」

「作品によるな。文章が下手な作家のときは逆になくてもいいんじゃ。下手じゃから、誰かが登場するたびに、無条件に説明してくれる。じゃが、この作品のように〈小説〉

を書こうとしている場合、説明ではなく、描写でそれを判らせようとする。だから、最初はちょっと辛かったな」

「登場人物表があったら、犯人がすぐに判っちゃうのかな？　なんて、深読みまでした。それがなくても、犯人はすぐに判っちゃうけど……」

「この作品の読みどころは、そこではないからの」

「というわけで、ジャンクフードが好きな私には、ちょっと高尚すぎました」

「ではお次の『海のオベリスト』」

「推理合戦がうざい。可能性をつぶすために、それらの手順が必要なのは判るけど、そのためだけに四人も出す必要があったのかと」

「確かにな。不可能犯罪と、それに伴う不可思議な事実が次々と判明する導入部と、真相が語られ出してからの終盤は、すごく面白いのに、中盤の推理合戦がそれを台無しにしているとしか思えない」

「しかもページの割当を見ると、作者が書きたかったのが、実はそこだったというのが皮肉なところね」

「目次で見ると、全三百五十ページのうち、推理合戦が二百ページもある」

「最初から間違えてると判ってる推理を、延々読まされるのって苦痛よねえ。正直、途中から読み飛ばしちゃった。でも面白いところは伝わったから、中盤はなくても構わないという結論になった。いっそのこと、最初と最後をくっつけて、中編にしてくれたら、傑作だったかも」

「儂はそれをやったことがあるぞ」

「は？」

「小説の気に入らない中盤をカッターで切り取って、最初からなかったことにしたことがある」

「ええっ、ほんとに⁉　それってミステリで？」

「官能小説」

「は？」

「童貞少年がSっ気のあるお姉さんの性奴隷にされるストーリーなんじゃが、中盤でそのお姉さんが、数人の男にレイプされる場面があっての」

「判った。もういいわ」

「気高いお姉さんが泣きながら『お願い、やめて……』なんて言うシーンなんか、誰が読みたいかってての」

「だから、もういいって」

「しかもその場面が長くてな。カティンカティンだったオティンティンもすっかり萎《な》えて……」

「もういいって言ってんのよー‼」

「うん、いいキックじゃ。りっちゃんにも涙は似合わない。ということで次」

「これで六冊目。いつもならこの時点で一冊か二冊は優勝作が決まっているのに……」

「儂も悩んだぞ。今回は全部負けで行くか、それとも『殺人者と恐喝者』の点数を甘くして、抜けさせるかと」

「私が評価を下す前に？」

「だいたいりっちゃんの思考が判ってきたからの」

「気持ち悪いこと言わないでよ。じゃ『虚空から現れた死』ね」

「H－1は長編作品から選ぶんじゃが、これは中編が二本」

「あらすじを読んで、これなら優勝できそうと、思ったんでしょ？」

「りっちゃんも儂の考えることが判るようになったんじゃな」

「ええと、無視して……オープニングは最高！　これらの謎がこのあと美しく解けるのかと、期待は高まった」

「これで決まりだと思ったろ？　もう他のは読まなくていいんだと」

「うん。だけど展開がひどかった。というか、完全に漫画。いい意味でも悪い意味でも」

「犯人だと疑われた主人公が、汚名をそそぐために、走って飛んで……」

「そうか、これもパルプ・マガジンに掲載されていたのね。だから考える前にまず動くんだ。しかもマジシャンだから、その動きが派手。こんなこと無理でしょ？　と思っても、世界的なマジシャンだから、という理由で、オール・オーケー。仲間たちも舞台の助手だから、ピンチの場面でも打ち合わせなしで、協力できちゃうと」

「とにかく、展開が早い。数ページ飛ばしたら、筋が判らなくなるくらい」

「読んでいるうちに、最初の魅力的な謎はどうでもよくなってしまった。実際、解明されても、ふーん、てな感じだったし」

「二本目の作品なんか、ドタバタを整理して、短くまとめたら、相当な傑作になったと思うから、残念で仕方ない」

「でね、博士に言っておくわ。今後、二度と私にパルプ・マガジンは読ませないでね」

「うん、判った。ということで最後の作品『グリンドルの悪夢』」

「どうして、これを最初に読ませてくれなかったの」

「今回の作品選定は第五試合のときと同じく、『クラシック・ミステリのススメPart1』(著・編集、ヴィンテージ・ミステリ・クラブ)に載っていた、過去の各種ベストテンを参考にしたのじゃが……」

「『グリンドルの悪夢』はそのあとの発行だったから、思いいたらなかったと」

「そうじゃ」

「良かったわね。こんな作品が残ってて」

「読みながらドキドキした。導入は面白い。半分来たけどまだ面白い。終盤だけど、まだまだ面白い。そして読み終わって……、おおっ、最後まで面白いじゃないかー!!」

「まずムードがいいわよね。地味なのが二作。パルプ・マガジン掲載が二作。それらの作品になかった、何とも言えない暗い雰囲気がいい。これよこれ、ミステリはこうでなくちゃ」

「事件がどこに向かうか判らない不安感は『赤い右手』(第五試合参照)にも通じるな」

「記述者の役割はハッキリしてるけど、探偵役が誰なのかがまるで判らないから、途中から記述者の立ち位置さえも疑問に思えて来ちゃう。そして、一度そういう〈斜め目線〉になってしまうと、もう何も信用できなくなる。ミステリ的には良い意味でね」

「タイトルの〈悪夢〉が、これほどぴったりの作品もないだろうな。〈犯人の悪意〉と、言ってもいいが」

「良識ある人なら、とあるエピソードだけ

で、拒絶反応をおこしそうね。でも私はイケナイ子だから、そこもワクワクした。ミステリはミステリ。道徳の教科書じゃないんだからね」

「そして一番の悦《よろこ》びは、ちゃんと〈本格〉として着地したこと」

「説明不足のところもあるし、村人の行動に納得のいかないところもあるけれど、私は気にならなかった。隙なくきっちりしているけれど、ちょっと退屈だった『証拠は眠る』を先に読んだせいかもしれないけれどね」

「ほんのちょっぴりロマンスもあるけれど、その分量も絶妙。『赤毛のレドメイン家』のように、それをメインテーマにするなら別だが、サブストーリーで扱うなら、これぐらいが丁度《ちょうど》いい」

「というワケで、私たちの間では、絶賛だけど……この結果でいいのかなあ」

「どうしてじゃ？」

「今回は、他の作品との食べ合わせが、大きく影響した気がするの。だから、心の底からこれを薦めていいのかと」

「そんなことは気にするな。儂としてはこれで大満足じゃ」

「単行本、六冊分のスペースが空くからでしょ」

「はっはっはー、もう空けた！」

「でも、単行本を取り上げるのはこれで最後よ」

「ええっ!?」

「次回からはまた文庫よ。最初に決めたとおり、今後扱うのは、長い年月読み継がれてきた古典だけ」

「そんなあ、国書刊行会の本はまだまだあるし、新樹社《しんじゅしゃ》とか晶文社《しょうぶんしゃ》とか翔泳社《しょうえいしゃ》とかも持ってるし――」

「言うこと聞かないなら、降りるわよ」

「そんなあああああ」

◉第七試合出場作品とりっちゃんの評価

ディクスン	『殺人者と恐喝者』	騙したいという心意気は良	△
ブルース	『骨と髪』	地味だし、探偵役は勘が悪すぎるし	×
ロスコー	『死の相続』	ドタバタ嫌い。パルプ嫌い	×
フリーマン	『証拠は眠る』	好感は持てるけど、地味すぎ	△
キング	『海のオベリスト』	推理合戦嫌い	×
ロースン	『虚空から現れた死』	やっぱりパルプ嫌い	×
クェンティン	『グリンドルの悪夢』	ミステリは雰囲気なり	◎

◉優勝

『グリンドルの悪夢』

国樹由香の

本棚探偵の日常

◉第7回◉

年末が近い。信じられない。年内に終わらせなければいけないことが山積みだ。最優先は勿論《もちろん》仕事だが、先日我が家のＭａｃがクラッシュしたときに消えた「宛名職人《あてな》」のデータが気がかりでならない。根性で再入力しないと年賀状が出せないのだから。ああバックアップの大切さよ。

そんな慌ただしさゆえ、エッセイくらいはのんびりとした小ネタ集でいこうと思う。大ネタが無かったんだろうって？　そこは「わかちこ」でお願いします（いいかげん古いですか？　わかちこを知らない皆さまはウィキペディアを参照してください）。

先日探偵は五十一歳になった。毎年のことだが、プレゼントには本当に悩む。探偵が喜ぶものは判っている。耽綺社同人《たんきしゃどうじん》著『空中紳士』（博文館《はくぶんかん》）と江戸川乱歩《えどがわらんぽ》他著『江川蘭子《えがわらんこ》』（博文館）。我が家にある古書目録によると、ふむふむ、二冊合わせて百四十万円ね。買えるか――――！　改めて古書の世界は恐ろしいと思った。

探偵に古書以外で欲しいものはあるか訊いてみる。

「何もないよ」

想像通りの返事だ。さてどうしようかと

思案しながら、届いたばかりの通販カタログをぺらぺらとめくる私。すると突然、傍《かたわ》らにいた探偵が叫んだ。

「今の頁《ページ》のそれ！　それが欲しい！」

「……カンフー着だよ？」

私が見ていたのは格闘技用品専門店の通販カタログ。私は空手をやっているので何度か利用したことがあるのだが、カタログをじっくり見たのは初めてだった。

「やったー！　ブルース・リーの映画を観たときから、ずーっと欲しかったんだよ。三十五年越しの願いがついに叶《かな》うんだ！」

三十五年間、一体何をしていたんだと思いつつも、見たことがない探偵のハイテンションぶりに驚き、早速注文。品物が届くのを待つ探偵は、サンタを信じる子どものようだった。

そして今。探偵は風呂上がりにカンフー着を着てソファでくつろぎながら本格ミステリを読んでいる。へ、変！

「これ俺のバスローブにするんだ。パジャマにはちょっと厚手だけど、湯上がりには最高」

ご機嫌である。勿論届いた直後にはブルース・リーのあらゆる決めポーズを真似て、写メにおさめていた。

「帯が付いてるけど、俺は巻かないよ。ブルース・リーが巻いてないから」

「この袖口《そでぐち》が白くなってるとこがいいんだよねー」

「犬の散歩に着て行ったら変かなあ」

私はキッチンにいたので、探偵はずっと独り言をしゃべっているのだ。取りあえず犬の散歩に着て行くのだけは反対しようと思ったら、静かになった。

（寝たのかな）

しんとした室内で洗い物を続けていると、

「びゅっ、びゅっ、びゅわっ」

イキナリ空《くう》を切るような音。

「びゅっ、びゅびゅびゅびゅっ」

音はどんどん激しくなる。探偵も犬も寝ているはず。何なの、怖いよ。探偵を起こそうとキッチンから飛び出したら、そこには――カンフー映画っぽい音を出そうと、必死にカンフー着の袖を振り回す探偵の姿があった。五十一歳なんだからいいかげんにしてください……。

怖いといえば、こんなことを思い出す。

探偵は大槻《おおつき》教授か松尾貴史《まつおたかし》氏かというくらい超常現象懐疑論者で、結婚したばかりの頃「幽霊を信じているわけじゃないのに激しく怖がり」な私に対し、

「この世の不思議な現象で説明できないものは何一つないんだよ」

と常に言っていた。そのおかげで私はシャンプーのときに下を向いて髪を洗えるようになり、真夜中に廊下の鏡を平気で覗けるようになったのだ。

そんなある朝。爽《さわ》やかに目が覚めた私は、体は起こさないまま横で寝ている探偵のほうを見た。その気配で探偵がぱちりと目を開けこちらを見たので、私はにっこり笑って「おはよう」と言った。すると探偵は真顔で一言。

「由香ちゃんの後ろに知らないおじさんがいるから、気をつけて」

いやあああああああ!!!

「なんだよ、どうしたの」

「どうしたのって、怖いおじさんが、おじさんが後ろにっ」

「ああ、寝ぼけたのか」

え？

「この世の不思議な現象で説明できないものは何一つないって言ってるだろ」

寝ぼけたのはそっちじゃん！

さてごく最近、探偵の教えが完全に身に付いた（と思っていた）私は、真夜中に一人でお風呂に入っていた。髪を洗おうと浴槽から出たとき、壁のタオルかけからタオルが一枚するりと浴槽に落ちた。使用前のだし、後で拾えばいいだろうとシャンプーを優先する。洗い終わって浴槽を覗いたら、愕然《がくぜん》。

「タオルが消えてるっ！」

落としたこと自体が勘違いだったのかと、バスルームじゅうを見回す。物がほとんどない狭いスペースは見逃すほうが難しい。念のため脱衣所も見てみる。ない。急にものすごく怖くなる。夜中の三時にお風呂になんて入らなければよかった。好んで使っていたドクロ形のスポンジすら恐ろしい。

「起きて、起きて！　四次元ポケットが出現したかもしれないよ！（真剣）」

ぐっすり眠っていた探偵を叩き起こす。

「え〜、そんな馬鹿なこと……」

寝ぼけまなこでバスルームを調べる探偵。

「ないな」

「ないでしょ！」

「ここは調べた？」

探偵が指差したのは二十四時間風呂の循環ポンプ。お湯の吸入口部分は縦一センチ横五センチ。タオルは縦百センチ横四十センチはある。吸入口からすぐ細いチューブがつながっている構造で、いくらなんでも物理的に入らないだろうと思い、調べなかった。探偵が吸入口部分を開く。そこにはタオルがぱんぱんにつまっていた。お湯を浄化するシステムの吸うパワーはハンパないな!

「ね。この世の不思議な現象で説明できないものは何一つないでしょ」

謎が解明し笑顔の探偵。安眠妨害したのになんて優しいんだろう。私なら四次元ポケットなんて言い出す連れ合いは、とてもじゃないが許せない。

優しいといえば、探偵のお父さんである。私にとっては義父にあたるわけだが、この世にここまで優しい人がいていいのかと会うたび思う。

この夏、探偵の故郷である香川に帰省した我々。お父さんは車であちこちに連れて行ってくれた。それだけでもありがたいのに、なんとお父さん、私が降りるとき必ず車のドアを開けてくれるのだ。いや私に対してだけではない。お母さんが降りるときもだ。なんたるレディファースト。外国人みたい。

もっと驚いたのは朝食の時間だ。私のぶんのトーストにバターを塗ってくれているではないか。

「冷蔵庫に入っていたバターは固《かと》うて女性の力では塗りにくいけんな」

衝撃を受けた。いえいえお父さん、私そこまで大和撫子《やまとなでしこ》では。そんなわけでつい

私は探偵に、

「お父さんに比べたら、まだまだ人間ができてないよ」

などと言ってしまうのだが、そのたび探偵はこう答える。

「努力するから、長い目で待ってて」

素直！ ていうか、私って理不尽！


素直といえば、探偵は現在ダイエットに励んでいる。この十一月、夫婦揃って年に一度の健康診査を受けたのだが、探偵は見事「メタボ予備群該当」にマルをもらってしまった。我が家のホームドクターいわく、

「男性は腹囲八十五センチ以上で引っかかるんだよねえ。でも、長身だとそれくらい普通にあるから、一概《いちがい》にメタボとは言えないと思うけど」


先生、探偵は長身ではありません。

ここ数年ジョギング&筋トレを頑張っている探偵がとった更なる手段は、大好きな甘い物断ち&玄米食。修行僧か！

そのストイックさに感動したので、探偵がカンフーモードに突入したときは、あたたかい目で見守ることを誓います。

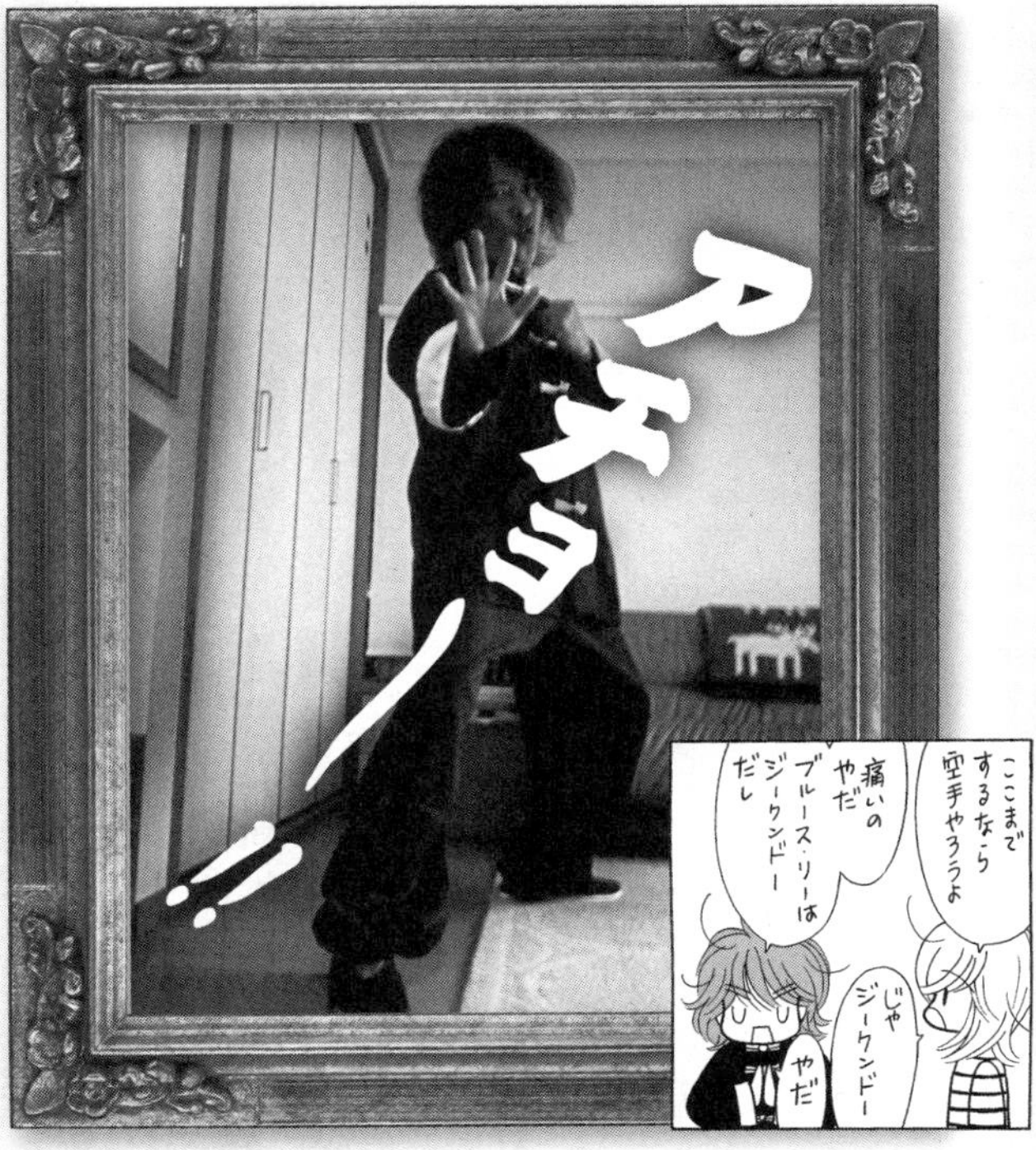
アチョー!!
ここまでするなら空手やろうよ
痛いのやだ
ブルース・リーはジークンドーだし
じゃジークンドー
やだ

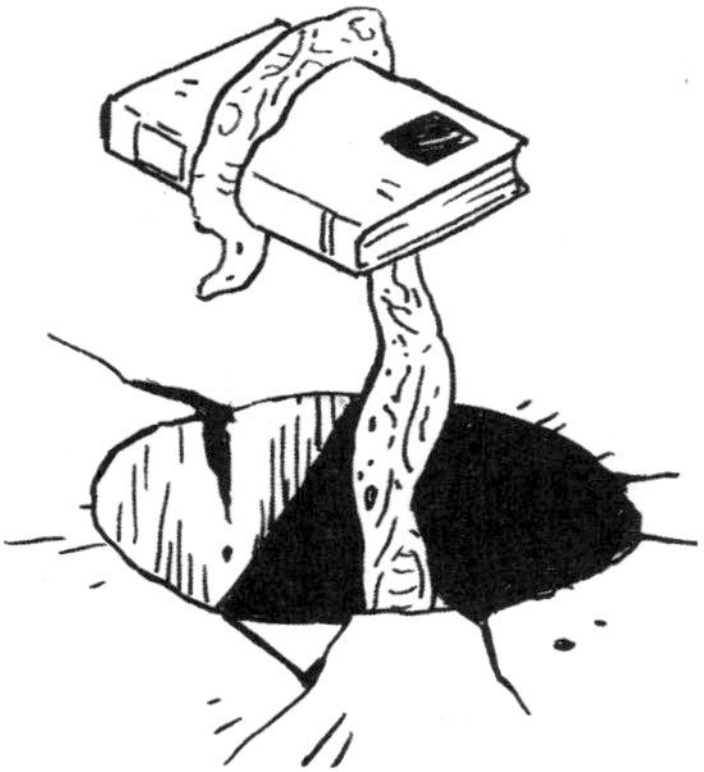

本格力

Hon Kaku Ryoku

Mystery book guide
of the bookshelf detective

第8回

◉エンピツでなぞる美しいミステリ◉

スカラカ、チャカポコ。チャカポコ、チャカポコ……。

夢野久作
「ドグラ・マグラ」
『日本探偵小説全集4　夢野久作集』（創元推理文庫）

人生で一番最初に出会った呪文《じゅもん》は何だろう？

まず頭に浮かんだのは〈アブラカダブラ〉だが、これが出て来たのは何のお話だったっけ。〈ちちんぷいぷい〉というのもよく聞く呪文だ。

魔法少女系のアニメからは多くのヒット呪文が生まれた。〈テクマクマヤコン〉〈ラミパスラミパス、ルルルルル〉〈マハリクマハリタ、ヤンバラヤン〉。呪文と魔法は一対の存在なので、これらがなくては少女たちの魔法が成り立たない。

男の子には『レインボーマン』が強烈な印象を残してくれた。〈アノクタラサンミャクサンボダイ〉〈オンタタギャトードハンパヤソワカ〉。今でこそ「仏教用語かな？」と気がつくけれど、当時は意味など考えることもなく、ただ口から発していれば、気が晴れた。似たような響きに〈アビラウンケンソワカ〉があったが、こっちは白土三平《しらとさんぺい》の忍者漫画から。

このように、人生には常に呪文がつきまとっていた。つきまとっただけでなく、何十年経った今でも、このようにスラスラと口をついて流れ出て来る不思議。意味があることは忘れても、意味の判らないカタカナの羅列が、なぜこれほどまでに人の脳に染み込んでしまうのだろう。

やはり人間はリズムの生き物なんだと思う。最古の楽器が太鼓であるように、祭りの基本が太鼓であるように、テンポのいいリズムは、人の心を震わせ、酔わせ、心地よくさせる。

　ミステリの世界にも忘れられない呪文がある。

　江戸川乱歩《えどがわらんぽ》の「白昼夢《はくちゅうむ》」に出てきた〈アップク、チキリキ、アッパッパア〉がそれ。輪になった小さな女の子たちに歌われていたこの不思議な歌詞が、夏の日の妖《あや》しい風景と混じり合って、文庫にして八ページほどの掌編《しょうへん》を、生涯忘れ難いものにしてくれた。

　もちろんこれは乱歩の作った歌詞。「さすがだね」と、今の今まで思い込んでいたのだが……ネットは恐ろしいね。ちょっと検索してみたら、大正時代に流行った「りゅうぜい節」という民謡がそっくりだったのだ。

　でもガッカリはしない。数ある民謡からこれを選んだのは乱歩、そしてただの歌詞を呪文にまで高めてくれたのだから。

　ということで夢野久作《ゆめのきゅうさく》のこの一節となる。説明するまでもないだろう。悪魔の書『ドグラ・マグラ』に何度も登場する祭文《さいもん》のサビの部分だ。〈チャカポコ〉というフレーズは、他でも聞いたことがあるので、乱歩と同じく、実際にあったものだろうが、それに特別な意味を持たせたのは久作の功績だ。

　友人にミステリ初心者がいる。ある日「何を読んだらいいのか？」と問われたので、基本図書を順番に薦めていった。期待通りの感想を述べてくれるので、育てるつもりで、少しずつ変化球も混ぜていった。そして、そろそろこれもいいかな？　と『ドグラ・マグラ』を教えた。待つこと数日。彼から電話があった。最初に彼が発した言葉は、

「スカラカ、チャカポコ。チャカポコ……」

このフレーズが仕事中に口をついて困ると笑っていた。呪文って本当に怖い。

根拠はなくて
あてずっぽ
ああはずかしい
でもないしょ

みすき

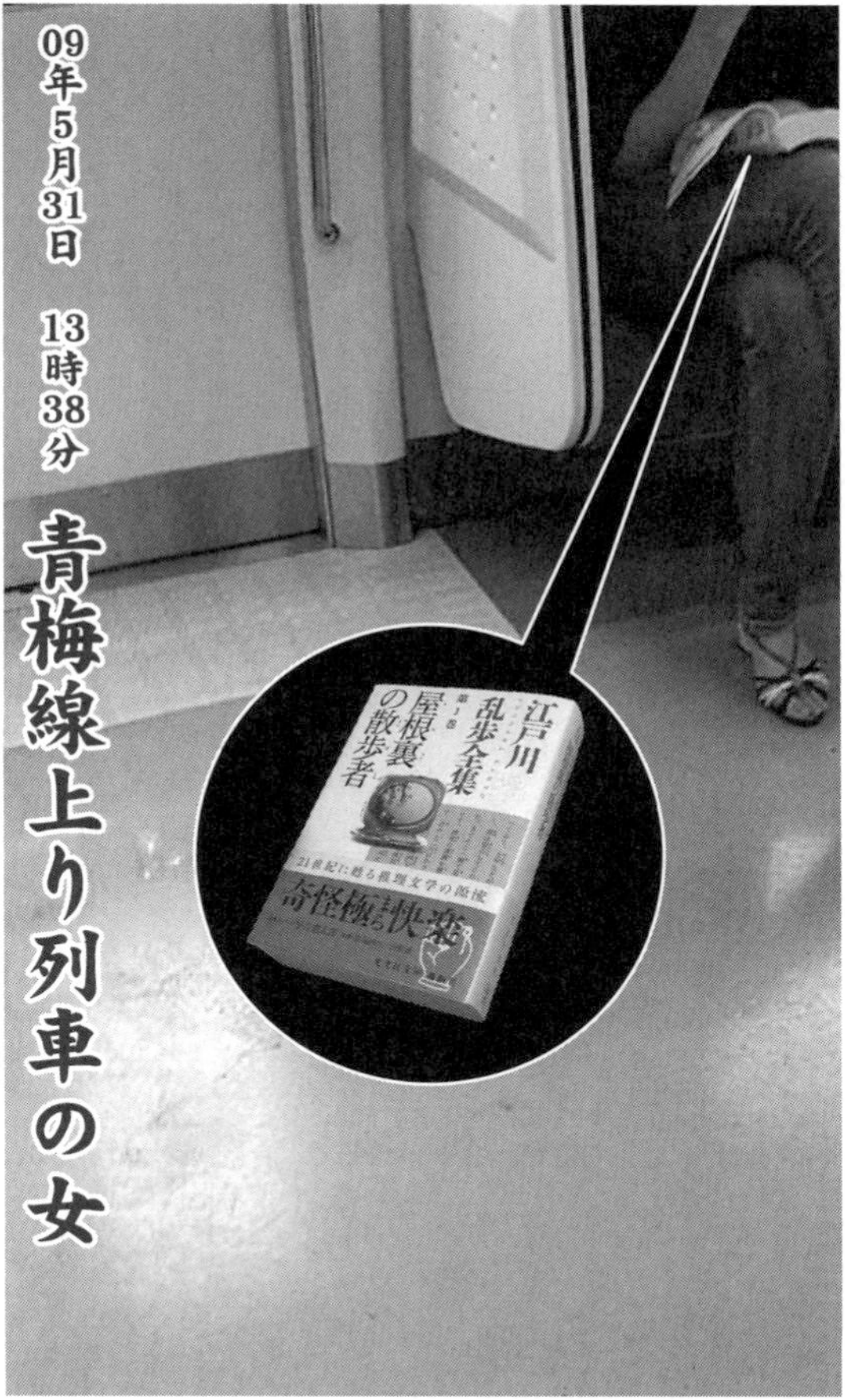
09年5月31日　13時38分
青梅線上り列車の女
江戸川乱歩全集
屋根裏の散歩者
21世紀に甦る推理文学の源流

◉ミステリのある風景◉

坂東善博士

H-1グランプリ

本当にお薦めしたい古典を選べ！

りっちゃん

第八試合

◎ハヤカワ・ミステリ文庫？◎

「儂は坂東善博士。長年にわたって本格ミステリについて研究している」

「私はりこ。ごく普通の女子高生よ」

「その二人が、〈現代でも通用する古典本格ミステリとはなんぞや〉をテーマに、議論を戦わせるこのコーナー。今回が第八試合となるのじゃが……………」

「何よ、その長い沈黙は？」

「ミステリを数多く出版している出版社としては、東京創元社と早川書房が両巨頭となるワケじゃが…………」

「また黙る——。どうしたの一体？」

「ここでの候補作を選ぶときに、出会いの古さからして、儂はついつい創元推理文庫を選びがちになるので、今回は〈敢えて〉ハヤカワ・ミステリ文庫を取り上げようと思ったのじゃ……………………」

「ねえ、マジでどうしたの？　何かあったの？」

「で、その作品選択じゃが、早川書房編集部編『海外ミステリ・ベスト１００』（ハヤカワ文庫、'00年）で選ばれた百作品から、本格だけをチョイスして……………………」

「ねえ、お願い。気になってしかたないから、打ち明けて」

「だって、絶対に怒るから……………」

「怒る？　私が？　ああっ、まさか!!　私の部屋に侵入して、下着を漁《あさ》ったとか!?」

「してない。したい気はヤマヤマじゃが、まだしてない……」

「じゃあ、言ってよ」

「怒らない？」

「判った。怒らない」

「じゃ約束の指切り」

「んもー、面倒臭いわね。はい、指切った──！　と、これでいい？」

「今回……二冊しか……………読めなかった」

「はあ────!?」

「ほら──っ、怒ってるううううー」

「だって──、そっち方向だとは思ってないじゃないの。博士のフェチ行動には慣れたけど、まさかメインのミステリがおろそかになってたなんて。ミステリを紹介することだけが博士の取《と》り柄《え》。そこがなかったら、ただの変態クソフェチオヤジじゃないの！」

「あのー、カタカナが続くから、〈オヤジ〉は〈親爺〉と漢字にした方が……」

「そんなことはどうでもいいの！　このコーナーをどうするのかってこと。たった二冊でどうやって場を持たすのよ!!」

「聞いてくれ。一応、言い訳を聞いてくれ」

「聞くわよ。それで字数が稼げるなら」

「他のミステリを読んでたんじゃ。第七試合の流れで……」

「原書房の〈ヴィンテージ・ミステリ・シリーズ〉？」

「それから第五試合で取り上げた国書刊行会の〈世界探偵小説全集〉も」

「私が『それらはダメ』って禁止したのよね。この企画の前提である〈長い年月、読み継がれてきたミステリ〉の項目を満たしていないから、って」

「そうじゃ。儂もその意見に同意した。だから、ここでは取り上げないけど、趣味として読むことにした。そうしたら勢いがついてしまって……」

「ここで取り上げるべき本を読む時間が、なくなってしまったと……」

「そういうワケじゃ。すまない」

「判ったわよ。ミステリを読んでたというのなら、一応許す。じゃ今回は特例ということにして、そっちを取り上げましょ。で、私は何を読めばいい？」

「それがじゃ……。さっきも言ったとおり、ここで語るつもりではなかったから、読書感想のメモを残してない……」

「はあー!?　覚えてるでしょ、それぐらい。ちょっと前の話じゃないの」

「ところがじゃ、儂の年齢になると、三日前のことも自信がない。三十年前のことなら鮮明に覚えているのじゃが」

「それにしたって、今は覚えてなくたって、目の前に当該図書を持って来れば、少しは思い出すでしょ」

「五、六冊ならな。だが多すぎて、もうどれがどれやら……」

「一体どんだけ読んだのよ」

「ええと、タイトルだけはメモしてある。まずは原書房の〈ヴィンテージ・ミステリ・シリーズ〉から、二階堂黎人《にかいどうれいと》・森英俊／編『密室殺人コレクション』、ミルン『四日間の不思議』、バークリー『シシリーは消えた』、P・マクドナルド『フライアーズ・パードン館の謎』、ウェイド『議会に死体』、ミッチェル『踊るドルイド』。次に国書刊行会の〈世界探偵小説全集〉から、メイスン『薔薇荘にて』、クリスピン『愛は血を流して横たわる』、ヘアー『英国風の殺人』、ロード『見えない凶器』、ブルース『ロープとリングの事件』、ライス『眠りをむさぼりすぎた男』、バークリー『地下室の殺人』、ウエイド『推定相続人』、イネス『ハムレット復讐せよ』、ロラック『ジョン・ブラウンの死体』、ギルバート『薪小屋の秘密』、ティーレット『おしゃべり雀の殺人』、ノックス『サイロの死体』、バークリー『レイトン・コートの謎』、ウエイド『塩沢地の霧』、イネス『ストップ・プレス』、クリスピン『大聖堂は大騒ぎ』、ヘクスト『テンプラー家の惨劇』、ベロウ『魔王の足跡』、マクロイ『割れたひづめ』。そんでもって返す刀で翔泳社の、カー『グラン・ギニョール』とか、パロル舎のボアロー＆ナルスジャック『めまい』とか……」

「二十八冊も!?　読んだわねー」

「読んだのさー」

「おっさんが〈もう中学生〉の真似なんかしなくていいの!!　で、少しも内容を覚えてないの?」

「そりゃ、さすがに少しは覚えているが、ここで語り合う自信はない。あまりにもつまらなくて、最後まで読まなかったのもあるしの」

「面白かった作品ぐらいは覚えているでしょ?」

「それはもちろん。それらについてはちゃんと語れる」

「じゃ、それだけでも語って。二冊じゃ場がもたないし」

「判った。おもしろかったヤツな。まず二階堂黎人・森英俊/編の密室ものアンソロジー『密室殺人コレクション』(原書房)じゃな。


読みどころは『赤い右手』で強烈な印象を残したJ・T・ロジャーズの『つなわたりの密室』。密室物は頭脳のゲームじゃから、ハートが刺激されることはあまりないのじゃが、この作者は密室を書いても異常な雰囲気に満ち満ちており、今回も変わった構成を含めドキドキさせてくれた。ああ、この人の作品をもっと読みたいぞと。

次はと……ああ、これじゃ。E・C・R・ロラック『ジョン・ブラウンの死体』(国書刊行会)。

提示された謎の解決に向かって進展するのが本格ミステリの正しい姿じゃが、事件が起こっているのかどうかもわからないまま、ページをめくる指が止められない、というのも本格ミステリ美しさの一つじゃな。謎の解明が理系本格だとするなら、文系本格と名付けるのが相応しいかもしれん。その第一条件は文章が上手いこと。寂しい田舎の描写だけでグイグイ読まされるこの作品がまさにその代表じゃ。

三冊目は……これか。アントニイ・ギルバート『薪小屋の秘密』(国書刊行会)。

この作品は最初の数ページで、大まかなストーリーの予想がついてしまう。そしてそこで感じるのは『これはサスペンスであって、決して本格ではない』じゃ。行われていることは明々白々で、どこにも謎がないからな。だがしかし……と、これ以上は秘密。本格の扉がどこで開くか注目じゃ!」

「一息での説明、お疲れさま。でも二十八冊も読んで、お気に入りはたったの三作品?」

「嗜好が変わって来たんじゃろうかの。昔は〈館もの〉が大好きじゃったんじゃが、というか今でも、日本人作家の書く〈館〉は好きなんじゃが、海外物にはそれは求めてないというか。お前らは他に書くべき物があるじゃろうという、難癖にも似た要求があっての……」

「たとえば?」

「一番はその国の風景じゃ。しかも都会では面白くない。田舎がいい、荒涼とした田舎。海沿いでも林の中でもいい。季節は秋か冬。隣の家まで遠く離れている一軒家で、何かが行われている。それを淡々と、静かに描いて欲しい。今回面白いと思った『ジョン・ブラウン~』と『薪小屋~』は、両方ともそういう作品じゃった」

「〈館〉がダメで、〈野中の一軒家〉がいいって言われても……」

「目線がどこにあるかじゃ。館の読者は登場人物と共に家の中にいる。野中の一軒家の読者は家の外から覗くことしかできない。たとえ、家の中を描いていたとしても、精神は部外者のまま。判るかのう、この違いが」

「まあ、何となく」

「読者が家の中にいる場合、連続殺人が起きても怖くない。犯人や動機は判らなくても、何が起こったかは理解できているから。それに比べて、読者が外にいる場合は、女性の悲鳴が聞こえても、何が起きたか想像するしかない。人間というのは面白いもので、そういうとき自分にとって一番イヤなものを想像するんじゃ。だから怖い。よって雰囲気が盛り上がる」

「ホラーなら判るけど、ミステリにもそれって必要？」

「儂にはな。一番好きなのはホラー風味のミステリ。荒涼とした田舎にはそれがまたよく合うんじゃ」

「判ったわ、それを踏まえて読んでみる。今度、時間があるときにね」

「ということで、課題図書じゃ。ジョイス・ポーター『切断』、ジョン・スラデック『見えないグリーン』の二冊」

あらすじ紹介（読了順）

ジョイス・ポーター『切断』 小倉多加志《おぐらたかし》訳

○旅行中に若い巡査の身投げ現場を目撃してしまったドーヴァー警部夫妻。その巡査は生前、手足を切断された殺人事件の捜査をしていたらしい。署長の依頼を受けたドーヴァーはしかたなく捜査に乗り出すが……。

ジョン・スラデック『見えないグリーン』真野明裕《まのあきひろ》訳　〇ミステリ好きが集まった〈素人探偵七人会〉。彼らが三十五年ぶりに会おうと決まったとき、メンバーが一人、また一人と殺されていく。SF作家がミステリ史に残した、奇想天外の密室トリックとは⁉

「何だか物足りなかったわ、二冊だとね。じゃまず『切断』から。ええと、第一印象は〈なに、この主人公？〉。で、二番目の印象が〈勘弁してよ、コイツ〉。三番目〈ダメ、もう耐えられない〉」

「やっぱりな、そう来ると思った。普段の儂はキャラで感想が左右されることはないのじゃが、コイツだけは〈ちょっとなー〉と思った。それぐらい主人公向きの性格ではない」

「博士って〈ユーモア系は嫌い〉と、常々言っていたけど、こういうことだったのね。でもこれってユーモア？　ただのハチャメチャよね」

「儂はユーモアが嫌いなワケではないぞ。少し厳しいだけじゃ。これを読んだ後だと、ミルンとかクリスピンとかのセンスの良さがよく判る」

「犯行の動機には衝撃を受けたけど、その嘘臭さを納得させるためのバカミススタイルだったのかな？　でも逆に、あの動機をシリアスで読みたかった。どうなったのだろうと想像するとワクワクする」

「同感じゃ。ホラー風味で描けば、そうとう怖い話になったはず」

「そうしたら、途中の退屈な展開も、もうちょっとドキドキできたよね。だってこの話って、オープニングを除いて、事件は進行しないから」

「内容の48％は聞き込みのシーン、残りの52％はドーヴァーの傍若無人《ぼうじゃくぶじん》ぶりを描いてるだけだからな」

「生涯忘れることのない動機だっただけに残念だわー」

「では続いて『見えないグリーン』を」

「密室トリックには感心した。三番目の事件もね。両方とも推理クイズの定番になりそう、というか、もうなってる？」

「読んだ覚えはある。もちろん出自はこの作品じゃろう。ただ、三番目の事件に関しては、ちょっと不満がある。犯人はなぜ死体をそのままにしておかなかったのか？　せっかくのトリックが、事後工作のせいで、印象が薄くなってしまった」

「なるほど、言われてみればそうね。あと二番目の事件の〈とある事実〉のことだけど、あれにはすごくビックリしたけど、何か自分の中でモヤモヤしているのはどうしてかな？」

「儂のモヤモヤと同じかどうか判らないけど、被害者のとある一言があるじゃろ。あれはな、容疑者を外すのが目論《もくろ》みのセリフだったはずなのじゃが、浅く読むと〈犯人を指摘してないこともない〉」

「え、ちょっと待って。当該部分を読み返してみるから。ええと………。なるほど、そう読めるわ!!」

「二番目の事件を効果的にするには、あの犯人ではいけないんじゃ。でもそれでは一番目の事件と矛盾する。だからあのネタは別の作品で使うべきだったんじゃ。だが、著者の本業はSF。次はいつ書けるかも判らないミステリ。思いついたことは全部使っておこうと思ったのではないかと思う。事実、長編を書く以前に書いた短編『密室』（『蒸気駆動の少年』所収、河出書房新社）では、思いついた密室トリックを全部披露しているし」

「ミステリ作家ではないから、思いついたトリックをギャグで使ってしまった博士ならではの意見ね」

「友人のミステリ作家から〈あれは勿体なかったですよ〉と言われたけどな。こっちは明日の〆切の方が大切だから、先のことはどうでもいい」

「第二の事件の別の疑問については、解説で鮎川哲也《あゆかわてつや》さんも書いているね」

「一番目の密室トリックって、スラデックがミステリ作家でなかったから思いついたのかもしれないが、ミステリ作家でなかったが故に、詰めがおろそかになったとも言えそうじゃ」

「ということで結果発表。ところで、次回も当然、ハヤカワ・ミステリ文庫よね？」

「モチのロンじゃ‼　と言いたいところじゃが、国書刊行会の隣では、論創社《ろんそうしゃ》の単行本が〈こっちこっち〉と呼んでいる気が……」

「絶対にダメー‼」

◉第八試合出場作品とりっちゃんの評価

ポーター　『切断』　ドーヴァー警部の性格が最低。笑えない　×

スラデック『見えないグリーン』トリックは○だけど、細部が残念　△

◉優勝

なし

国樹由香の

本棚探偵の日常

◎第8回◎

今更な話題で恐縮だが、皆さんバンクーバーオリンピックは御覧になっただろうか。我が家はさまざまな競技を目一杯《めいっぱい》楽しんだ。祭りの後の今を少し寂《さび》しく感じるくらいに。

と言いつつも、オリンピックが無事に終わったことを何より嬉しく思っている私がここにいる。あのまま続いていたら、探偵の寿命は確実に十年は縮まっていたに違いないからだ――カーリングが好きすぎて。

探偵は『東京マラソンを走りたい』という新書まで出してしまったほどのマラソン大好き男で、

「自分でやるなら個人競技だよ。チームメイトに迷惑かけずにすむもん」

といつも言っていた。

そんな探偵だが、観る側となると話が違ってくる。とにかく団体競技が好きでたまらないのだ。多くの人がそうであるように、カーリングには前回の冬季オリンピックでハマった。私が「ルールがよく判らないし、スポーツっぽく見えない」なんて言おうものなら、

「パズラーの血が騒ぐスポーツなんだよ! 本当に最後の一投までどうなるか判らないしさ。いい? こんな風にストーンが配置された場合はね……」

紙にささっと図を描き、延々と説明してくれる。おかげで私もルールは完璧《かんぺき》に覚えた（つもりだ）。

さて、カーリングが好きだとどうして寿命が縮まるのか。探偵は見た目のイメージとは真逆の、とてもキチンとした人間だ。自由業ゆえ寝るも起きるも自分次第なのに「朝八時に起きて犬の散歩。戻ったら朝ご飯」のペースを崩さない。そんな生活ぶりでありながら、

「カーリング女子の試合は絶対生中継で観たい！」

などと言う。生中継にこだわると日本時間の早朝、昼間、真夜中とチェックしなくてはいけない。カーリングの試合時間は長いうえ、仕事だってある。必然的に睡眠時間を削ることになるわけだ。

探偵は京極夏彦《きょうごくなつひこ》さんではないので、睡眠不足にめっぽう弱い。日に日にヨロヨロになっていくさまを見て、

「デジャブだ」

と思った。

二〇〇九年の三月、探偵と私はローマの街を走っていた。東京マラソンに落選した勢いで、同日開催のローママラソンにエントリーしたからである。世界遺産を巡るコースは素晴らしかったが、二人してローマの硬い石畳にひざをやられ、辛《つら》く長い自分との闘いに挑戦するはめに。

それでもなんとか完走しホッとしたのも束《つか》の間《ま》、探偵にはもうひとつの闘いが待っていた。野球のワールドカップ「WBC」の応援である。

生中継にこだわる探偵に「日本に帰ってから録画した試合をゆっくり観る」なんて選択肢はない。残念ながらローマで日本代表の試合がテレビ放送されることはないので、持参したのは愛用のラップトップ。これでネットの速報ページを見ながら応援するのだ。ローマ入りした初日からホテルに戻るとWBC。大会前日もロクに眠らずWBC。ローマにいることを知らないイトコから電話がかかってきたときも、

「切らないでくれ！　ネットが不調で速報見られないんだ。どうなってるWBCは！」

という調子。しかも連日ちゃんと朝に起きて観光だって楽しむ。疲れないほうがおかしいだろう。

「決勝戦の日本対韓国は成田《なりた》に着いてから始まるんだよ。ラッキー」

そう言って喜んでいた探偵をがっかりさせる出来事が起こった。イタリア的のんびりさのせいなのか、アリタリア航空の出発が激しく遅れてしまったのである。

「冗談だろ！　試合開始までに日本に戻れないなんて」

そこまでショックを受けなくても……と思ったが言わなかった。

さて、悶々《もんもん》とした十時間半を過ごすことになった探偵。よほど落ち着かないらしく、近くに座っていた大学生らしき旅行者の「WBCどうなったのかなあ」というつぶやきに超反応。

「ねえ！　気になりますよね！　アリタリアさえ遅れなかったら、成田空港内のテレビで決勝戦が観られたはずなんですよ。早く着かないかなあ」

とても人見知りとは思えない勢いで話しかけていた。ああ、せめて機内ではゆっくり休んでいて欲しいのに。探偵には成田空港のパーキングに駐《と》めてある我が家の車を運転し、犬たちをペットホテルに迎えに行くという大仕事が残っているのだ。

成田に着いて空港レストランに飛び込む。テレビでは終わりに近付いたWBCが。

「パスタもいいけど、やっぱりうどんだよな。イチロー頑張れっ」

うどんをすすりながら必死で応援する探偵。結果はイチローの活躍で優勝という劇的なものだった。

「やったーーー!!」

テンションMAXである。気分は最高、体力は限界といったところだろう。ペットホテルに向かう道すがら探偵は言った。

「ローママラソンでひざ痛めただろ。くじけそうになるたびイチローのこと考えたんだ。オレなんてただの自己満足、イチローは日本中の期待を背負ってる。なのに今回イチローはずっと不調でさ、どんなに辛かっただろうって」

そんなことを考えて走っていたとは。普段は冷静な探偵だけに、お気に入りの団体競技になると我を忘れるのが珍しくてならない。

二〇一〇年はW杯イヤーだ。南アフリカとの時差を考えると、どういうことになるのか容易に想像がつく。益々《ますます》マラソンのトレーニングに励んで体力つけてねと言うしかない私なのだった。

団体競技 その1
スー
どう？
カーリング風モップがけ
やりたいっ
スー
ヤップ
ヤーップ
♪
単純でよかった。。
もっとやらせよう

団体競技 その2
以前 山口雅也さんのお宅に泊めていただいたときのこと
カッコイイ
う〜ん
ワッ
あれっ いない こんな朝早くに トイレかな
勝手にリビングのTVつけてイチローの試合観てました
山口さん まだ寝てるのに〜
がんばれっ

第9回

本格力

Hon Kaku Ryoku

人間がロボットの外側の着物を着ただけだったんですよ。

大下《おおした》宇陀児《うだる》
「狂気ホテル」
『火星美人』（春秋社）

今回の〈エンピツでなぞる美しいミステリ〉は〈勝手に挿絵〉コーナーとの連動で、お送りする。

なぜ、そんなことをするかって？

僕にとって、この「狂気ホテル」が、それぐらいの衝撃の作品だったからだ。

まず〈挿絵〉を見て欲しい。ダサいロボットが描いてあるのに気づいたね。そうだ、見てのとおり、僕はメカが下手《へた》だ。恐ろしく下手だ。だから当然のごとく、描くのも大嫌いだ。なんせ修業時代に、初めて行ったアシスタント先で「メガネを描いて」と言われ、「イヤです。ネジのあるものは描きません」とアシスタントにあるまじき態度をとったくらいだ。

だが、今回のロボットは少々ワケが違う。ダサいのは僕の画力のせいだけではない。なんせこの小説、今から七十年以上も前に書かれたものなのだ（昭和十四年発行の選集に載っているのを確認しただけなので、もっと古い可能性あり）。

七十年前と言えば『鉄腕アトム』の誕生より十年以上も前のこと。だから、戦前の探偵小説の中に、ロボットが（それもトリックとして扱われるために）出てきたときの驚きが判ってもらえるだろうか（探偵作家の側から言えば、トリックに使えそうな物に関しては、それぐらい〈早い者勝ちだぜ〉なところがあったのだろう）。

コイツは、思わぬ拾い物に出会ったぞと、嬉しくなった。容疑者のロボットは六体。ホテルの支配人は言う。

「（ウチのロボットにはそんなこと）出来ませんとも！」

おおっ、〈ロボット三原則〉か!?

「そんなことが出来るほど精巧だったら、ホテルに本当の人間の使用人が要《い》らなくなります。私も番頭もお払い箱です」

違った。

そりゃそうか。アシモフが〈ロボット三原則〉を提唱するのは、これより三年も後のことだ。

探偵役の青年はロボットの胸を開いて中を調べる。そこには歯車やコイルや配電盤が見えるだけだ。どうなるんだ、この話。

ページをめくる指が止められない。

そして青年は、一人の人物に目星をつける。とてつもなく力持ちの男。コイツなら、ロボットぐらいの力仕事が出来たはずだぞ。

そして、言い放ったのが、前々ページのセリフだ。

ええもちろん、ガクンと砕けましたよ、僕の腰は。

んーと、いくら何でもアレすぎません？

誰もが思う疑問だろう。だが、早い者勝ちのトリックに、細かいところを調整する時間はなかったのだ。

いや、問題はそこではない。僕が今、こうやって堂々と、ミステリのネタばらしをしていることの方が、突っ込まれるべきだろう。

でも自信を持って言える。あなたがこの作品を読むのはきっと無理だ。それぐらい出会えない作品だ。その証拠に、感想を、ネットで検索してみた。

唯一ヒットしたのは、十五年以上も前に書いた、僕の感想だけだった。

なにをしても
いいよ
うそさえ
つかなければね
じょじゅつだもの

みすき

◉ 勝　手　に　挿　絵 ◉

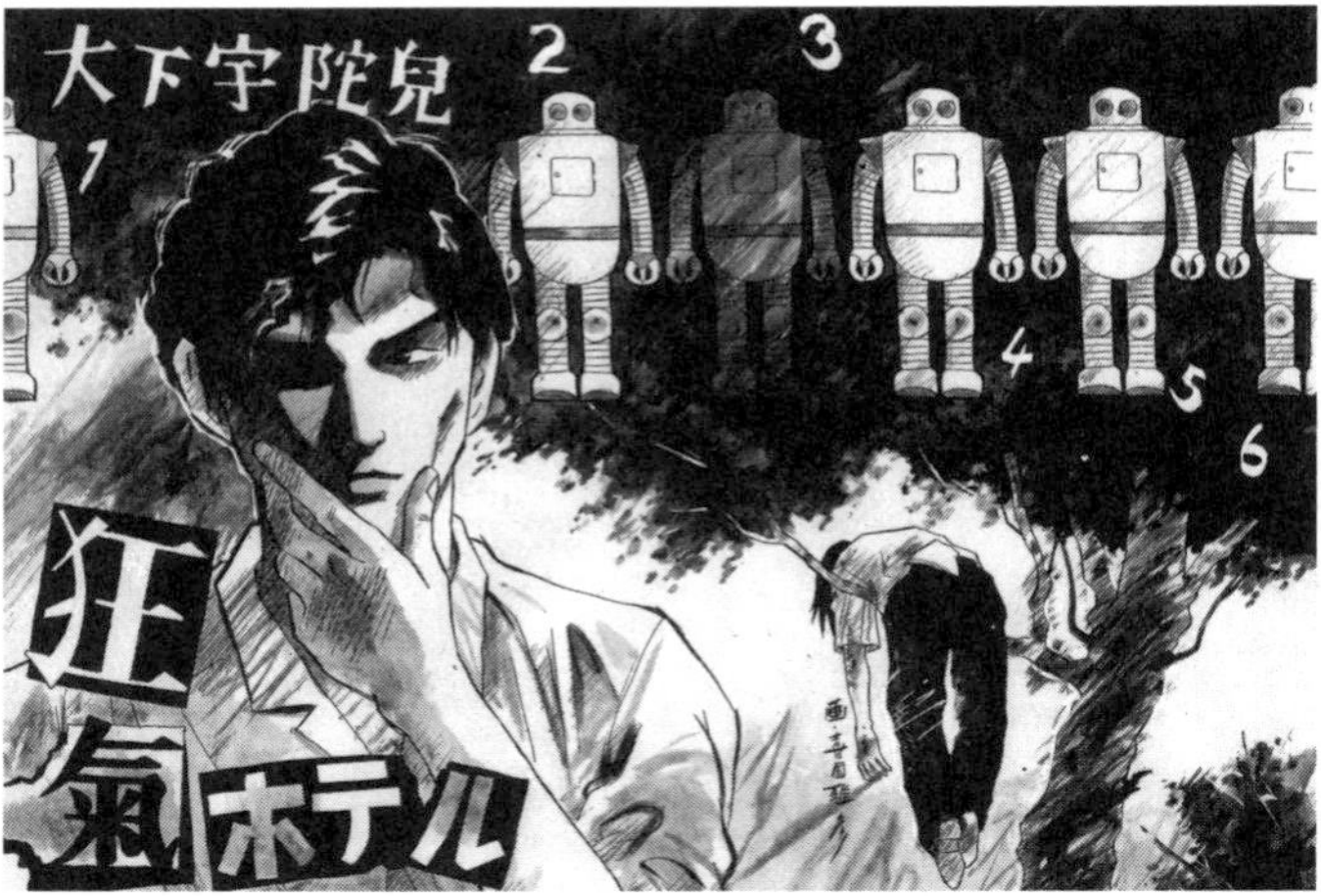

ストーリー

六体のロボットが働くリゾート・ホテルで殺人事件がおこった。
ロボットが犯人としか思えない状況なのだが、
彼らを調べた探偵役はとある可能性を思いつく。

大下宇陀児「狂気ホテル」昭和十四年作品
『火星美人』（春秋社）所収

坂東善博士

H-1グランプリ
本当にお薦めしたい古典を選べ！

りっちゃん

第九試合
◉ハヤカワ・ミステリ文庫◉

「儂は坂東善博士。長年にわたって本格ミステリについて研究している」

「私はりこ。ごく普通の女子高生よ」

「その二人が、〈現代でも通用する古典本格ミステリとはなんぞや〉をテーマに、議論を戦わせるこのコーナー。さて、第九試合は、前回からの続きで、ハヤカワ・ミステリ文庫じゃ」

「候補の元になったのは早川書房編集部編の『海外ミステリ・ベスト100』（ハヤカワ文庫、'00年）で選ばれた作品。言わば、ハヤカワ文庫のオールタイムミステリ。その中で、本格系は二十作品ほどあるけど……」

「今回はそこから、物理的な制約を基準に五冊選んでみた」

「物理的な制約？」

「書庫から発掘できたのが、今回の五冊だったと」

「そんなことだろうと思ったわ。なんだかしばらくの間、ドタンバタンやってたからね」

「不必要なダブリ本はいくらでも見つかるのに、不思議なもんじゃ」

「もうその手の話は聞き飽きたわ」

あらすじ紹介（**読了順**）

ジョン・ディクスン・カー『火刑法廷』小倉多加志訳　○出版社勤務の主人公は担当作家から渡されたノンフィクションの原稿を見て愕然とする。そこに添付されていた十九世紀の毒殺魔の写真が自分の妻にそっくりだったのだ。そんなとき隣人から「埋葬された老人の死に疑問があるので、墓をあばくのを手伝って欲しい」と奇妙な依頼を受ける。壁に消えた謎の女性、棺から消失した死体。怪奇ミステリの巨匠カーの代表作。

コリン・デクスター『ウッドストック行最終バス』大庭忠男訳　○目的地行きのバスを待ちきれず、ヒッチハイクをした二人の娘。その夜一人の娘が死体で見つかった。なぜ彼女は殺されなければならなかったのか？　事件を担当するモース警部は様々な論理を展開するのだが、その出発点がどうしても判らない。一緒にいたはずのもう一人の娘は、なぜ名乗り出ないのか？　現代本格の傑作。

ウィリアム・L・デアンドリア『ホッグ連続殺人』真崎義博《まさきよしひろ》訳　○不可能状況下で連

続して起こる死亡事件。いずれも事故にしか見えないのだが〈HOG《ホッグ》〉と名乗る犯人からの犯行声明が新聞社に届いてから、事件は異様な空気に包まれる。殺害方法不明。動機不明。被害者を繋《つな》ぐ糸も不明。名探偵ベネデッティ教授は真相に辿り着けるのか？

クリスチアナ・ブランド『ジェゼベルの死』恩地三保子《おんちみほこ》訳　○とある女優たち三名に届いた脅迫状。相談を受けたコックリル警部は舞台の観客席で見守る。だが、彼の眼前で、女優は落下して死んだ。衆人環視の中、犯人はどうやって彼女に近づいたのか⁉　捜査線上に、浮かび上がったのは、一人の騎士役。全身に鎧《よろい》衣装をまとったそいつは誰だったのか？　クリスティーと並ぶ、女流作家の最高作。

エラリイ・クイーン『九尾の猫』大庭忠男訳　○ニューヨークで発生する連続殺人。被害者の首には、凶器の絹紐《きぬひも》が残されている。被害者間を結ぶ糸はなかなか見つからず、不安にかられた市民の集まりは死者が出るほどの暴動にまで発展し、おとり捜査を手伝う女性に犯人の魔手が迫る。以前の事件での失敗で、推理に冴《さ》えが見られないエラリイは復活できるのか⁉

「読んだか？」

「それを言うのはこっちよ。私はサクッと読んだのに、博士が遅かったんじゃないの。また国書刊行会を読んでたんじゃないでしょうね？」

「今回は違う。十二月に本が出るので、その原稿を書いておったんじゃ」

「原稿？　何の？」

「マラソンじゃ」

「ええーっ、マ、マ、マラソンー!?」

「こらこら、女の子が大きな声で〈マラ〉とか言うんじゃない」

「言ってないでしょ――!!　で、何？　マラソンの本て」

「数年前から、ジョギングを始めたんじゃがな。マラソン大会に出ているうちに気づいたんじゃ。世に初心者向けの指南書は多くあるが、そのすべてが技術論で〈いかに愉しく走るか〉〈どうやったら練習が続けられるか〉というモチベーションの指南書は、あまりないのではないかと。だから儂が書いたんじゃ。タイトルは『東京マラソンを走りたい』(小学館101新書)」

「会話の中に上手く宣伝を混ぜたつもりだろうけど、こんなところでしゃべっても効果ないわよ。だって、ミステリとマラソンて、百万メートルぐらい離れてるもん」

「そんなことないぞ。昔ながらの古書店は駐車場がないところが多いんじゃ。でも走って行けば、そんな心配は無用」

「で、汗まみれの身体で本を持って帰るワケ？」

「そういう苦労も書いてある。つまりは〈文科系〉のマラソン書じゃ。ぜひミステリ読者も手に取ってもらいたい」

「もう気がすんだでしょ？　じゃ、感想に行くわよ」

「ええー、やるの？　結果発表だけでいいんじゃないか？」

「宣伝だけして、仕事終わった気になるなー!!」

「まず、カーの『火刑法廷』ね。ベスト100の第四位だったから、期待したんだけど……」

「ということは、ダメじゃったか⁉」

「ダメというワケじゃないんだけど……。なんだろう……」

「怪奇趣味がダメとか？」

「それはない。私、怖いの好きだし。今風のよりは断然こういう方がいい」

「密室がチャチいとか？」

「それもないわ。確かにどの密室も予想の範囲内だったけど、密室って、基本的に、謎が魅力的であればあるほど、解かれたときは落差が生じるものだと思ってるし……」

「じゃ、真相？」

「それでもない」

「ひょっとして、儂と同じかのう？　昔読んだときには感じなかったことなんじゃが……」

「え、何？」

「主人公目線の時間が少ない、ということなんじゃが……」

「あ……」

「やっぱり、それか？」

「きっとそうよ。この話は大きく分けて〈隣家にまつわる事件〉と〈自分の妻への疑惑〉の二つになるけど、隣家パートでハラハラさせるのは、現在進行形の墓をあばくシーンだけ。壁に消える女性のエピソードは前日談だから、緊張感が弱い」

「この前日談という手法は、本格ミステリでは、決定的な弱点を含んでおってな。いくら、そのときの状況を説明されても、総《すべ》て目撃者のフィルターを通しているから、読者がそこから真相を突き止めるのは無理なんじゃ。例えば主人公目線で『赤だった』と書かれれば、読者はこのときの主人公の気持ちが判るから『いや、ピンクだったかもしれないぞ』ぐらいの予測はつくのじゃが、第三者に同じことを言われても、その人物の心中は読めないから『青を見間違えたんじゃないの？』ぐらいまで、信用度が落ちる」

「その意味では〈妻〉パートは、主人公の時間に沿っているから、ドキドキするよね」

「主人公が家に持ち帰った原稿に関するエピソードにはゾクッとしたぞ」

「自分の妻のことだもん、気になるよ。それに比べて隣の事件なんか、どんなに不可思議だろうと、所詮《しょせん》は他人ごとだもん」

「自分の妻がそれに関係していなければ、密室なんか、どう展開しようが構わないってもんじゃな。最初に読んだ時は密室だけで面白く感じて、〈妻〉パートは〈当たりのおまけ〉ぐらいに思った覚えがあるが……」

「主と従を入れ替えて読みたいよね。そうしたらもっと面白くなった気がする」

「では次は『ウッドストック行最終バス』」

「不思議な話だった」

「不思議？」

「だって、容れ物は警察小説。聞き込みをして、目撃者を捜してと、展開もそう。なのに、読み終わったら、なんか本格」

「主人公のモース警部が本格好きで、やたらと推理をするからな。途中で本格古典のタイトルがズラズラ出てくるし」

「小さな手がかりから、何かを思いつくのよね。それで、推理をするんだけど、最後には『違う』と言って、自分でそれを捨てる」

「警察小説だって、もちろん推理はするが、モース警部は愉しんでそれをやっているから、警察小説に見えないんじゃ」

「特にあのプロファイリングのところね」

「未読の人の興味をそぐといけないから、詳しくは書かんが、あれがこの作品の一番の読みどころじゃ」

「途中で『まさか、この調子で最後まで行くんじゃないわよね』と思うんだけど……」

「見事に行ききった（笑）」

「なのに、捜査の役に立ってないというのを書く作家がいることに感動さえした。


（笑）」

「警察なのに、指紋とか血液型とか一切《いっさい》調べないのもすごいぞ」

「職業は警官だけど、心は私立探偵なんだろうね」

「欠点は、とあることを読者に隠しているんじゃが、そこの描写がちょっと不自然」

「そうなのよね。私の頭が悪いせいかと思って、何度も読み返しちゃった。後で理由が判るんだけど、他が読み易いから、目立っちゃってるのよねえ」

「じゃ『ホッグ連続殺人』」

「驚いた。驚いたよ。でも敗北感はない。だって……ねえ？」

「儂は初読のときは『やられた!!』と感心した。そして、当時のアメリカでこんなもじゃが……」

「評価が変わった？」

「見え見えじゃないかと。もちろん内容を覚えていたせいもある。じゃが、普通に考えたら、真相はそこにしかあり得ない。逆に感心したのは、ヒーターのところ。今読めば、そこが一番の読みどころと判るのじゃが、若さというのは、とかく派手なものに目を奪われがちでのう」

「悔しいのは〈ＨＯＧ〉の意味を推理するところね。容疑者全員が何かの意味に当てはまるという場面だけど、日本人だから参加できない。〈ＨＯＧ〉を辞書で引いたら、一番最初に〈成長したブタ〉と出てくるけど、それだって判らない。だって日本人にとってブタの英語は〈ＰＩＧ〉だもの。博士は知ってた？」

「知らんな。『このＨＯＧ野郎！』じゃ、ピンと来ないし。やっぱりそういうときは『この豚野郎!!』じゃないと」

「何を言ってるんだか」

「では『ジェゼベルの死』」

「後半の展開は面白かったけれど、最大の欠点が二つあると思うの」

「その一つは〈現場の舞台がどうなってるか判りづらい〉じゃろう？」

「そうよ！　ということは博士も？」

「そうじゃ。殺人が行われた舞台じゃが〈誰もその場にいられたはずがない〉と言われても、文章だけでは、どこがどうなってるか全然判らない。中世の城だし、しかも舞台用のセットで、実際の建物とは構造が違うんじゃから、現場の見取り図は絶対に必要じゃ」

「私なんか、途中で見取り図が出てくるはずと信じきって読んでたもの。で、一番最初に〈舞台スケッチ〉という下手なイラストがあるけど、あれは何？　あれって必要？　あんな下手な絵で何が判るの？　かえって邪魔なんだけど」

「確かにあれはひどい。野外の舞台ならともかく、劇場には天井もあるんだし、舞台の絵だけ描かれても、何の役にも立たない。舞台のくせに、客から見えないであろう、セットの後ろの部分が変に広いのもおかしいし」

「だから〈Where?〉と〈Who?〉と〈How?〉は諦《あきら》めて〈Why?〉を考えようと思ったのよ。でもそうなるともう一つの欠点がググッと立ち上がってきて……」

「何じゃ？　そっちは判らんな」

「ジェゼベルの性格よ」

「性悪《しょうわる》ということか？」

「そうよ、殺されても当然の女に描かれてるじゃない。だから〈動機〉もどうだってよくなっちゃう。もっとひどい言い方をすれば、間違えて殺されたとしても、しかたない。それでもきっと犯人は後悔しないし、逆に『良いことをした』ぐらいに思うかもしれない。だから後半の〈とある趣向〉も効果がない」

「〈とある趣向〉か。なるほど、そこに結びつけたか。確かにあの展開なら、ジェゼベルが愛すべき性格の方が、何倍も面白い。ところで儂は、全く違った意味で、この作品がダメじゃった」

「何？」

「〈舞台上での殺人〉という設定が好きで

はないんじゃ。出来うんぬんではなくて、単に好き嫌いのレベルで。だから、ここで言うべきことではないんじゃが……」

「他の作品でも？」

「そうじゃ。でも〈劇場〉が嫌いなんじゃないぞ。だからクイーンの『ローマ帽子の謎』はイヤではない。あれは座席で起こる事件じゃからな。正確に言うと〈舞台〉が嫌いなのでもないな。嫌いなのは〈芝居をしている役者〉じゃ。長くなってはいかんから簡単に言うが、被害者も犯人も〈そのときは、生身であって欲しい〉がその理由じゃ。判るか？　いや、判ってくれんでもいいんじゃが」

「昔は確か〈会社〉とか〈サラリーマン〉とかのキーワードが出てくるミステリが嫌いじゃなかったっけ？」

「ミステリは夢物語じゃ。そういう現実は要らん」

「じゃ最後に『九尾の猫』ね」

「実を言うと、儂はクイーンファンじゃが、これは初読じゃ」

「えっ、そうなの？」

「特に意味はなくて、たまたまこれが未読だったのじゃが。そういう意味では、今回の中で一番愉しみじゃった」

「なら、どうだった？　先に評価を聞きたいわ」

「まず、カバー折り返しの登場人物表で大笑いした」

「やっぱり？　あんなのって他にないわよね」

「ないない(笑)。もう、そこだけで『さすがクイーン』と唸《うな》った」

「で、中身は？」

「前半はビックリした。あまりにも退屈で（笑）」

「笑顔のところを見ると、後半は違うということね？」

「まさしくそのとおりじゃ。最初は途中で何度も止めようと思ったぐらい。『おいおいクイーンさん、一体どうしてしまったんじゃ？』と。ところが、後半になってて……」

「あの辺りからね？（笑）」

「そういうこととかと判りかけたときは笑いが止まらなかった。もう嬉しくての。そして改めて思った。『クイーン様がいてくれて良かった！』と」

「私は読み終わって、また登場人物表のところを見た。そして読む前と違う意味で『すごいなあ』と思った」

「儂もじゃ」

「結局、今回の五作品の中では一番面白かった。でも優勝となると、疑問符がつくのよねえ」

「クイーンは他に特A級の作品を読んでしまったからな」

「そうなのよ。確かにこれは面白かったけれど、前半の『ねえねえ、どうしちゃったの？』の部分は、他の名作を知っている立場で退屈だったワケで、またそのせいで、後半の面白さも効いてくるしで、この作品単独の評価となると……」

「いいじゃろう。この作品はお薦めされずに読む方が面白い」

「ところで、最後に登場人物全員の名前がズラッと並んでるのはどういう意味かしら？」

「ああ、しまったあ！」

「どうしたの？」

「この前、とあるパーティで、クイーンファンクラブの会長である飯城《いいき》勇三《ゆうさん》さんにこの作品の感想を言ったのに、あれの意味を訊くのを忘れていたあああああああ」

「何それえええええええええ」

◉第九試合出場作品とりっちゃんの評価

カー	『火刑法廷』	雰囲気は最高	○
デクスター	『ウッドストック行最終バス』	中途半端	△
デアンドリア	『ホッグ連続殺人』	心意気は良いけど	○
ブランド	『ジェゼベルの死』	舞台の見取り図が欲しい	△
クイーン	『九尾の猫』	見事にやられたけれど	○

◉優勝

なし

国樹由香の
本棚探偵の日常
第9回
買い物
行ってきまーす
今日は俺
丸一日
仕事のための
読書するから
わかった?
わかった という顔
←かのこ
くりまる→
スターヴェルの
悲劇
おもろい

一時間後
あれっ
くおおお
読書は？
こいつらがくっついてくると眠くなるんだよ
いいわけ…
今度こそ寝ないで読むぞ！
空手に行ってきまーす
MILK

仕事机の
イスで読む!
ほほう
そうきたか
クロフッ

ドガラガラ
ガシャーン
ただいまあ
すごい
カミナリ
だったね
……
読書は？
重いぃぃ
こいつら
スゴイよ
カミナリが鳴る
一時間も前から
おびえて
俺にすがって
きたんだから
カミナリ予知犬！
いや読書…
そして
探偵は今日も
ノルマぶんの本が
読めなかったのでした

おしまい

本格力

Hon Kaku Ryoku

Mystery book guide
of the bookshelf detective

第10回

◉エンピツでなぞる美しいミステリ◉

三十分の過ごし方としては楽しい古本の山を漁るのにまさるものはない。

アントニイ・バークリー
真野明裕＝訳
『ピカデリーの殺人』（創元推理文庫）

待ち合わせをする場所は大切だ。相手が遅れる場合も（もちろんその逆の可能性も）あるので、そのときに時間をつぶす手段があった方が、待つ方も（待たせる方も）気が楽になる。

だから僕は特別の場合を除いて書店を選ぶ。ここなら三十分や一時間ぐらいなら平気で時間がつぶせる。というか、大いに待たされたい。逆に言えば、時間通りに来られようものなら、欲求不満になってしまうほどだ。

待ち方はこうだ。まず平台の前で新刊チェック。十分経過。友人はまだ来ない。文庫の新刊コーナー前に行く。さらに十分経過。ミステリ棚の前に移動する。このあたりで大抵《たいてい》の待ち合わせは終了する。だが、今日の相手は猛者《もさ》だ。まだ現れない。ここから書店待ち合わせの真価が発揮される。普段忙しいときはスルーするコーナーに行けるからだ。まずは美術書のコーナー。好きな画家の画集を手に取る。うん、いい絵だ。死ぬまでに一枚はこういう作品を描きたいものだ。待ち人はまだ来ない。ならば次は絵本だ。海外作家の暗い画風のものを捜す。ブレーク前の作家を青田買いする愉しみがたまらない。十分が経《た》つ。大したものだ。今日の相手はまだ来ない。ならば、ミニコミ誌だ。ネット全盛のこの時代に、紙に拘《こだわ》る連中の存在を確認して微笑む。まだ来ない。大丈夫、ここは大型書店。社会学、地図、科学、洋書と、ウインドウ・ショッピングすべき場所はまだまだ残されている。

数年前までは、どこの駅前にも古書店があったので、その場合はそこを選ぶこともあった。ただ、古書店は狭い。買いものをしたとしても、あまり長居は出来ないので、十分以内に現れる相手限定だった。

古書街や古書市ならばそんな心配はない（場所は数えるほどに限定されるが）。個人商店とは違うから、冷やかしだけでも全然平気でいられる。

ある日の彩《さい》の国《くに》古本まつり。小一時間ほどかけて、場内を一周して、待ち合わせの相手（北原尚彦《きたはらなおひこ》さん）と遭遇。「ああ、来てたんだ」と挨拶。そもそも待ち合わせをしてたから、両者ともここにいるはずなのに「こりゃ、奇遇ですね」みたいな感じになるところがおかしい。きっと何度かすれ違ったはずだが、本を真剣に見ていたら、人のことなんか絶対に目に入らないからね。

というわけで、今回選んだフレーズはアントニイ・バークリー『ピカデリーの殺人』から。

探偵チタウィックが時間をつぶしているのはチャリング・クロス・ロードの古書店。チャリング・クロス・ロードというのは、ロンドン一の古書街だ。有名さでは世界一か。だが、神保町《じんぼうちょう》ほどではないと断言しておく。そう言えるのは、かの地に行って、この目でそれを確認したからだ（でも先述の北原さんに案内されてだから、デカイ声では言えないけどね）。かように、書店や古書店での待ち合わせは、ストレスゼロだ。

だが心配がないわけではない。

無事に落ち合って、さてこれから行動だというときに、重ーい本を、いっぱい抱えてる可能性があることだ。

しかもこれから旅だというときに。

見取図が
あるだけで
わくわく
してしまう
平凡なわたし

みすき

【相談】携帯電話をよく置き忘れます。
どうしたらいいでしょうか？
【回答】携帯電話より大切な携帯ストラップを
つけることです。
【例】小林少年フィギュアストラップ（ポプラ社提供）

坂東善博士

H-1グランプリ

本当にお薦めしたい古典を選べ！

りっちゃん

第十試合

◉青い背中の創元推理文庫◉

「儂は坂東善博士。長年にわたって本格ミステリについて研究している」

「私はりこ。ごく普通の女子高生よ」

「その二人が、〈現代でも通用する古典本格ミステリとはなんぞや〉をテーマに、議論を戦わせるこのコーナー。さて、第十試合は、青背時代の創元推理文庫じゃ」

「青背時代？」

「そう。創元推理文庫の本格系新刊が青い背表紙の装丁《そうてい》で発行された時代があったのじゃ。年数で言うと、1982年頃から……'90年ぐらいまで、じゃったかのう」

「確かに、今回博士が用意した本の背は、すべて青いわね」

「で、この頃、選ばれたタイトルの特徴としては、黄金時代の未訳作品とか、名のみ有名だった伝説の作品とか、そういうものが多かった。言ってみれば〝ちょい原点回帰〟というか〝プチ懐古主義〟というか」

「なるほど、だから帯の真ん中にでっかく〈探偵小説大全集〉って、書いてあるのね」

「そうじゃ。実際には、ナンバリングをして全集という体裁をとっていたわけではないが、その帯に相応しいタイトルを選んでいた節はある。まあ実際に、その割合がどれぐらいだったかは、さっぱり判らんが」

「今日はなんとなく、自信なさげな発言が多いわね」

「痛いところを衝《つ》かれたな。実はな、過去の人生で、完全にミステリとお別れしていた時期があるのじゃ。それがこの青背時代と重なっておっての。熱く語るべき思い出を持たないから、説明も弱いというワケじゃ」

「というと、これらの本は、当時買ったものではない？」

「以前に取り上げたノックスの『陸橋殺人事件』とか、今回取り上げるフリーマン『赤い拇指紋《ぼしもん》』とか、ミステリ史において、タイトルだけが一人歩きしていたものは、いくつか買ったが、あとは、ミステリを集めるようになってから、ガーッと買ったものじゃ」

「じゃ、ひょっとして読んでないものもある？」

「はっはっは。これだけは自信を持って答えられるぞ。もちろん全部初読じゃ
――――!!」

「よっしゃ！」

「何を喜んでいる？」

「博士はミステリの先輩だからさ。ときどき〝上から発言〟されて、ムカつくこともあったけど、今回は条件が一緒。対等な立場が嬉しいのよ」

「ええーっ、上から発言⁉　そんな立場で物を言った覚えなんかないぞ。だって儂はいつだって、女の下にいるのが好きなんじゃからな‼」

「はあ？」

「そうじゃ。声を大にして言おう！　儂は な……儂は…………立ってる女を下から見上げるのが大好きなんじゃ――‼」

「性的な意味を込めたセリフを、乙女《おとめ》の耳元で怒鳴《どな》るなー‼」

「違うぞ、りっちゃん」

「何がよ？」

「今のツッコミじゃ。正しくは……『山上《やまがみ》先生のマンガのセリフをまんまパクるな――‼』じゃ」

「知るか――――‼」

あらすじ紹介（読了順）

S＝A・ステーマン『殺人者は21番地に住む』三輪秀彦《みわひでひこ》訳　○霧深いロンドンで起こる連続殺人。一人の目撃者が、犯行現場から立ち去る犯人を追跡したおかげで、犯人の住居が判明した。だがそこは下宿で、主人を入れて十一人の人間が暮らしていた。はたして犯人は誰なのか？　互いを疑い、疑心暗鬼になる住人たち。そんな中、監視する警察をあざ笑うかのように、次の事件が起こった。

S＝A・ステーマン『六死人』三輪秀彦訳
○「五年後に再会して、儲《もう》けた金を山分け

しよう」そう約束して、世界に飛び立った六人の若者。約束の日、彼らはそれぞれの物語を抱えて、再会の場所へと帰ってきた。そんな彼らを、一人、また一人と、何者かが殺していく。理由は何故？　はたして犯人は仲間の中にいるのか？

パット・マガー『七人のおば』大村《おおむら》美《み》根《ね》子《こ》訳　○結婚して英国に渡ったサリーは、ニューヨークからの友人の手紙で、自分の親戚内で殺人事件があったことを知る。だが、サリーがその事件を知っていると思い込んでいる友人は、手紙の中に固有名詞を一切書いていない。七人いるおばの中で、一体誰が夫を殺したのだろう？　翌朝まで待てば、図書館で事件を調べることはできるが、夫のピーターは「それまでに自分たちで見当をつけることはできないか？」と提案する。眠れないサリーは、おばたちと一緒に暮らした過去を回想し、ピーターに語る。

パット・マガー『被害者を捜せ！』中《なか》野《の》圭《けい》二《じ》訳　○第二次大戦下、異国の戦地に駐屯《ちゅうとん》していた海兵隊員。故郷からの荷物に入っていた詰め物の新聞紙には、主人公がかつて勤めていた、とある協会での殺人事件の記事が載っていた。詳細を知りたい主人公。犯人名は判るのだが、記事が途中で破れているため、被害者名が判らない。故郷に問い合わせれば誰だか判るが、遊びに飢えていた彼らは、それを賭けの対象にすることを思いつく。リミットは返事が届くまで。主人公の僕は、仲間に問われるまま、当時の話を語りだす。

フィリップ・マクドナルド『鑢《やすり》―名探偵ゲスリン登場』吉田誠一《よしだせいいち》訳　○大蔵大臣が殺

された。そのスクープを手に入れた新聞社の編集長は、友人にして、第一次大戦の英雄であるゲスリン大佐を事件の取材に送り出した。証拠から得た事実により展開される緻密な論理。巻頭に置かれたマザーグースの童謡「駒鳥（コック・ロビン）」は何を意味するのか？

アントニイ・バークリー『ピカデリーの殺人』真野明裕訳　○主人公のチタウィックは、ホテルのラウンジで不思議な光景を目撃する。どう考えても、それは殺人の現場だった。チタウィックの証言で、一人の容疑者が逮捕されるが、その妻は、目撃者である彼に真相究明を懇願する。見間違えたはずはない。自分の証言に絶対の自信を持っていたチタウィックだったが、小さなことから疑問が生まれる……。

オースチン・フリーマン『赤い拇指紋』吉《よし》野美恵子《のみえこ》訳　○ダイヤモンドの盗難事件。現場に落ちていた紙には血に染まった指紋が残されていた。その指紋を持つ青年は無実を主張し、ソーンダイク博士に助けを求める。はたして指紋は証拠となるのか？　科学者探偵が導き出した結論は？

「読んだか？」
「読んだけどさ、いつもは五冊程度なのに、どうして今回は七冊もあるのよ。しかも同じ著者の作品が二作ずつあるし」
「いつもは儂が既読の作品を俎上《そじょう》に載せる。だから、どれが残りそうかは大体《だいたい》の予測がつく。この著者なら、あっちよりこっちの方がお薦めだし、とかな。ところがほれ、今回は儂も初読で、全く内容を知らない。

一冊も優勝作に残らない可能性もある。たまたま前回そうなった。二回続けてそれは避けたい、という安全策で……」

「まったく、博士がミステリ離れをしたせいで、とんだトバッチリよね」

「そう言うな。一度別れたおかげで、愛が深まったのじゃから」

「恋愛経験からでなく、〝本〟から出たセリフなのが哀しいね」

「ほっとけ。まずは『殺人者は21番地に住む』じゃ」

「ええとね、試みは面白いと思った。簡単に言うと閉じていない〝館もの〟ね」

「犯人は中にいて、警察はそれを外から見張っている。でも、閉じていないから、住人は外に出るし、警察はそれを尾行したりするのじゃが……」

「この警察が頼りない(笑)」

「監視が不十分だから、その間にまた事件が起きる」

「普通は緊迫する展開だけど、住人はどこか呑気なのよねえ。事件が外で起こるせいかもしれないけれど、軽口たたき合ってるし」

「やがては、下宿内でも事件が起きるが、呑気さは変わらんな」

「殺人者が同居しているかもしれない家に帰ってくる必要ってあるの？　入り口が別々の普通のアパートならともかく、寝室以外はほとんど共有スペースの下宿に」

「引っ越ししたり、ホテルに泊まるのは、金銭的に無理なこともあるかもしれんが、友人の家に泊まるぐらいは、できるよなあ」

「それともさ、事件のことはニュースにな

ってたから、友人に犯人だと思われて、断られたりしたのかな？」

「そんな説明もなかったな。まあ、一人だけ普通の神経のヤツがいて、出て行こうとしたが、それでも他の住人は何の疑問も持たず、律儀に出かけては帰ってきて……」

「犯行現場に犯人が犯行声明代わりの自分の名刺を置いたり、ダイイング・メッセージがあったり、〈読者への挑戦状〉が二度あったりして、ゲーム性に拘っていたから、その辺のリアリティは、無視したのかな？　でもゲームである前に、もうちょっと〝小説〟であってほしかった」

「小説であることへの拘りには同感じゃ。ただし儂は違う意味での」

「どういうこと？」

「全編、会話でストーリーが進むんじゃ。だから、小説として軽く見える」

「会話が多い？　どれどれ……あ、ほんとだ！　ずーっと会話しっぱなし。そうかあ、何かサクサク読めるなあと不思議だったんだけど、原因はそこにあったのか」

「今の時代に読ませるには、それぐらいの方がいいのかもしれんが、にしても、ちょっと多い。多すぎる」

「ミステリ外のことばっかり挙《あ》げてみたけど、ミステリ的にはどう？」

「一番気になるのは、犯人と電話でしゃべったはずの新聞記者に、警察が何の質問もしないことじゃ」

「あ、なるほど。確かにそれはおかしいね。『声色を遣《つか》っていたので判りませんでした』の説明が一行あれば、読者は納得できるのに、全く触れていないのは、明らかに作者のミスね」

「終盤はサスペンスフルで面白いだけに、残念じゃ」

「そうね、前半から、あのムードを出してくれていたら、ずいぶん、違っていたでしょうね」

「では次、同じ著者による『六死人』」

「まず、タイトルがカッコいいわよね」

「確かにのう。シンプルだけど重い、いいタイトルじゃ。原題もそのままか。普通なら『六つの死体』とか『六人の死』と、訳すとこじゃが、これは訳者のセンスじゃな。そう考えれば『殺人者は21番地に住む』もいいタイトルじゃ」

「漢字三文字のタイトルって他にある？」

「今すぐに思いつくのはカーの『髑髏城《どくろじょう》』と『死時計』か。こうやって並べてみると、どれもカッコいいわい。おっと、儂の大好きなコリンズの『月長石《げっちょうせき》』もそうじゃったな」

「でね、タイトルがいいでしょ。次に表紙もいいの。殺人者らしいシルエットに、六人の名前が書かれたメモ。そのうち二つが赤い線で消されている。なんかもう、期待が高まるじゃない」

「えーと、現在の版では……。うん、パソコンで調べた限りでは、どうやらまだこれのようじゃ。ちゅうことは……」

「ということは？」

「あんまり増刷されておらん、ということかな。はは」

「ええーっ、面白かったのに」

「おっ、そうなのか!?」

「うん。でも感想の前に文句が」

「裏表紙と、巻頭のあらすじ紹介じゃな」

「そうよ。タイトルよし、表紙よし、ときて、これはダメでしょう。今の版でもそうなのかな？」

「儂の読み通り、増刷されておらんとしたら、直っとらんじゃろうな」

「そりゃ、出版社の気持ちも判るよ。『これって、あの有名作の二番煎《せん》じじゃん』と、言われたくないばっかりに、こっちの方が『八年早い！』と書きたい気持ち。でも具体的なタイトルである必要はないよね。『あの超有名作より八年早い』で全然構わないじゃん」

「あまりミステリを読まないりっちゃんも、すでにこのコーナーで読んでいたぐらい有名（笑）。まあ、深読みをすれば『あの有名作』の版元がハヤカワじゃから、ライバル心を込めていたのかも知れんがの。そもそも、この青背時代の作品チョイスは、こういう〝濃いファン向け〟が多いんじゃ。娯楽としては必須ではないけれど、教養のためには、読んでおくべきですよ、みたいな」

「でも私的には、あの作品より面白かったわ」

「儂も同感じゃ」

「何回も言うけど〈登場人物が一度に出て来ない〉から、好きなのよね。あっちと違ってさ」

「そういや『殺人者は21番地に住む』も容疑者が一度に登場するのう。じゃから、その点に関してだけでも、推すならこっちかな。世間的には『殺人者は〜』の方が、ステーマンの代表作ということになっておるが……」

「登場人物の出てきかただけじゃなく、視点の問題もあるんじゃない？　『殺人者は〜』は神の視点だけど、こっちは主人公の一人称。だから、感情移入も容易。そういえば『あの有名作』も、神の目線だったわね」

「おおおおお」

「何を泣いているのよ」

「ちょっと前まで、ミステリ素人《しろうと》だったりっちゃんが〝視点〟まで語るようになるとは……。これを感動せずに、何を感動すればいいというのじゃ」

「バンクーバー五輪、女子カーリングでロシア代表の美人プレイヤーに感動していたのは誰だったかしら？」

「ブロンドのスキッパーと並んだ絵が美しいんじゃ」

「ほっといて感想の続きね。『殺人者は〜』もミステリ要素がいっぱいあったけれど、こっちも見取り図や暗号や不可能犯罪とケレン味がたっぷり」

「しかもその不可能犯罪は、引っ張ることもなく、すぐに解決してくれるサービス心」

「あそこは不可能犯罪そのものより、そこで交わされるとある会話の方が重要だからなのよね」

「問題のネタじゃが、バラされて読んでも面白かった。少なくとも『あの有名作』の再読時よりは、何倍もな」

「二百ページという長さも、簡潔でよかったんじゃないかな。必要最低限のことしか書いてないし」

「弱いとすれば動機じゃな」

「そこは『殺人者は〜』でも思った。きっとパズル的な面白さの方を書きたかったんでしょうね」

「そんなこんなで、色々面白いことをやったステーマンじゃが、ミステリ史的には、あまり重要視されておらんのが残念じゃな。もっと光が当たっていい作家じゃ」

「博士だって、今の今まで読んでなかったくせに」

「さ、次じゃ！」

「ゴマカしてるし。その前に出版社に注文しとかなきゃ。えーと、創元社の方、もし今でもあらすじがあのままなら、例のタイトル名を『あの有名作』に変えて下さい」

「そう変えても判る者には判るが、そこはそれ。『あれかな？　これかな？』と考える愉しみも生まれるしの」

「で、次は『七人のおば』ね。これは『六死人』の逆。もうちょっとタイトルがどうにかならなかったのかと。ミステリで〝おば〟ってどう？」

「リチャード・ハル『伯母殺人事件』のときもその話をした」

「あっちはまだ漢字だし『殺人』とついてるし。こっちはただ『七人』。ミステリ的要素はどこにもない」

「『七人の侍』以後、『七人』というのはカッコいい単語の一つじゃが、古今東西あらゆる『七人』の中で、一番カッコ悪い響きじゃな。『七人のおば』」

「黒澤明《くろさわあきら》監督に謝ってほしいくらいよね」

「一度『怖るべき娘達』という題で訳されたことがあったが（新樹社《しんじゅしゃ》ぶらっく選書、昭和二十四年）そっちの方がミステリのタイトルとしては断然いい。というか、儂らの姿勢はこれでいいのかのう……」

「何が？」

「さっきから、こんなタイトルってどう？　とか、表紙がいいとか言ってるけど、そんなレベルで語ってる書評欄なんて、ほとんどないんじゃが」

「だからこそ、いいんじゃない。みんなが語らないからこそ、語らなきゃ。だってタイトルとか装画って、小説の顔だよ」

「そうじゃな。では『七人のおば』の顔は落第。続いて中身は？」

「試みは面白いんだけど、ちょっと退屈だった。ロマンが欠片《かけら》もないのよねえ。三面記事みたいというか、女性誌の記事みたいというか……」

「出てくるおばさんが全員嫌なヤツだからじゃな」

「世間体を気にするヤツ、浪費家、男嫌い、男好き、アル中、わがままと、嫌な女のオンパレード」

「ステレオタイプというヤツじゃな」

「誰もが犯人に見えるように、そうしたのかもしれないけれど、そうじゃないのも配置しておくべきよねえ。むしろミステリ的には、虫も殺さぬような者が犯人であっていいわけだし」

「それでは読み物として話が持たなかったんじゃろ。主人公の思い出だけで語られるストーリーじゃからな、普通の人を出したら、私小説になってしまう」

「だからといって、全員こんなのって。よく主人公は我慢して一緒に住んでたよね。途中からはおばのひどさより、そっちに腹がたったもん。私だったらとっくに家出してるわ」

「それで変な男に捕まって、もっとひどいことに」

「そっちの方がいいわよ。何もしないよりはね」

「面白いのは解説が宮本和男《みやもとかずお》だということ」

「誰それ？」

「今をときめく直木《なおき》賞作家の北村薫《きたむらかおる》さんの本名じゃ」

「えっ、何それ？」

「まだ小説家としてデビューする前じゃから、本名で仕事をしておったんじゃ。今の版でも、この名前のままなのかどうかは知らんがの」

「へえー」

「で、その北村薫さんが、この作品を薦めているというのが面白い」

「どういうこと？」

「北村さんの作品には、魅力的で愛すべきキャラクターしか出てこない。つまりこれとは真逆の作品を書いているということ。まあ、この解説を読む限りでは、惚《ほ》れ込んで書いたのか、仕事で書いたのかは不明じゃが、その取り合わせの妙がの」

「その解説の中で『着想と方式の幸福な結婚』と書いてあるけど、私には着想の片思いに思えるんだけど……」

「確かにの、もうちょっと魅力的な設定にならんかったもんかとは思う。例えばこういうのはどうじゃ。主人公は前科者。最近になって、自分が先月まで服役していた刑務所内で殺人事件が起こったことを知り、その頃のことを思い出して、犯人と被害者を推理する」

「『七人の囚人《しゅうじん》』ね。なるほど、それならもうちょっとムードが高まるよね。どう転んでも『おば』よりは断然いい」

「流れで次の作品にいくが『被害者を捜せ!』も、同じ趣向で、こっちのテーマは『おば』ではなく『会社』みたいなとこ」

「苦痛だったなあ。ひたすら組織内での人間関係を描かれても」

「導入は、第二次大戦下の異境の海兵隊、という魅力的なものなのに、本編が……」

「しかも〈家事改善協会〉とかいう、名前からして退屈で、何をしてるのかよく判らないとこだったし」

「判るのは、嫌なヤツばっかりの組織だったなあと」

「ごめん。もうそこまでちゃんと読んでなかった。んーとね、さっきの博士じゃないけど、導入と本編を逆にしたら、もうちょっと面白くなった気がする」

「こちらの解説は折原一《おりはらいち》さん。マガーと同じく仕掛けに拘る作家じゃが、我々日本人には、折原さんがいてよかったなと、それが結論じゃな」

「ほんと? じゃ今度読んでみるわ。お薦め教えてね」

「んじゃ、次『鑢―名探偵ゲスリン登場』」

「すごい名前よね、ゲスリン」

「また、そこからか(笑)」

「だってー、つい言いたくなっちゃうじゃない、ゲスリンて」

「このゲスリン野郎が‼ ってか」

「でもって、ゲスリンてば、恋をするのよね。それも高校生みたいなウブい恋。ゲスリンなのに。しかも大佐なのに。て、そもそもゲスリンて何歳なのよ」

「儂もそこが気になったから、小説内の関連記述から計算してみたんじゃが、一番若く見積もると三十六歳じゃな」

「えええええええーっ、三十六⁉　だったらカバーイラストのこの人は誰なの⁉」

「そうなんじゃ。それだとどう見ても六十歳は越えておる」

「確かに音の響きなら、このイメージが正しいわよね。ゲスリンだし、大佐だし。だから私、途中でワケがわからなくなったのよ。ウブすぎるぞ、おっさんーって」

「安心していいぞ。最近の版では、そのイラストは使われておらんからの。じゃから、君以外の若い読者には誤読の心配はないってわけじゃ」

「何よ、それー」

「で、ゲスリンはもういいから、感想を」

「論理の小説だったなあと。凶器の鑢がこう置かれていたから、きっとこうだ、とか、小さなことからコツコツと論理を組み上げて行くところは、美しいと思ったけれど……」

「止まった時計の指す時間は犯人の意図か、とか、もし作為があるなら、なぜこの時間でなければならなかったのか、と様々な可能性を議論したりする。クイーン登場以前に、ここまで論理に拘っていたのは、見事としか言いようがない。じゃが……」

「どうにも地味なのよねえ。地味というか、真面目《まじめ》。悪い気はしないんだけど」

「真面目はゲスリンの捜査方法の持ち味だから、それでいい。悪いのは地味な事件のせいじゃ。以前から儂が言っているアレ」

「アレね。『事件が一つ。しかも開巻したときには、もう終わってる』」

「そうじゃ。儂はもっと途中でハラハラしたいんじゃ。あと一つでいいから、殺人が起きてくれんものかと」

「最後の約五十ページにわたる推理はワクワクするから、余計に残念よね」

「論理性とケレンは相反するものじゃから、理解はできるが、読者としては〝だからこそ!〟と言いたい」

「ところで、この話、巻頭にマザーグースの童謡が置かれているけど……内容に関係ないよね」

「全く関係なかった」

「だったらどうして？　この頃のミステリには、マザーグースを入れなきゃいけないルールでもあったの？」

「えーと、りっちゃんが今までに読んだMGはどれじゃった？」

「何よMGって。ええとね……マザーグースが出てきたのは、『そして誰もいなくなった』と『僧正殺人事件』かな」

「『そして誰も～』の発表は1939年じゃな。『僧正～』が'29年。そして『鑢』が……おっと、それより早い'24年じゃ」

「じゃ、先駆者だったってわけ？」

「まあ待て、こういうときにピッタリな本があるんじゃ。これよこれ、じゃんじゃじゃーん『マザーグースは殺人鵞鳥（マーダー・グース）。BY山口雅也《やまぐちまさや》～～』」

「書き文字でドラえもんの真似しても通じないわよ」

「このMGの研究書によるとじゃな、おお

っ、同じ24年にもう一作書かれておるぞ。ハリントン・ヘキスト（イーデン・フィルポッツ）の『誰が駒鳥を殺したか？』じゃ」

「同じ年に二作。しかも同じ童謡を取り上げてるんだ？」

『誰が駒鳥を〜』は儂はまだ読んでおらんが、どうやらそっちも、内容とMGは関係ないらしい」

「ええっ、わざわざタイトルになっているのに？」

「そのタイトルもアメリカ版で出版されるときに、つけられたもので、原題は『誰がダイアナを殺したか？』だった、と山口さんは書いておる。そして、きちんと内容にシンクロしたのは『僧正〜』が最初だったと。ああ、勉強になるのお、研究書は。あ、読んではないが、持ってはおるぞ『誰が駒鳥を殺したか？』も、ちゃんとな」

「そんな自慢をしている暇があるなら、博士も役に立つ本を書きなさいよ」

「失礼な。儂だって、役に立つ本を書いておる。『東京マラソンを走りたい』がそれじゃ。小学館101新書から絶賛発売中なので、よろしくっ」

「興が醒《さ》めたんで次に行くわよ『ピカデリーの殺人』」

「バークリーじゃな……」

「バークリーよ。私たちと相性の悪い」

「そうじゃ」

「なのに、どうしてそれを、また私に読まそうとしたわけ？」

「当たりたいのじゃ。世間が認めるバークリーの面白いものに」

「で、どうだった？　まず博士の意見が訊

きたいわ」

「今までのシェリンガム物にある、ミステリを斜めから見た感はなかったので、そこは良かった。じゃが……」

「地味だったよねえ。さっき『髑』のことを地味といったけれど、これに比べたら派手に思える」

「なにせ、主人公のチタウィックが毒殺らしき現場を目撃して、容疑者の妻に『夫は犯人ではありません。捜査して下さい』的なことを言われるのが一二五ページ」

「やっと、動きがあるのかと思いきや、動じないチタウィック。そして色仕掛けやなんかあって、『あなたのために調べてみましょう』と答えるのが一四六ページ」

「でまた、この捜査が進まないんじゃ。あっちに行って無駄話したり、こっちの晩餐会に出たり、家に帰って伯母と世間話をしたり……」

「また〝おば〟(笑)」

「それをユーモアととるファンもいるが、儂は本格以上にユーモアの完成度にはうるさいからの」

「シェリンガムのゴリゴリは勘弁だけど、チタウィックの大人しさも退屈よねえ。足して割ったら丁度いい探偵が生まれそう」

「まあ、内容に関しては他に語るとこはないんじゃが、文章のあちこちに、名フレーズがたくさんあったのは良かった」

「例えば？」

「一四〇ページ『ベッドというものは、男の身にとっては話し合いをするのに適した場所ではない』、三三三ページ『当てにならない人間を頼りにしたのがまちがいだが、困ったことに頼ってみるまでは当てにならない相手とはわからないもの』。まだあるぞ、ええと」

「ちょっと待ってよ。だったらここじゃなく〈エンピツでなぞる～〉に書けば？」

「もう書いた」

「だったら最後の作品。『赤い拇指紋』これもまた……」

「地味じゃった。事件はまた冒頭の一つだけ。しかも殺人ではなく盗難だけ。まあ途中で、探偵が襲われたりはするが」

「カバー絵は良かったんだけど……」

「儂も思った。バタ臭さがいい。1911年発行の版からの流用と判って納得した」

「ええ、1911年⁉　そんなに古いの、この作品⁉　だから指紋一つで、こんなに長回しなんだ」

「最初の出版はもっと前の1907年。それまでに書かれた長編ミステリは、ホームズとザングウィルの『ビッグ・ボウの殺人』ぐらいしかなかった。つまりほとんど最初期の長編ミステリといっていい作品じゃな」

「それですべての疑問が解けたわ。いい面もその逆も」

「りっちゃんにはまだホームズを読ませていないから、判らないだろうが、主人公のソーンダイクはホームズの影響下にあるんじゃ。だからライバル心も大きかったんじゃろうな。それが顕著な微笑ましいシーンがある」

「どこ？」

「ホームズは、そこにただいるだけの人間の職業を、推理だけで当てる場面が多いのじゃが、ソーンダイクもそれを真似する。

で、さんざん推理して、こういう人物だと断定したあとで、単なる当て推量だがね、と締めくくる。つまりこれは、万能なホームズに対する一刺しになっておるのじゃ。他にも、街で見かけた自転車から乗り手を推理。そのあとその自転車に襲われるが、推理したことは役に立たない、とかの」

「なるほど。そういう目で見ると面白くなるね」

「本筋とは関係ないが、気になった点が一つ。手紙の数字を十三から十五に偽造する場面。これ英語ではどうなっておるのか」

「ほんとだー、日本語ほど簡単にはできないよね。博士ぜひ調べてみて」

「絶対にイヤじゃ。てゆーか……、あっ大変じゃ‼」

「どうしたの？」

「読むときに外しておいた帯が見つからんのじゃー‼」

「知らん」

◉第十試合出場作品とりっちゃんの評価

ステーマン	『殺人者は21番地に住む』	中盤に緊迫感を	○
〃	『六死人』	最初にやった者に栄誉を	◎
マガー	『七人のおば』	ミステリにおばは要らない	×
〃	『被害者を捜せ！』	ミステリに会社っぽさは要らない	×
マクドナルド	『鑢—名探偵ゲスリン登場』	丁寧誠実	△
バークリー	『ピカデリーの殺人』	短編向きのネタ	×
フリーマン	『赤い拇指紋』	文章がいい	×

◉優勝

『六死人』

国樹由香の
本棚探偵の日常
第10回
トンカン
トンカン
本棚探偵の休日は庭での本棚作りで始まる
うーん朝早くからうるさい――
注：そんなに早くありません→
トンカントン
おはよう
ほらっ新しい本棚出来たよ
どう？
いい出来だと思うけど
けど？
室内ですっかりカナヅチの音におびえきってるのが二匹ほど
何回も作ってるだろ俺！

♪
ぴしっ
じゃ
走ってくるね
東京マラソンにようやく当選した探偵は練習に余念がない
汗だくになった——
ひゃあっ
でも途中で古本屋入っちゃった
重かったあ
ずしっ
ミステリ買い込んでラン?!
お風呂に入ってさっぱり
はー

やせたかな
トッ
ひょい
見たらダメ!!
体重は絶対教えてくれない女優のような探偵
そして読書
だからその体勢で読むのキケンだって
そうだ
ベルトがゆるくなったから穴開けないと
突然
むくっ
トン!!

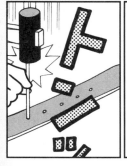

また
おびえる犬たち
穴一個
開けた
だけだろっ
夜は映画
我が家の家電
堂々のオールタイム
ベストワン
簡易プロジェクター
壁に映して
お家映画館
獄門《ごくもんとう》
ああっ
犬に邪魔
されたり
しながら
探偵の休日は
穏やかに
終わるのであった
明日も
いい日に
なりそうだな
——

おしまい

ベイビー金時。略して「べビきん」

本格力
Hon Kaku Ryoku
Mystery book guide
of the bookshelf detective
第11回

犯人あては
できねんだ
なあ
とうじょ
だもの
みすを？

◉ 勝　手　に　挿　絵 ◉

ストーリー

車の火災事故で、顔面に重度の火傷を負い、
両足と記憶を失った「わたし」は、
記憶をとりもどす手助けに日記をつけ始める。
「私は……誰？」やがて思い出したのは名前ではなく、
一つの事件であった……。

綾辻行人「四〇九号室の患者」昭和六十四年作品
『フリークス』（光文社文庫）所収

坂東善博士

H-1グランプリ

本当にお薦めしたい古典を選べ！

りっちゃん

第十一試合

◉ クロフツ ◉

「儂は坂東善博士。長年にわたって本格ミステリについて研究している」

「私はりこ。ごく普通の女子高生よ」

「その二人が、〈現代でも通用する古典本格ミステリとはなんぞや〉をテーマに、議論を戦わせるこのコーナー。さて、第十一試合は、クロフツじゃ」

「ええーっ？　クロフツぅ？」

「何じゃ、文句あるのか？」

「だって『樽』の人でしょ。あの退屈だった……」

「おお、覚えておったのか。感心感心。じゃがな、今回クロフツを選んだ理由は、りっちゃんが今言ったまさにそれ。〈『樽』の人〉だからじゃ」

「どういうこと？　私に意地悪したいの？」

「意地悪は〈女性にするもの〉ではなく、〈女性からしてもらうもの〉じゃ」

「はいはい。それで？」

「ああ、この冷たい反応……。極太マジックを見ただけで、頰《ほお》を赤らめていたりっちゃんは、一体どこに行ってしまったのか」

「極太マジックで頰を赤らめる女子高生がいたら、逆に怖いっちゅうの。で、どうしてクロフツなワケ？」

「クロフツの代表作は『樽』。これはもう江戸の頃から日本に定着している、永遠不滅の一般常識じゃが……」

「ええと、訂正のまず一つ目。江戸時代に『樽』は書かれてない。二つ目、一般の人はクロフツなんて知らない。はい、続きをどうぞ」

「りっちゃんも読んで判ったとおり『樽』というのは、ちょっと退屈なところもあって、万人に通じる小説ではないんじゃよ。でもあれが代表作とされることで、他の面白い作品に目が向けられずに不幸なことになっておると。クロフツにとっても、ミステリファンにとっても、な」

「どうして面白くないものが、代表作になっているのよ」

「初めて訳されたときは衝撃だったからじゃ。あの〈職業警官が、足を使って地道に捜査する〉というスタイルが。それまでの主人公は、ホームズに代表されるように、とにかく頭脳明晰《ずのうめいせき》。どんな難事件も推理でパパッと解決するのが普通じゃったから」

「確かにね。赤いものばっかりの中に、いきなり青いものが入って来たら驚きではあるよね」

「そうじゃ。でも今は、緑も黄色もショッキングピンクもある世の中。ただ青いだけでは、生き残れない」

「歴史的なことは私にはどうでもいいわ。『樽』より面白いものさえ読めればね」

「それは大丈夫じゃ。今回は五冊を選んだが、その中にきっと気に入るものがあるはずじゃ。『樽』なんぞ、この世から抹殺してしまっても構わないぐらいの……」

「何か最後の方、口調が重いけど？」

「儂が使っておるＭａｃの文書ソフトがアホでの。さっきから〈クロフツ〉と打つたびに、二回に一回は〈区露仏〉と表示されて……」

「区露仏!?　何よそれ。せめて〈黒仏〉なら判るけど」

「ここのところ三回続けてクロフツと出て嬉しかったが、三行前で区露仏と書いたから、また第一候補になってしまった」

「だったら、辞書に登録しちゃえばいいでしょ」

「大下宇陀児《おおしたうだる》や小酒井不木《こさかいふぼく》ならまだしも、何でカタカナのヤツまで登録せんといかんのか……」

あらすじ紹介（**読了順**）

『ポンスン事件』以下すべて創元推理文庫　井上勇訳　○川岸で見つかったポンスン卿の死体。最初はただの事故死と思われたのだが、他殺であることが判った。容疑者は三人。だが、彼らには全員アリバイがあった。デビュー作の『樽』に続く第二作。

『英仏海峡の謎』井上勇訳　○英仏海峡上で漂流する一隻《せき》のヨット。その中には二人の男の死体と多量の血痕があった。船の中で一体何があったのか？　大金はどこに消えた？　捜査に乗り出すフレンチ警部だが、手がかりは次々に空振りに終わり……。

『スターヴェルの悲劇』大庭忠男訳　◯スターヴェル荘が焼け落ち、当主と召使い夫婦の三人が焼死した。最初は不幸な火災事故だと思われたのだが、耐火金庫の中の札が灰で発見されたことから、フレンチの捜査となった。ただ一人生き残った当主の姪《めい》。彼女に恋する青年の不可解な行動は何を意味するのか？

『フレンチ警部と紫色の鎌』井上勇訳　◯ある日フレンチ警部は映画館の切符売りをしている女性から、身辺警護を求められる。その安全を保障したフレンチだったが、結果は悲劇で終わってしまう。連続して事件に巻き込まれる映画館の切符売り。彼女たちが狙われる理由とは？

『クロイドン発12時30分』大久保康雄訳　◯自身が経営する会社の倒産を防ぐため、主人公は相続金目当てに、資産家の叔父《おじ》の命を狙う。捜査の手を逃れるためには、完全犯罪でなくてはならない。彼が選んだその方法とは？　倒叙推理の代表作。

「どうじゃった、クロフツは？『樽』のせいで〈アリバイ崩しの人〉と思われているが、バラエティに富んでいたじゃろ」
「うん、バラエティに富んではいたけど、基本的な印象は同じ」
「やっぱり地味か？」
「てゆうか、真面目。日本の職人さんみたいな印象と言えばいいのか」

「脇目も振らず、世評に惑わされることもなく、ただ自分の信じるものを、手を抜かずにコツコツと……的な？」

「そう、そんな感じ。でもって職人さんて真面目だけど、ときどきポツリと冗談言ったりするじゃない？　そんなところもあった。笑えるかどうかは別の問題だけど」

「職人さんは、真面目な顔のまま冗談を言うからのぅ（笑）。ということで、個別の感想に移ろうか。まず『ポンスン事件』じゃ」

「何か、のんびりしてたなあ、という印象。舞台が田舎だったせいかな？　ただこれって、悪い意味で言ってるんじゃないのよ。好印象だったというか……、まあ、褒めるところまではいかないけど」

「判るぞ。儂にとっては、コリンズの『月長石』が、そんな作品じゃ」

「展開が遅くはあるんだけど、余計なことを一切書いてないせいかなあ。書かれているのは、捜査の過程だけ。だから腹は立たない」

「定食屋さんでカツ丼を頼んだのに、さっぱり出て来ない。何をしてるのかと厨房《ちゅうぼう》の中をのぞいたら、店主が米を一粒ずつ選んでた、みたいな感じかのぅ」

「いや、さすがにそれは怒るでしょ。どうしてもお米を選びたいなら、客のいないときにやればいいんだし。そうじゃなくて……」

「冗談じゃよ。捜査以外のことに筆を費やさないといえば、名前がないキャラまでいるぐらいじゃ」

「それだけで、その人物は犯人ではあり得

ないから、ミステリ的にはどうよ、って思うよね。てゆうか、これって本格？　だってさあ、主人公のタナー警部が少しも推理しないでしょ？」

「ひたすら可能性を並べる。そしてそれを一つずつ潰して行く、というのが捜査方法。その辺は『樽』と同じ手法じゃな」

「足跡から、そのときの状況を推理するところは見事なんだけど……」

「あそこはホームズばりの名シーンじゃ。まあ『樽』でも足跡の場面は印象に残っておるが」

「で、最後の真相がアレでしょ？　いえ、あれでもいいのよ。推理から導きだした結論ならね。だって、先を読ませないのが本格なんだから。でも、そういうのじゃないし……」

「まあ、これは儂のチョイスの問題じゃな。『樽』系統のヤツを一冊入れておいた方がいいかなと思ったのでな」

「一冊で良かったわよ。次もこれなら、さすがにクロフツ拒否症になっていたかも」

「危ないところじゃったな。ところで、エピソードの中に、ああ、英国の小説だなあ、と思わせるところがあったんじゃが」

「どこ？」

「警部がホテルの暖炉《だんろ》で、焼け残った紙くずを見つけるところ」

「安ホテルなのに、暖炉があるところが英国っぽい？」

「いや、従業人が暖炉の掃除をしてなかったところじゃ」

「は？」

「以前、ウエールズのホテルに泊まったこ

とがあるんじゃが、備品の電気ポットの中が、水カビで真っ黒だったんじゃ。設置以来一度も掃除をしてないと断言していいぐらいの汚れじゃった」

「あはは。日本の宿じゃ考えられないね。ということは、この話の舞台が日本だったら、あそこで事件は迷宮入りね」

「そういうことじゃ。そんなところに気がつくのも、海外の作品を読む面白さじゃ」

「訳書ならではの面白さもあったけど」

「どこじゃ？」

「弁護士と警部が互いを褒め合うところなんだけど」

「ええと、ここか……」


「～最初からずっと、わたしたちの先まわりをしていらしたのではないかと、

汗顔《かんがん》の至りです」

「まあ」とジミーはいった。「それは相身《あいみ》たがいです」


「おお〈汗顔の至り〉と〈相身たがい〉。英国人同士がこんな固い言い回しでしゃべってるわい。これは気づかなかったな」

「ねえ、これって時代劇用語でしょ？」

「いやいや、そんなことはない」

「えー、でも、私は初めて見たよ。思わずパソコンで調べちゃった」

「あのな、そういうときは辞書を引くもんじゃ」

「持ってないもん」

「ああ、これだから、近頃の学生は……」

「うるさいわね。続いて『英仏海峡の謎』。まず思ったのが、血液型を調べたら話が早

いのに！　ってこと。この頃血液型って判ってなかったの？」

「そういうときは、パソコンでちょちょいと……」

「何よ、私がパソコンで調べものしたら怒るくせに」

「それはそれ。これはこれじゃ、おっと、あったぞ。『ＡＢＯ式血液型は一九〇一年に発見された』と書いてある」

「で、これが書かれたのが？」

「一九三一年」

「じゃ、調べられるんじゃない、血液型」

「そうじゃな。発見されてから三十年じゃからな。いくら何でも調べられた気がする」

「もっと詳しく判らないの？」

「儂は理系は苦手なんじゃ」

「ああ、これだから近頃の学者は……」

「うるさい！　早く感想を言え」

「ここからあとの四冊はすべて、主人公がフレンチ警部だけど、『ポンスン』のタナー警部と全然、区別がつかなかった」

「そういう意味では、クロフツの主人公は全部同じ。『樽』でもまた別の警部が二人登場するけど、彼らも全部同じ」

「真面目で、旅好きで……、フレンチに代えても何の問題もない。なのになぜ？」

「クロフツが『樽』でデビューしたのが四十一歳。その後、五十歳までは、鉄道技師との兼業じゃった。だから、最初はこんなに多くの作品を書くとは思わなかったんじゃろうな。だから主人公のことまで、気が回らなかった」

「どの作品の警部も、ちょっとだけ旅を楽しむよね」

「この作品では、船の速度を調べるために、フレンチが乗り込むのじゃが、そのとき、ほんの少しだけ、旅気分を味わう」

「ほんの一瞬ね。なのに、そこが浮いてるの。他とトーンが違ってるから（笑）」

「最初は、船の速度なんて、誰か専門家に調べさせればいいのにと思ったけど、そうか、乗りたかったんだ、というのが判って微笑ましい。そうとは書いてないけどな」

「このあたりでクロフツのスタイルがはっきり判った」

「どういう？」

「例えば、Aという街で調べものをするでしょ。そこでは空振りに終わるんだけど、署に帰ると、Bで手がかりがあったとの連絡が入っている。それで慌ててBに行ってみると、やっぱり違ってた。で、ガッカリしてたら、Cで動きがあったとの連絡が入り……、の繰り返し」

「足を使った捜査がしたいワケじゃなく、足を使わされている、と」

「結局、最初のAに手がかりがあった、とかね」

「昔『ポートピア連続殺人事件』というファミコンゲームがあったんじゃ。いろいろな場所に行って、証言を集めるのじゃが、これが面倒臭《めんどうくさ》くての。一度に一つずつしか情報をくれないから、何度も行かなきゃならない。それを思い出したな」

「物語の基本は『ポンスン事件』と似てるけど、あっちと決定的に違っているのが……」

「時間差で、犯人を追跡する場面じゃな。少しずつ、距離を縮めていくところは、手に汗を握る」

「何だ、こういうサスペンスも書けるんじゃない、とビックリした。あそこのとこ、電車の中で読んでて、一駅乗り越しちゃったもん」

「ううむ、君はフレンチにはなれんな」

「別になりたくないし。そういえば、こういう追跡シーンて、クイーンにもあったよね」

「『エジプト十字架の謎』じゃな。よく覚えておったな」

「ええと、あっちは車と列車以外に飛行機も使ってたよね」

「土地の広さの違いじゃな」

「なのに捕まる犯人て。あ、クイーンがすごいのか(笑)」

「儂的にオッと思ったのは、フランスの刑事が尋問《じんもん》のときに使った『悪魔島行きだぞ』のセリフ」

「悪魔島?」

「フランスで終身刑になったヤツが送られる、南米ギアナの沖合の島の名じゃ」

「フランスから南米まで送られるの?」

「ギアナはフランス領じゃからな。ふふ、日本の島流しとはスケールが違うぞ。まあ前世紀の半ばには、この刑務所は人道的な見地から閉鎖されてしまったが」

「よく知ってるわね、そんなこと」

「『スティーブ・マックイーン主演の『パピヨン』という映画があっての。儂らの年代の者はみーんな知っておる」

「ふーん。とまあそういうことで、クロフツをちょっと見直した一冊かな」

「じゃ次は『スターヴェルの悲劇』」

「これは面白かった」

「おお、そうか」

「仮説を立てる。捜査をする。見込み違いだった。別の仮説を立てる……というのが、クロフツ作品の主人公の行動パターンだけど、今回は違う」

「仮説を立てる。捜査をする。見込み違いだった。までは同じじゃが、失敗した結果、別の手がかりが浮かび上がってくる。フレンチが想像しなかった方向からな」

「ええと、そういうの瓢簞《ひょうたん》から駒というんだっけ？」

「思い切り打ったシュートは外れたけれど、ポストに当たって、二列目から走り込んで来た選手の前に転がって来た、みたいなことじゃな」

「全然判らないんだけど」

「悪かった。それで？」

「『樽』も含めて、今までに読んだ作品は、事件が起きるのは最初だけだったけれど、これは違った」

「あそこの裏切りはちょっと嬉しかったな。やるじゃないか、クロフツ君。こういうこと出来るのか、と」

「他の作家なら普通のことだけどね」

「クイーンがやっても、なんとも思わないが、無愛想な職人がやるから、驚きがあるんじゃ」

「あとフレンチが面白いよね。事件を解決して昇進する自分を想像してニマニマするところ。そんなシーン、他の作品ではなかった」

「調べに行った旅先で、今度は仕事抜きで来たいと思った、とか、この景色は妻にも見せてやりたいと思った、ぐらいじゃからな。で、フレンチは想像するだけじゃないぞ。後の作品では本当に昇進するんじゃ」

「えっ、そうなの？」

「確か、三段階か四段階ぐらい昇ったはずじゃ」

「ところで、この作品、創元推理文庫で読んだけど、巻末にミステリ談義というのが載っていて、これが面白かった」

「すごいのが紀田順一郎《きだじゅんいちろう》さんじゃな。パソコンでクロフツの作品分析をしている、とあるのじゃが、これが一九八七年のこと。この頃紀田さんはすでに五十歳を越えていたし、一般家庭にパソコンが普及し出すのって、そこから一時代下った九五年頃のことじゃから、本当にすごいことじゃ」

「私が気になったのは、小山正《おやまただし》さんね」

「今とは比べ物にならないぐらい、シュッとしてるからの」

「私は知らないし、今がどうだか。そうじゃなくて、発言のこの部分よ」


『樽』を読んで、『クロイドン』を読んで、『マギル卿』を読んで、ああこんな作家か、といって止めてしまう。


「今回の儂たちのテーマと同じじゃな」

「これから『クロイドン』を読まなきゃならない私の立場はどうなるのよ、って感じなんだけど」

「でも、クロフツを語るには、一応押さえておかなきゃならない作品なんじゃ」

「『マギル卿』というのは、どうなの？」

「正確には『マギル卿最後の旅』。二年前

に読み返してみたが、さっぱりダメじゃった。この場でも、中島河太郎《なかじまかわたろう》、紀田の両氏が、クロフツベスト3に挙げているのじゃが……」

「博士と年齢が近い小山さんの方が、評価が同じなワケね」

「じゃからそれは『樽』のときにも言ったが、ミステリを取り巻く状況にも因《よ》るんじゃないかと思う」

「で、この作品にはないの？　本筋と関係ない蘊蓄《うんちく》」

「おっと、もちろんあるぞ。ええとな、この中に会社が出てくるんじゃ『ダッシュウッド・アンド・マンス商会』という名の。これはダッシュウッドという人とマンスという人の共同経営の会社なんじゃが、ミステリに出てくる会社の九割ぐらいが、この手の名前なんじゃよ」

「いいの？　九割なんて言い切って。博士が適当なことを言うたびに、講談社の校閲《こうえつ》の人は調べなきゃいけないのよ」

「じゃ、あくまでも〈体感で〉と但《ただ》し書きをしておくか。面倒くさいのう」

「でも本当にそうなの？」

「二年ぐらい前に気づいたんじゃがな。法律事務所の場合は十割がこれ系の名前と断言してもいい。これはイギリス作品でも、アメリカ作品でも同じ。そして映画でもな。嘘だと思ったら、シドニー・ルメット監督の映画を観てみるといい。違ったら悪いけど。でも日本で見たことあるか？　『佐藤《さとう》と鈴木《すずき》製作所』なんて名前」

「ええと、次『フレンチ警部と紫色の鎌』」

「ああっ、無視された‼」

「だって、解答のでない疑問だし」

「校閲の人が教えてくれんかのう……」

「今度は一転、サスペンス物ときた」

「面白いじゃろ？　一作ごとに作風が変わって」

「だって、警部以外の人物の視点で語っちゃうんだもん」

「警部視点だとサスペンスフルにならないからな。手に汗を握らせるには、やっぱり女性視点じゃ」

「そうか、そういうことね。でも、確かにハラハラは増すけど、逆にいうと、この女性はひどいことにはならないんじゃないかって、予測がついちゃう」

「この小説は登場人物の誰かが書いているのではないから、厳密にそうだ、とは言えないが、気分的にはそうじゃな」

「あとフレンチにビックリした。捜査の途中で法を犯してるんだもん」

「安易じゃよなあ、あそこは。採算なんて度外視だと思った職人さんが、いきなり算盤《そろばん》はじきだしたみたいな衝撃。ええっ、アンタってそういう人だったの⁉　って」

「サスペンスだからこれでもいいと思ったのかもね。あと、自分の失敗を棚に上げて、民間人を責めるところね。おいおいって感じ」

「職人さんが少しずつ世間擦れしてきた(笑)」

「自分の見込みが甘かったせいで、女性が一人可哀想なことになるのに、そんなに心を痛めてないのも気になるなあ」

「ナショナル・ギャラリーでターナーの絵なんか眺めててな。いいなあ」

「何がいいのよ？」

「ターナーは儂も大好きな画家なんじゃよ。それでナショナル・ギャラリーにも行ったんじゃよ。ターナーの部屋があると知ってな。ところがじゃ、探せど探せどその部屋がない。で、係の人に訊《き》いたら『海外に貸し出し中で、閉めてます』と……」

「あーあ、それは残念」

「もしもあのとき観られたら、儂もフレンチと同じ場所に立てたかと思うと、つくづく残念じゃ」

「ところで、死体が見つかると必ず行われる検死裁判て何？　日本にはないでしょ？」

「不審死体が見つかったら、検死というものをやるじゃろ？　死因を特定したり、何時頃死んだか調べたり。それを公開でやるんじゃ。裁判みたいに」

「え、みんなの前で解剖したりするの？」

「そこまではせん。あくまでも調べた結果を報告するだけじゃ。ただし裁判みたいに、証人とかが呼ばれて質問とかされる。陪審員《ばいしんいん》はそれを見て評決を下す。これは殺人事件です、とか事故です、とかな。で、殺人と判断されたら警察による捜査が始まる、とそういう仕組みじゃ。まあ、間違っていたら校閲さんが直してくれるじゃろう」

「なるほどね。犯人が捕まってないのに、裁判があって変だなあと思ってたんだ」

「パーシヴァル・ワイルド『検死審問』なんて、そのものズバリの作品もあるぞ」

「面白いの？」

「持ってはおるが、読んではおらん！」

「また出たよ、そのフレーズが。ところで、今回も出て来たねえ、博士の好きなアレ」

「古本な」

「嬉しそうに」

「監禁された女性が、逃げ道を探していて見つけるんじゃ、古本の山を」

「ご丁寧に、タイトルまで書いてくれているよね」

「儂の収集範囲のものがなかったのが残念じゃ」

「ということで最後の一冊『クロイドン発12時30分』」

「これがまた〈クロイドン〉と打ったら、〈黒い丼〉と出るのが……」

「もういいっての！」

「つまらなかったからって、怒らなくても」

「それが判ってて、どうして薦めたのよ」

「読む人によっては面白いからじゃ。さっきのミステリ談義でも宮本和男《みやもとかずお》（北村薫《きたむらかおる》）氏が、ベスト3に挙げておる」

「前半の完全犯罪を計画しているところは面白かったんだけど」

「後半がのう……。普通なら、警察が犯人のアリバイをどうやって崩すか？　とか、犯人が残した手がかりをどうやって見つけるか？　が読みどころになるのじゃが、どちらでもない」

「完全犯罪で、薬に毒を混ぜるってどうなの？　これだとアリバイが簡単でしょ。こういうときは目前で手を下さなきゃ。そして列車を使ったアリバイ工作をしなきゃ」

「でも、自分の立場で考えてみたら、毒殺以上に自分の身が安全な方法はないぞ。そういうところもリアルな作風だと思えば」

「読者のための小説じゃなく、犯人のための小説ってわけね」

「アリバイトリックでないなら、どうしてこのタイトルなのか、とは問いたいが」

「犯人が捜査圏外に置かれたせいで、思わぬ余波があるじゃない？　ああ、なるほど、ここで善悪の葛藤になるんだ、と思ったら違った」

「そうそう。それを回避するためにまた画策する、という展開なら、違う面白みが生まれただろうに……」

「あっさり終わったわよねえ。いつもなら、足踏みするフレンチの捜査が、この作品ではいきなり大当たりするのも、物足りない」

「この作品の主役はあくまで犯人。フレンチは脇役じゃから、見せ場を作らなかったと」

「失敗するのが見せ場？　確かにそうだけど。で、本当にこれが代表作なの？」

「ということで、『樽』と『クロイドン』で、がっかりした人へアドバイス。あなたに合った作品はきっとある。他のクロフツを読んでみましょう、と纏《まと》めることにしよう」

「あ！」

「どうした？」

「最後のところで、昇進を匂わせていたわ」

「主席警部、次のレベルじゃな」

「なるほど、だから一発で当てられたのか（笑）」

◉第十一試合出場作品とりっちゃんの評価

『ポンスン事件』	好感は持てるが……	△
『英仏海峡の謎』	追跡劇がいい	○
『スターヴェルの悲劇』	クロフツの代表作に決定	◎
『フレンチ警部と紫色の鎌』	連続殺人の動機が地味	×
『クロイドン発12時30分』	毒殺はつまらない	×

◉優勝

『スターヴェルの悲劇』

国樹由香の
本棚探偵の日常
第11回
あー いい 風呂だった
ホカ ホカ
そんなカッコで うろうろ してたら 風邪ひく……
はっ
やせたね！
スッキリ
はっはっはっ
古キズ
おなか ぺったんこ！
いきなり 来たね！
いやぁ

やっぱ炭水化物抜きって効くんだ！
探偵は五度目の正直でようやく当たった東京マラソンのため炭水化物抜きダイエットにはげんでいたのだ
実は私もつきあって同じごはん食べてたら二キロ減よ！
でも我が家の炭水化物抜きはとってもテキトー
朝はおかずだけをたっぷりと
昼はりんごとか
バナナも
夜は七時頃までにやっぱりおかずだけをあっさりめに食べる
スープにおにく
ミモザサラダ
要するにお米を食べないってだけだもんね
うどん時々おモチOK
そんなぬるい感じで続けること三カ月
もちろんランニングして
私空手して

で どのくらい やせた わけですか？
ん―― 十キロ
十キロ!!
やせたね！
えっへん。
ジーンズが がばがばにっ てか そんな 大きいの はいてたの？。
その甲斐《かい》 あってか
東マラ当日 ランナーの群れっ
東京マラソンは 自己ベストで 完走！
4時間 42分！
完走メダルは 桜の形。

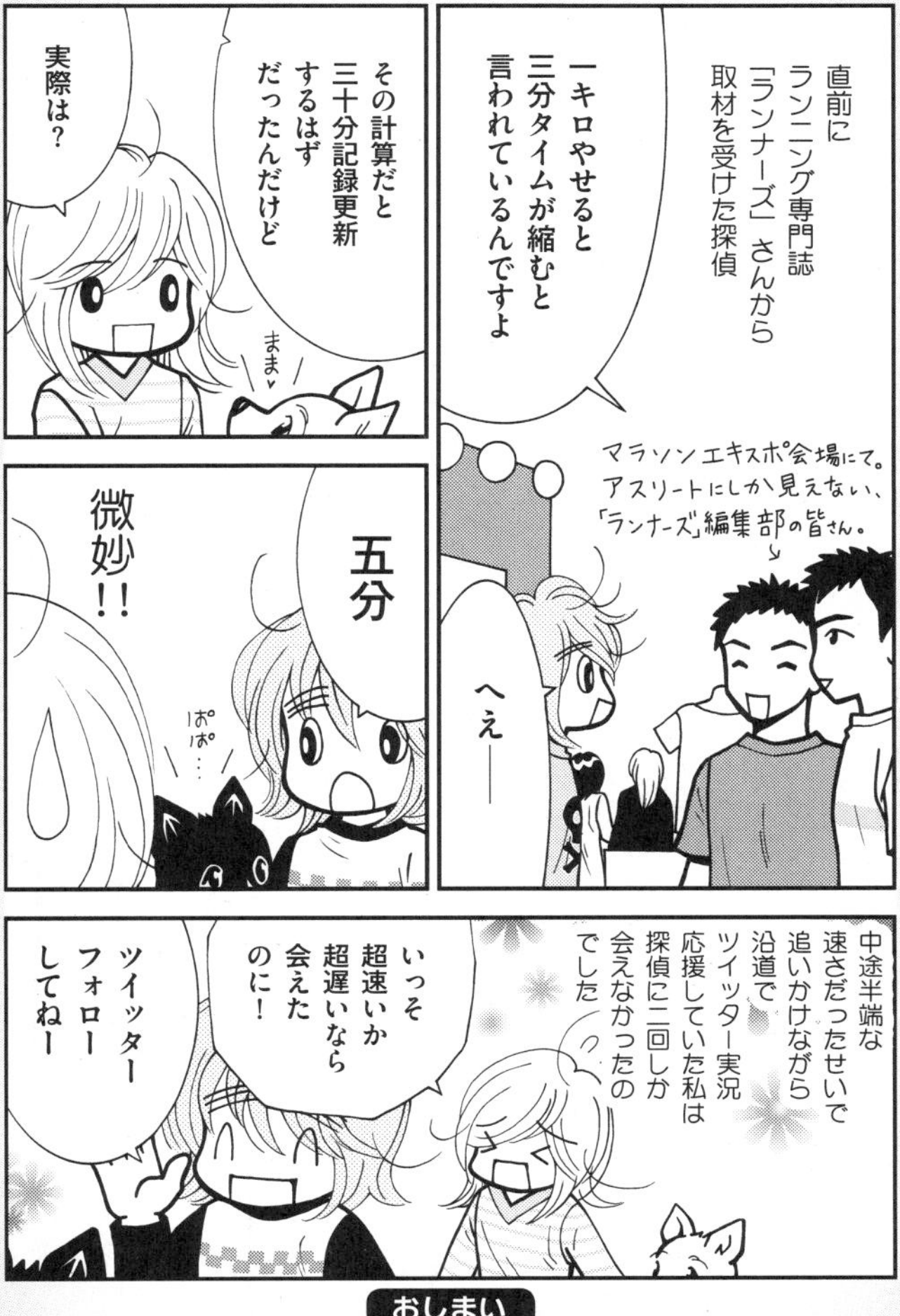

直前に
ランニング専門誌
「ランナーズ」さんから
取材を受けた探偵
一キロやせると
三分タイムが縮むと
言われているんですよ
その計算だと
三十分記録更新
するはず
だったんだけど
実際は？
まま♥
マラソンエキスポ会場にて。
アスリートにしか見えない、
「ランナーズ」編集部の皆さん。
へえ――
五分
微妙!!
ぽぽ…
中途半端な
速さだったせいで
追いかけながら
沿道で
ツイッター実況
応援していた私は
探偵に二回しか
会えなかったの
でした
いっそ
超速いか
超遅いなら
会えた
のに！
ツイッター
フォロー
してねー

おしまい

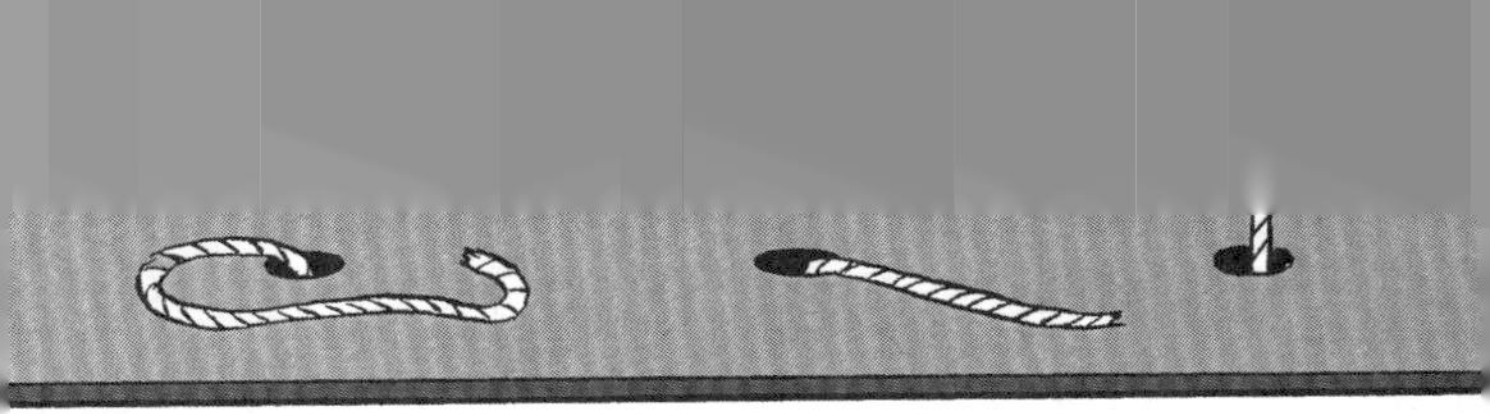

本格力

Hon Kaku Ryoku

Mystery book guide
of the bookshelf detective

第12回

そのとき、彼はふと上を見て、そして驚愕した。
「部屋がない」

麻耶雄嵩
『夏と冬の奏鳴曲《ソナタ》』（講談社文庫）

ミステリ小説の中では、実に様々な物や者が消失する。本格ミステリに於《お》いて、消失というテーマは、密室やアリバイと同じく、不可能犯罪を構成する大切な要素だからだ（ときにそれらは同じものを意味することもあるが）。

　密室もアリバイも好きだが、僕が一番ワクワクするのはこの消失だ。なぜなんだろうと考えて気がついたのは、人生で初めて出会ったミステリ、江戸川乱歩《えどがわらんぽ》の「少年探偵団」シリーズ（当時、全15巻）が、これのオンパレードだったからだろう。

　そこでは色々な物や者が消失していた。衆人環視の中では、大切な宝が消え、追いつめられた怪人は、いつも煙のように消え失せた。

　試しに当該シリーズをパラパラやってみる。「羽柴《はしば》家のダイヤモンド」「国立博物館の美術品」「床下に隠した黄金の塔」「小泉《こいずみ》家の掛け軸」「金庫の中の夜光時計」「金庫の中の真珠の塔」「寝室の少年」「舞台上の少年」「牢《ろう》の中の少年」「行き止まりの路地の二十面相」「屋根裏の二十面相」「劇場の屋根の四十面相」「煙突の上の魔人」「蔵の中の宇宙怪人」「庭の茂みの黒い魔物」「生きている象」などなどなど。「少年探偵団」シリーズの適当なページを開けば、そこではいつも何かが、或いは誰かが消失していた。

　大人ものミステリに手を伸ばすようになってからも、消失の魅力が失われることはなかった。十三号独房からは教授が、バンガローからは女性の死体が、走る列車からは途中の一両だけがものの見事に消え失せ、クイーンに至っては、なんと館までをも消してみせた。

そんなに魅力的な消失ではあるが、何十年も読み続けていると、さすがにいつも驚いているワケにはいかなくなる。新本格の時代が訪れ、忘れ去られていた不可能趣味に再び光が当てられ、競い合うようにそれが描かれた頃には、かつて純粋だった少年の目も、冷静な大人のそれになっていた。

そんなときに現れたのが、麻耶雄嵩《まやゆたか》の『夏と冬の奏鳴曲《ソナタ》』だ。『翼ある闇』で強烈なデビューを飾った彼は、この二冊目にしてすでに〈何を書いても驚かれない〉という立場を手にしていたが（笑）、それでもこの作品の内容は事件であった。

この人の頭の中はどうなっているのだろう？　僕は今、何を読まされているのだろう？

そんなことを考えながら、ある場面では手を打ち、また別の場面ではひっくり返るなぞを繰り返しながら読み続けていた。

そしていくらか感覚が麻痺《まひ》をし、或《ある》いは油断をしているときに出会ってしまったのが、前々ページのフレーズだ。

本を取り落とすかと思った。そして、しばらく笑い、その後に嬉しくなった。この驚きは、少年探偵団に出会ったときと同じだと。

これから読む人の興を削《そ》がないように、この場面の詳細は省く。何も知らずに読み進め、心の準備がないまま、この二行に出会ってもらいたい。

その衝撃、唐突さ、書きっぷり。あなたは絶対に驚くだろうと保証する。そしてこのあとは、僕と同じようにニヤニヤしながら読み進めることになるだろうとも。

◉ 勝　手　に　挿　絵 ◉

ストーリー

女学校の美少女が標本室の水槽の中で死体となって浮かんでいた。
容疑者は巨大なオタマジャクシの容貌を持つ醜い教師。
琥珀に閉じ込められた水が二人を結ぶ……。

香山滋「処女水」昭和二十三年作品
『香山滋全集』第1巻（三一書房）所収

坂東善博士

H-1グランプリ

本当にお薦めしたい古典を選べ!

りっちゃん

◉ 第十二試合 リレー長編 ◉

「儂は坂東善博士。長年にわたって本格ミステリについて研究している」

「私はりこ。ごく普通の女子高生よ」

「その二人が、〈現代でも通用する古典本格ミステリとはなんぞや〉をテーマに、議論を戦わせるこのコーナー。さて第十二試合は、リレー長編なのじゃが……」

「リレー長編?」

「説明しておこう。これは複数の作家が事前の打ち合わせを一切しないで、一本の作品を書き継いで完成させるというスタイルのことじゃ」

「どの作家もストーリーがどこに行くか知らないまま続きを書くの? そんなことができるの?」

「普通は出来ない。いや、冒険小説のよう

に、面白くなるならどっちに転んでもいいというジャンルならば書けるだろうが、最初から最後まで一本の筋が通ってなければならない本格ミステリでは無理、とされておる」

「それはそうよねえ。だって本格ミステリの面白いところは、何気ない伏線がすべて一つに集まるところなんだから、他人がバラまいた伏線を別人がまとめられるワケがないよね」

「例えば前の人が『犯人はこの折れたスプーンとガラスのコップを使って、前代未聞の密室トリックを考えたのです』と書いたら、後の人はそれを考えなければならない」

「うわ、そんなの絶対に無理じゃん。後ろの人が可哀想」

「だからと言って『すべては夢でした』なんて纏めたら、作家としてお終いになってしまうしの」

「いいことなんてないじゃない。だったらなぜそんな無謀なことをやるの？」

「それは本格ミステリが〈ゲーム性〉という要素を持っているからじゃ」

「ゲーム？　作家と読者の戦いということ？」

「ルールが厳格なところとか、フェアプレーの精神とかじゃな。リレー長編はそれを極端に突き詰めたものと言えるかもな」

「作家対読者の前に、作家対作家の図式があるのね」

「ゲームが好きな人種というのは、それが困難なほど燃えるタイプが多いからの」

「五分で解けるパズルより、一週間かけて

も解けないパズルの方が取り組みがいがあるというもの? なんて言ったっけ、そういう数学の証明問題あったよね」

「フェルマーの最終定理は三百五十年かけて解かれたな」

「うわ、考えただけで、頭割れそう」

「だから高等なパズルであるリレー長編にも、それ用の特別ルールがいくつかある」

「どんなの?」

「まず、適当な書きっぱなしを禁じるために、それぞれの作家は自分なりの解決を考えた上で筆を進めなければならない。その証拠としてメモを残す」

「なるほど。さっきの例でいうと〈折れたスプーンとガラスのコップを使った前代未聞の密室トリック〉の解答を考えた上でないと、バトンを渡せないわけね」

「そうじゃ。もしその謎がトップバッターの作家によって提出され、そのあとを四人の作家で書き継ぐならば、可能性としては五つの答が用意されることになる」

「引き継ぐときに、そのメモは見ないのよね。だって見ちゃったらリレー小説の意味がなくなるもの」

「ところがそうはならない。そもそもこういう企画に乗るような作家はひねくれ者じゃから、前者のメモとは違った方に行きたがる」

「自分から困難な方に舵《かじ》を取っちゃうんだ」

「そう。じゃからメモを見る見ないはローカルルール。今回の作品にも両方含まれておる」

「なるほど、読み比べられて面白いかも。あとは?」

「それは、その都度《つど》触れることにしよう」

「うん、いいわよ。なんだか面白そうね」

「と、ここまで盛り上げた後でこんなことを言うのは憚《はばか》られるが、あまり期待はしない方がいい」

「えっ、面白くないってこと!?」

「まあ、そうは言わんが、それも含めて愉しんでもらいたいというのが、偽らざる心境じゃ」

「やっぱり面白くないんだ!!」

「いや、だから……、面白くないところが面白いという……」

「いいわよ。全部つまらなかったら、いつもの倍のギャラもらうからね」

「ええっ、それは……」

あらすじ紹介（読了順）

『殺意の海辺』ハヤカワ・ミステリ文庫　宇野利泰訳　J・D・カー／V・ホワイト／L・メイネル／J・フレミング／M・クローニン／E・フェラーズ　○推理作家のフィルは、突如《とつじょ》見知らぬ女に助けを求められる。ワケも判らぬまま、遊園地の幽霊屋敷に誘い込まれるフィルだが、暗闇の中で何者かに頭を殴られて気絶。意識を取り戻したときには、すでにその女は消えていた。彼女は一体誰だったのか？　彼は自身で事件の解決に乗り出した。

『弔花《ちょうか》はご辞退』ハヤカワ・ミステリ文庫（『殺意の海辺』所収）宇野利泰訳　D・L・セイヤーズ／E・C・R・ロラック／G・ミッチェル／A・ギルバート／C・ブランド　○マートン夫人は田園が広がる田舎の屋敷で住み込み家政婦として働き始め

る。屋敷の主人の妻は病気で寝たきりの生活を送っていたのだが、ある日急死してしまう。その死因が毒物によるものと判ったとき、マートン夫人の目は家族に向けられた。この中に犯人がいるのだろうか？　女流作家による連作。

『ホワイトストーンズ荘の怪事件』創元推理文庫　宇野利泰訳　J・チャンスラー／D・L・セイヤーズ／F・W・クロフツ／V・ウイリアムズ／F・T・ジェス／A・アームストロング／D・ヒューム　○ホワイトストーンズ荘のファーランド夫人は毎日怯えて暮らしていた。自分の容態が悪いのは、遺産目当ての近親者に毒を盛られているせいではないかと。そこで新しい看護婦を雇うことにしたのだが、なんと彼女は最寄り駅に到着したその日に死体となって発見された。そして第二の事件が。

『大統領のミステリ』ハヤカワ・ミステリ文庫　大社淑子《おおこそよしこ》訳　フランクリン・D・ルーズヴェルト原案　R・ヒューズ／S・H・アダムズ／A・アボット／R・ヴァイマン／S・S・ヴァン・ダイン／J・アースキン／E・S・ガードナー　○富と名誉、人生の成功を手に入れた主人公。だが家庭に問題を抱える彼は、誰にも知られず新しい生活を手に入れ、全く違う第二の人生を歩みたいと考えていた。そこで彼が採った手段とは？　ルーズヴェルト大統領が考えたプロットに七人の作家が挑戦した異色ミステリ。

『警察官に聞け』ハヤカワ・ミステリ文庫　宇野利泰訳　J・ロード／H・シンプソン／G・ミッチェル／A・バークリイ／D・

L・セイヤーズ／M・ケネディ　○新聞王が自宅で殺された。容疑者は、大司教、上院院内総務、それになんとスコットランドヤード副総監。公平な捜査を望む内相は、事件の捜査から警察関係者を外すため、解決を四人の民間探偵に依頼した。それぞれの探偵が指摘した犯人とは⁉

『漂う提督』ハヤカワ・ミステリ文庫　中《なか》村《むら》保《やす》男《お》訳　G・K・チェスタートン／C・V・L・ホワイトチャーチ／G・D・H＆M・コール／ヘンリイ・ウェイド／アガサ・クリスティー／ジョン・ロード／ミルワード・ケネディ／ドロシイ・L・セイヤーズ／ロナルド・A・ノックス／F・W・クロフツ／エドガー・ジェプスン／クレメンス・デーン／アントニイ・バークリイ　○ペニストーン提督が、川に浮かんだボートの中で死体となって発見された。ラッジ警部は近隣の住民に聞き込みを始めるのだが、なぜか彼らは次々と行方知れずになってしまう。ディテクション・クラブによる記念すべきリレー長編第一作。

『完璧な殺人』ハヤカワ・ミステリ文庫　宮《みや》脇《わき》孝《たか》雄《お》、大庭忠雄、他訳　ジャック・ヒット編　D・E・ウェストレイク／P・ラヴゼイ／T・ヒラーマン／S・コードウェル／L・ブロック　○妻が自分の親友と浮気していることに気づいた男は、妻殺しを考える。しかもできればその罪は親友に被《かぶ》ってもらいたい。方法に悩んだ男は五人のミステリ作家に相談をもちかける。やがて届いた五つの犯罪計画。どれを選んでいいのか決断できない男は、再び作家たちに相談する。あなたたちで選んでくれないか、と。

「読んだわよ！」

「あ、ちょっと怒ってる」

「ちょっとじゃないんだけどね」

「怖いなあ。まあいい。順に聞こうか。最初はどれからだ？」

「『殺意の海辺』」

「ああ、選《よ》りに選ってそれか」

「博士が最初に、どれも面白くないかも、なんて言うから、一番薄いのを選んだのよ。薄い上に『弔花はご辞退』と二本立てだしね。そしたら……」

「一番面白くないのを摑《つか》んでしまったと……」

「そうよ。ビックリしたわ。何これ？　って。これを書いているのは本当にプロの作家なのかとあきれ果てた」

「まあな。トップバッターのカーは別として、最後のフェラーズがちょっと知れてるのを除けば、あとは無名の作家ばっかりじゃからな」

「もうね、ただのドタバタ。中学生の文集でも、もうちょっとマシよね、というレベル」

「カーの導入部はさすがだという意見が多いだけに、つくづく残念じゃな」

「私はそう思わないわ。結果的に駄作に終わったのは、導入にも問題があったからよ。あとに続く面子《メンツ》の実力を考えて、場面設定しなきゃダメよ。カーのファンには悪いけど、坊主憎けりゃ袈裟までってヤツね」

「うわ、女子高生にそんな諺《ことわざ》を使わせるぐらい怒らせてしまうとは……まあ、ある意味貴重な作品かもしれんな」

「正直に言うけど、最後まで読んでないからね」

「えっ⁉」

「今まで、読んでる途中でつまらないなと思っても、本を置いたことは一度もなかったけど、これだけはダメ。もう苦痛でしかなかった」

「ああ、アンカーのフェラーズが可哀想じゃ」

「まさかラストでビシッと締めてくれてるの？」

「いや……締めてない（苦笑）。頑張ってはいるが、ここまで崩れたストーリーはどうしようもない」

「文句を言い出したら止まらなくなりそうだから、とっとと次に行くね。『殺意の海辺』に同時収録の『弔花はご辞退』」

「こっちはストーリーの破綻《はたん》もなく、わりと纏まっていたじゃろ？　章立てがなければ、一人で書いたと錯覚してしまうほどに。女性作家だけを集めたアイデアの勝利じゃな」

「えっ？」

「そうね、だから面白くなかった」

「『殺意の海辺』と続けて読んで判ったことがあるの。つまり、支離滅裂《しりめつれつ》は論外だけど、纏まりすぎていてはリレー小説の醍醐味《だいごみ》がないと」

「ふむ。言ってる意味はよく判る。『弔花〜』は、話を壊さないように気を遣うあまり、ふくらみが全くなくなった」

「だから、この本を最初に手に取ったのは、結果的に良かったんじゃないかと思ったのよ。両極端な例を見せられて、理想型が見えたというか、ね」

「それならよかったわい。ということで次が……」

「『ホワイトストーンズ荘の怪事件』ね」

「儂が最初に言った〈ルール適用〉の作品じゃな」

「それぞれの作家はラストまでを考えて執筆、その証拠にメモを残す、というヤツね」

「このときは、そのメモも一緒に次の作家に廻《まわ》しておる。私はこうしたいけど、あなたはどうですか？　とな」

「これって悪く言えば、事前相談の範疇《はんちゅう》に入りそうだけど、博士が言っていたように、作家はへそ曲がりだから、意見の統一が図られるどころか、余計に混乱するのが面白かった」

「そうじゃろ？　作家Aが、ここまで読んで来たら犯人はXしかあり得ない。だから私はこう続けた、とメモしたら……」

「作家Bが、何を言うか。どう考えても犯人はYだろう、とAの記述を無視するという行為に出る」

「そうしたら作家Cが、いやいや、やっぱり犯人はXで正しい、と今度はBの記述を無視する（笑）」

「完結した後、監修者が本に纏めるにあたり、つじつまの合わないところを調整しようとするんだけど……」

「『一名か二名の作家は、原稿の修正を頑として許さなかった』と前書きでぼやく始末じゃ（笑）」

「すごいよね、作家のプライドって。作品の完成度より自分のパートの方が大事なんだもの」

「そこが海外作家のアイデンティティーじゃな」

「で、その面白いメモなんだけど、これが章の変わり目に差し込まれてるもんだから、完全にストーリーの邪魔をしていて、途中でワケが判らなくなった」

「そうなんじゃ。紙上の警部はまだ何も判っていないのに、外の世界で作家が結論を書くもんじゃから、どこまでが中の世界のことか判らなくなってくる」

「この行動は実際にあったことだっけ？　外で言ってるだけだっけ？　なんて考えていたら……」

「そりゃ話に入り込めないわなあ」

「作家別で言うと、セイヤーズが気になった。『弔花～』と同じくこっちもトップを務めてるんだけど、命を狙われてそうな夫人がいて、それを助けるために外から女性が呼ばれて……と、設定がほとんど同じ」

「こういうのが好きなのか、はたまた『ホワイトストーンズ～』（一九三九年）で満足がいかなくて『弔花～』（一九五三年）でリベンジがしたかったのか、単に使ったのを忘れていただけ、なんてことも考えられるの」

「で『ホワイトストーンズ荘～』の二番手はクロフツでしょ？　真価が発揮出来るようにとの親切心なのか、セイヤーズさんはわざわざ駅周辺の地図まで作っているのがおかしい」

「だがクロフツはそれに満足出来なかったのか、更に詳細な地図を書き加えた（笑）」

「なのにラストバッターは『あえてこれを

無視することにした』って、ああ、なんて可哀想なクロフツさん」

「で評価は？」

「連作らしいチグハグさ、纏めたい気持ちと自我を通したい気持ちの板挟み、またそれらの悩みを読者に知らせることで、ハラハラ感が伝わってきたけど、本編よりメモの方が面白いのはやはりダメだと思った」

「これがメモを一緒に渡した例。渡さなかった例もあとに出てくる。ということで次じゃ」

「ええと『大統領のミステリ』ね。これは……」

「おっと待った、感想の前にこの作品の成立過程を書いておこう。一九三五年、当時のアメリカ大統領のルーズヴェルトがホワイトハウスの非公式の夕食会で、ミステリ談義をしているときに雑誌編集者に訊かれたんじゃな『ご自分でミステリを書こうと考えたことがおありでしょうか』と。すると大統領は『ある』と答えた。『あるミステリの筋を頭の中であたためている』と。続けて書けなかった理由も二つあげた。『それを書く時間がなかった』『自分で考えた筋に対する解答が見つからない』と。そこで編集者がこう提案した。『アメリカ合衆国の錚々《そうそう》たるミステリ作家たちに、この問題の解決を頼んでみたらどうでしょう』。そして生まれたのがこの作品。いかにもアメリカ的というか、時代が良かったというか」

「すごく面白かったわ」

「おお、それは!!」

「一番の理由には大筋が決められていた、

れない（笑）」

「私が知ってる作家だと、クリスティーのパートが圧倒的に読みやすくて有難かった（笑）」

「有難いといえば、八番手のノックスが、それまでの疑問を箇条書きにして整理してくれたことじゃな」

「なんと三十九個も。人によっては別に疑問とは思えないことまで含めて親切に」

「後の人からしたら、親切なんだか迷惑なんだか判らないレベルじゃ」

「解決編は、私も疲れ果てて、よく判らないところもあったけど、ページもたっぷりで書ききった、という感じよね」

「りっちゃんが苦手なバークリイじゃが、こういうときは頼りになるというか、遊び心があり余ってるというか……」

「素直じゃない作風が、こういうのに向いている（笑）。メモで言うと、セイヤーズのパートが凄い。何なの、あの分量は？他の作品への参加といい、一番熱心だよね」

「だからこそ、後にディテクション・クラブの会長に選ばれたんじゃろうな」

「クリスティーとかクロフツとか、私がすでに知っている作家のパートが面白かったということは、こういうリレー小説って、作品の完成度よりは、どの作家がどう書いたのかということの方が重要な気がした。そういう意味では、私が読むのはちょっと早かったかな、という感じ」

「良いところに気づいたな。あのウィ・アー・ザ・ワールドだって、声に特徴のある歌手のパートだけが面白かったからの」

「ウィ・アー・ザ・ワールドって何？」

「それを真似してメタルミュージシャンが、ヒア・アンド・エイドというプロジェクトを組んだけども、ギターソロのパートでは、やっぱりインギーが一番目立っていたし」

「だから、判んないってば！」

「もう完全に、他とのバランスを無視して……」

「私も無視して最後の『完璧な殺人』」

「おっと、また少し説明が必要じゃ。これは厳密にはリレーではなく合作小説。スタイルとしては『警察官に聞け』に似ていて、妻を殺したいという発端の相談に、五人の作家がその計画を考えるという構成になっていて、互いのパートに繋がりはない。じゃが後半になって、全員が自分以外の計画をけなしあうところがリレーっぽくなっているかなと」

「これもアイデアの勝利ね。リレーの無理がないし、作家は個性を主張出来るし。最後の最後で当たりをつかんだかと思った」

「その言い方は……違ったんじゃな？」

「そう、枠組みは最高なのに、肝心の犯罪計画がどれも全然面白くない」

「妻殺しという、本来なら暗いテーマと、ゲームミステリという、陽な容れ物が合ってないせいかもしれんな」

「そうね。美術館から名画を盗む、みたいな計画だったら良かったかもしれないね」

「或いは、犯罪組織の金庫から現金を奪うとか、じゃな」

「面子のレベルはどうなの？」

「誰だコイツ？　という作家はいないが、あまりミステリを読まない人でも知っている、という作家もいない。まあそれは書かれた年代にもよるじゃろうな」

「この作品が新しいってこと？」

「そうじゃ。『ホワイトストーンズ荘～』『警察官～』『漂う～』『大統領～』が書かれたのが、所謂《いわゆる》、黄金期と呼ばれている三〇年代。『殺意～』と『弔花～』が五〇年代前半。それに対してこの『完璧な殺人』はなんと、つい最近の九一年」

「私からしたら同じだけどね。九一年だって産まれる前」

「そう言えば君は一体何歳じゃ？　この連載が始まって四年が経つけど、ずっと女子高生のままだし」

「そんなこと言うなら、きちんと歳を重ねようか？」

「いやじゃー‼　いつまでもそのままでいてくれー‼」

「ああ面倒臭い」

◉第十二試合出場作品とりっちゃんの評価

『殺意の海辺』	驚愕の出来に口あんぐり	×
『弔花はご辞退』	纏まっているけど地味すぎ	△
『ホワイトストーンズ荘の怪事件』	メモは面白いが	×
『大統領のミステリ』	本格じゃないのが残念	○
『警察官に聞け』	もっとリレーになっていれば	△
『漂う提督』	色々な意味でバランスは良い	○
『完璧な殺人』	容れ物は良かったが	△

◉優勝

なし

国樹由香の

本棚探偵の日常

◉第12回◉

すっかり真夏だ。あの大震災からもう四ヵ月経ったのかという気がするし、まだ四ヵ月という気もする。今なお続く余震と原発問題に落ち着かない日々だが、エアコンを使わないと決めた夏に食べる「ガリガリ君梨」はありえないほど美味しい。家中の窓を開け放ち、風が通り抜ける感覚を味わう。私はひどい花粉症なので、春先から初夏にかけてこんなに風を感じることはずっとなかった。洗濯物は乾燥機任せだったし。

それがどうだ。くしゃみは止まらないけれど、天日干し衣類の気持ちいいこと。最初はハアハア荒い息で暑さの不満を訴えていた犬たちも、野性を取り戻したのか悠然とフローリングに寝そべり昼寝をしている。なんて打っていたら、パソコンが超熱い！　文明の利器は便利だけど怖いなあ。この夏を耐え抜いてくれることを切に願う。

さて私がしゃかりきになってこの原稿を書いている現在、探偵は宮城へボランティアに行っている。探偵が被災地で作業するのは二回目。一回目は私も一緒だった。まだ肌寒い時期で防寒コートがお役立ち。撥《はっ》水《すい》加工もされていたから水を使った作業も大丈夫。楽天《らくてん》の激安商品とは思えない快適な着心地に「レビューを信じてよかった」

と思ったものだ。

え？　何故今回は行かなかったのかって？　これが終わってないからですよ！

ああ、自分のふがいなさに心底腹が立つ。常に私の何倍もの〆切を抱えている探偵は全部ちゃんと終わらせ現地に行ったというのに。

震災により私は探偵の「動じない性格」に改めて驚かされた。元々気が散りやすい私は三月十一日以降テレビやネットのニュースに釘付《くぎづ》け。仕事が全然手に付かなかった。それに比べて探偵ときたら、

「いつ計画停電が行われてもいいようにしておかないとね」

と倍速で仕事をこなし、

「自然光の下で働こう。節電だよ」

と早寝早起きを徹底する。あげくに、

「集中してるから、どの原稿も漫画家生活二十五年で一番早く上がったよ。まあ面白さと早さはイコールじゃないのが難しいところだけど」

と仕事道具を片付けている。冷静かつ正しいなあと思うが、とても真似出来ない。

てきぱきしているという言葉がぴったりの探偵。そういえばアメリカ人の友人に「てきぱきって、どうしててきぱきなの」と質問された。考えたこともないわ！　でも言われて初めて判ることってあるよね。てきぱきって最高に上手い表現だということに気付かせてもらえたもの。ありがとう、アメリカ人の友。

話がそれたが、つい先程届いたボランティア先からの報告メールには、

「ちょうど南三陸町《みなみさんりくちょう》の浜辺近くにいると

き、携帯の津波警報が鳴ったんだ。おかげで警報解除を待っている間に、地元の人といろいろ話が出来たよ」

……本当に動じないなあ。

私は喜怒哀楽が服を着て歩いているタイプなので、感情表現が豊かとは言い難い探偵をじれったく思ってしまうこともしばしば。だが最近思いがけない出来事があった。前回探偵と二人して被災地に向かう車中での話だ。

「地震も津波も原発もすごく怖いのに、全然平気そうにしてるね」

「そうだね」

「何か怖いものってあるの？」

「うーん」

「ネットですごく怖い話を見つけたんだけど、聞いてくれる？　これはキてるよ〜」

「うん」

唐突だが私は怖い話が大好きだ。幽霊の類《たぐ》いを全く信じていないぶん、よく出来ている作り話にワクワクする。私は探偵に見つけたばかりの都市伝説を一所懸命話した。

「……という感じの話なんだけど、どう？　怖いよね」

「出来はいいけど怖くはないな」

「ええー、これもダメ？」

「結局霊的な力が働くのが残念でさ。最後まで人間の仕業と思わせてくれたほうが」

「もうー、細かいなあ。だったら最強に怖い話、してみてよ」

探偵はしばらく考えたのち、ぽつりと言った。

「前に話したことあるじゃない。アイリッ

シュの小説が怖いって」

「ああ、夫婦が旅行した先で妻が失踪《しっそう》する話」

「そう、それから松本清張《まつもとせいちょう》の短編」

「ああ、夫婦の元へ夜中に謎の人物が訪ねてくる話ね」

「俺はああいう話が怖くて怖くてたまらない」

「えっ？」

簡単に説明すると、どちらも妻が夫の予想を超えた不幸に巻き込まれるというもの。

「予想がつかないっていうのが嫌なんだよ。アイリッシュのほうなんてさ、妻の失踪理由が中々明かされないんだよ。誘拐なのか、本人の意思で消えたのかすら判らない。夫婦仲は円満だった。怖すぎるだろ」

「じゃあ、妻は誘拐されてて身代金を要求されたって話なら」

「怖くない。金目当ての誘拐だもん」

「妻は不倫してて男と逃げた」

「それも怖くない。夫は愛想つかされたんだろ」

「アイリッシュそんなに怖いかなあ」

「怖いよ！　正直こうして話すのも嫌なくらいなんだ、怖いから」

意外だった。話すのも怖い？　何にも動じない男が？

「へえー、じゃあ私が急に消えたら怖いでしょ」

「一回あったじゃない。アメリカの空港で」

「ああ、あれね」

説明しよう。空港の入国審査で指紋を調べられたのだが、どうやらマズイ人物のものと似通っていたようで、私は審査官二人に呼び止められあれこれ質問をされたのである。

「あのとき俺、先を歩いてただろ。振り返ったら、付いて来てるはずの由香ちゃんがいない。心臓ばくばくだったよ。アイリッシュ現象ついに！　ってさ。そこらへんのアメリカ人に日本人の女性を見かけませんでしたかって必死で聞いてまわってね」

「ほんの三分程度の話なのに」

「いやいや。だって入国審査をパスしてゲート通ったの見てたからね。まさかその後で呼び止められてゲートまで戻ったなんて夢にも思わなかった。あれは怖かったなあ」

「誘拐と浮気なら怖くないわけね」

「うん」

「変なの」

「変じゃないよ。想像すると怖いからこの話はおしまい」

探偵は不思議な人だなあ。普段はあんなに沈着冷静なのに。とりあえず、これからの人生何があっても黙って失踪するのだけはやめようと思う。探偵の動じないキャラが崩れてしまうからね。

＊　＊　＊

前ページのカットの説明をします。

何をおいても必要なのは「踏み抜き抵抗板入りの鋼鉄先芯長靴」。被災地には危険物がいっぱい。普段履きの靴で錆《さ》びた釘などを踏み抜いた場合、破傷風《はしょうふう》の危険性もあるので絶対履くべき。

そして「ヘルメット」。半壊した建物内でむきだしになった鉄骨に頭をぶつけたら大怪我《おおけが》します。

更に「ゴーグル」。説明不要ですね。すさまじい粉塵《ふんじん》から目を守るための必須アイテム。

とどめは「革手袋」。探偵と私の職業柄、手は命なので。最初に革手袋を着け、その上にゴム手袋で完璧！

本棚探偵、ボランティア休憩時間に撮った一枚。

本格力

Hon Kaku Ryoku

Mystery book guide
of the bookshelf detective

第13回

◉エンピツでなぞる美しいミステリ◉

いつしか話題はジョージの新たな情事へと移っていった。

ジョン・ディクスン・カー
吉田誠一＝訳
『ビロードの悪魔』（ハヤカワ・ミステリ文庫）

目瞭然、駄洒落《だじゃれ》である。

なぜそんなものを選んだかというと、僕がおっさんだからだ。改めて説明するまでもないことだが、おっさんは駄洒落が好きなのである。

もちろんそれだけで、これを選んだ訳ではない。誰が意図したものでもなく、偶然に生まれたものだから面白いのだ。

――と言い切っていい保証は実はない。訳者の気持ちまでは、誰にも判らないからね。

だが、絶対に間違いのないこともある。それは、「原作者のカーには、与《あずか》り知らぬこと」だ。
1、意識せずに書き、2、主人公の名前にジョージが使われ、3、遠い異国で翻訳され、4、数多い翻訳者から吉田《よしだ》氏が選ばれ、5、最終的に駄洒落好きなおっさんに発見される。という、数々の手続きを踏んだ上で、生まれたフレーズなのだ。
ならば……と、おっさんは考える。こういう神の悪戯《いたずら》は、他にもあるのではないかと。

いやいや、そんなレベルではないかもしれない。これまでの出版点数を考えれば、〈あるはず〉と考えた方が自然ではないか。

例えば「ジョージは常時考えていた」はあったかもしれない。偶然はもっと転がって「ジョージは常時、情事のことを考えていた」もあるかもしれない。

「ジョージは常人ではないので、常時、障子ごしに、情事のことを考えていた」なんてことにまで及んでいたら、明らかに翻訳者は遊んでいるので、編集部の人はひとこと注意をした方がいいだろう。

ジョージ以外でも考えてみた。

ベンは便をした。
ジャックは惹句《じゃっく》を考えた。
マイクはマイクを離さず、
ニックは肉を食い、
ロバートは驢馬《ろば》と歩き、
マルコは本当に困る子だ。
オスカーは「雄《おす》か……」とつぶやき、
アダムは「あ、ダム！」と叫《さけ》び、
エドワードは「江戸はーどこ？」と訊き、
マイケルは「まあ、行ける」と請《う》け合《あ》い、
ナンシーは「なんしに来とんや！」と怒られ、
アーサーは朝、麻を着、
ケントは拳闘《けんとう》を検討し、
ハリーは針で張り替え、
ビルはビルの中でビールを飲み、
機知に富むトムはアトムを求む。

いくらおっさんでも、もう駄洒落は充分だ。

これで三日は黙っていられる。

◉ほんかくだもの◉

先に解説を
読んで
また後悔
する

おすぎ

◉　勝　手　に　挿　絵　◉

ストーリー

人間には空を飛べる能力があると、常々主張していた画家が
「今夜は飛べそうだ」と言い残し、ビルの四階から消えた。
数日後、彼は電線の上で死体となって発見される。
はたして彼は本当に空を飛んだのだろうか？
名探偵御手洗潔はこの奇想をどう解く!?

島田荘司「山高帽のイカロス」昭和六十三年作品
『御手洗潔のダンス』（講談社文庫）所収

坂東善博士

H-1グランプリ

本当にお薦めしたい古典を選べ！

りっちゃん

第十三試合

◉カーの歴史ミステリ◉

「儂は坂東善博士。長年にわたって本格ミステリについて研究している」

「私はりこ。ごく普通の女子高生よ」

「その二人が、〈現代でも通用する古典本格ミステリとはなんぞや〉をテーマに、議論を戦わせるこのコーナー。さて第十三試合は、ジョン・ディクスン・カーじゃ」

「ええと、カー作品は、ここで以前『皇帝のかぎ煙草入れ』を読んだよね」

「そうじゃ。で、そのカーの代表作と言われているものは多いのじゃが、今回は〈歴史ミステリ〉と括られている作品群から選ぶことにした」

「歴史ミステリ？」

「作品の舞台が現代ではなく過去におかれたものじゃ。カーで多いのは英国の中世時代、いわゆる剣とロマンスの時代じゃな」

「どうしてそういうのを書いたの？」

「アレクサンドル・デュマという作家を知っているか？」

「知らない」

「あっけらかんと答えるのう。男を悦ばせる方法はいっぱい知ってるくせに」

「その手のセクハラ発言にはもう慣れちゃった」

「そんな……。ああ、こうやって一人の少女が儂の元から巣立って行く……」

「博士がブツブツ言ってる間にネットで調べたわよ。十九世紀中頃にフランスでベストセラーを連発した作家で、代表作は『三銃士』や『モンテ・クリスト伯』と」

「うん、えらいぞ。で、そのデュマが得意としていたのが伝奇小説、冒険小説というジャンル。子供の頃にこれに親しんだ者にとっては〈これこそが小説〉と刷り込まれ、いつかは自分もこういう物をと思っている作家は多いのじゃ。まあ、日本で言ったら『大菩薩峠《だいぼさつとうげ》』の中里介山《なかざとかいざん》とか『富士に立つ影』の白井喬二《しらいきょうじ》というか……」

「知らない」

「吉川英治《よしかわえいじ》とか、野村胡堂《のむらこどう》とか」

「知らない」

「国枝史郎《くにえだしろう》、角田喜久雄《つのだきくお》、山田風太郎《やまだふうたろう》」

「知らない」

「もうええわい。で、やはりカーもそうだったんじゃろう。晩年は歴史ミステリが中心になった」

「剣とロマンスの時代かあ。ピンと来ないなあ」

「ここまで本格ミステリの代表作をあれこ

れ読んで来たんじゃ。この辺りで、ちょっと毛色を変えてみるのも面白いと思っての」
「判ったわ。この六冊か。うわあ、めっちゃ分厚いのがある。大丈夫かなあ」
「今回は途中で無理だと思ったらやめてもいい。とりあえずチャレンジしてみてくれ」

あらすじ紹介（読了順）

『火よ燃えろ！』ハヤカワ・ミステリ文庫　大社淑子訳　◯ロンドン警視庁の警視チェビアトは、とある霧の立ちこめた夜、タクシーに乗った。だが下りるときにタクシーは二輪馬車に、周りの景色は百年以上も前の時代に遡《さかのぼ》っていた。何が起こったのか判らぬまま、一人の女性に導かれ、とある屋敷に招かれる警視だが、眼前で不可思議な殺人を目撃することとなる。

『喉《のど》切り隊長』ハヤカワ・ミステリ文庫　島《しま》田《だ》三蔵《さんぞう》訳　◯皇帝ナポレオンに率いられたフランス軍は英国侵攻を目指し、英仏海峡に集結していた。だが〈喉切り隊長〉と名乗る謎の暗殺者があらわれ、次々に歩《ほ》哨《しょう》が殺される事件が発生。調査をまかされたのは英国人スパイのアラン。彼が突き止めた〈喉切り隊長〉の正体とは⁉

『ビロードの悪魔』ハヤカワ・ミステリ文庫　吉田誠一訳　◯とある過去の事件に興味をもった歴史学者フェントンは、悪魔と契約を交わし、三百年前の同姓同名の貴族に乗り移った。事件が起こった日時は判っている。博士は残された手記を元に、その事件の発生を防ごうとするのだが……。はたして歴史を変えることが出来るのか⁉

『ニューゲイトの花嫁』ハヤカワ・ミステ

リ文庫　工藤政司《くどうまさし》訳　〇ナポレオン時代のニューゲイト監獄。無実の罪で死刑執行を待っていたディックの前に、美貌《びぼう》の令嬢キャロラインが訪ねて来た。彼女の訪問は祖父の膨大《ぼうだい》な遺産を受け継ぐための条件〈二十五歳前に結婚しなければならない〉を果たしたいがためであり、今まさに死に行くディックはその相手にピッタリだったのだ。だが政治の急変でディックは釈放された。濡《ぬ》れ衣《ぎぬ》の復讐《ふくしゅう》に燃える男と計画が狂った女。二人の運命はどこに向かうのか⁉

『ハイチムニー荘の醜聞』ハヤカワ・ミステリ文庫　真野明裕訳　〇作家クライヴは友人の父マシューから相談を受ける。自分の三人の子供の中に、その昔、殺人によって死刑となった男の忘れ形見がいると。その名を告げようとしたときマシューは銃弾に倒れた。犯人の動機は死刑囚の怨みをはらすためだったのか？　そして、三人の子供の中にその犯人はいるのか？

『エドマンド・ゴドフリー卿殺害事件』創元推理文庫　岡照雄《おかてるお》訳　〇十七世紀の英国。治安判事のエドマンド・ゴドフリーが失踪し、五日後に遺体となって発見された。陰謀、私怨、諸説が乱れ飛ぶ中、事件は社会的な大事件へと発展していく。英国史上最大の実際にあった事件に、不可能犯罪の巨匠、カーが挑む。

＊　＊　＊

「今回最初に『途中でやめてもいい』と博士に言われてたでしょ。そのせいじゃないけど、どうしてもダメなものがあった」

「判るぞ。アレじゃな。正直なことを言うとな、実は儂もあれがダメじゃったんじゃ」

「ええっ、何それ⁉ 博士ったら自分で読めなかったものを私に読ませようとしたの？ それってひどくない⁉」

「いやいや、〈理由〉はあるのじゃ。まあそれはひとまず置いといて、読んだものから感想を聞かせてもらおうか」

「判ったわ。じゃまず『火よ燃えろ！』ね。まず、導入にビックリしたわ。まさか、タイムスリップものとは思わなかった」

「タイムスリップなのに、SF的な説明が一切ないところが、SF作家ではない証《あか》しじゃな（笑）」

「事件が終わったら、また必然性もなく現代にもどるしね。そういうところは、読んですぐに、考えなくていいんだと判った。だから主人公の警視が戸惑うところが面倒くさかった」

「戸惑うなら戸惑うで、ちゃんと戸惑えばいいのに、受け入れるところは何の疑問もなく受け入れるから余計にそう感じる」

「で、どうしてこういう設定にしたのかと思った。その時代の人が主人公では何故いけないの？ と」

「ちょっとした皮肉じゃな。我々は昔の事件を考えるときに思う。あの頃、現代の科学捜査があったら、簡単に解決した事件も多かったじゃろうと。この作品でも我々はそう思いながら読む。実際にこの警視も、指紋や弾道検査を持ち出すし」

「でも真相は全然違うところにあったのよね。だけど……」

「だけど……？」

「あのトリックは納得できない。このトリックを使うために、この時代でなければならなかったんだ、ということは判ったけど、だったら短編で充分だと思った。それなら面白かったかもしれない」

「ということは長く感じたと」

「致命的なのが、警視が惚れる女ね。とにかく鬱陶しい」

「他の女が警視と話をするだけで嫉妬《しっと》するし、すねるし泣くし、捜査には協力しないし。あれは男の目から見てもいい加減にしてくれと思ったな」

「でしょう？　女のイヤな部分だけを誇張されたみたいで、この女にというか、これを書いたカーに腹が立った」

「普通、殺人の容疑者にされてたら、いくら何でももうちょっと賢く行動するわな」

「ミステリの大前提に『この人が犯人のはずがない。状況はそうとしか思えないけど、犯人は絶対に別にいる！』というのがあるでしょ。でもこの女にはそう思えない。もうお前が犯人でいい。だったら不可能犯罪でもないし。とっとと終われよ、と思ってしまった。だからミステリ的には大失敗よね」

「ちょっと言い方は厳しいが、そこは頷ける。まあこの作品は、カーの歴史ミステリの雰囲気を味わうには良かったのではないかと……」

「確かにね。次の『喉切り隊長』は面白かった。でもね……」

「また女か……？」

「そうね。『火よ燃えろ！』よりはマシだけど、やっぱりちょっと鬱陶しい」

「冒険小説は男を強く描きたいがために、女を必要以上に弱いものに描いてるところもあるかも」

「それならそれでもいいけど、最後を放りっぱなしなのはどうよ。ロマンスを描くならそこは描かなきゃダメでしょう？」

「おっしゃるとおり」

「あと残念なのは、やっぱり前半が長いことよね。導入部に殺人場面があっただけで、そのあとさっぱり喉切り隊長が出て来ないのは看板に偽りありと言いたい」

「偽りは看板だけでなく、裏表紙に書かれたあらすじにもある。あれを読むとメインストーリーは、主人公が殺人鬼の正体を暴くことにあると思えるが、実際はそれを口実に、他の任務に一生懸命で、喉切り隊長の正体は完全に忘れられておる」

「9章の〈三本の短剣〉から俄然面白くなるのよね。ああ、これが歴史小説の面白さなんだと思った」

「歴史小説というか、冒険小説じゃな。剣で闘うとか、馬で追いかけっこするとかは、単純にハラハラ出来るし、これは普通の本格ミステリでは味わえないことじゃからな」

「本格ミステリ的に言うと、喉切り隊長の正体には驚いたけど、ストーリー上、そこに主眼が置かれていないから、勿体ないのよねえ」

「おっしゃるとおり」

「でもこの題名は魅力的よね。響きで言ったら、今までこの企画で出会った作品中で一番かも」

「それだけに残念だったと」

「次は『ビロードの悪魔』」

「ファンの中では一番の人気作じゃ」

「えっ、これが⁉」

「ということはダメだったんじゃな？」

「まずヒロインは今までで一番良かった。私が思うヒロインてこういう人じゃないと。苦しいときも歯を食いしばって耐える。やっと、こういう女性が現れたかと安心したら、今度は主人公が……」

「酷いと？」

「酷くない？　何よあの恋の鞘当《さやあ》ては。最近のハリウッドやテレビドラマばりのその場しのぎの展開。最後にどう決着付けるのかと思ったら、あんなことに。これが主人公の行動で良いワケ？」

「恋愛に関しても酷いが、最後のセリフもすごいな。思い上がりも甚《はなは》だしい」

「三百年前に起きた、毒殺事件を防ぐために、悪魔に魂を売ってまで過去に戻ったのに、事件のことより政治的なことに一所懸命になっちゃうし、剣の対決で男らしいところを見せたかと思ったら、当時はなかった現代的な技で勝ってエバるし、やたら騎士道にこだわるくせに、女にエロイことばかり教えて悦んでるし、もうどの行動を見ても感情移入が出来ない」

「この作品も『喉切り隊長』と同じく、裏表紙のあらすじで期待したものとは違う方向に進んで行く」

「主人公が最初からこの時代の人ならまだ良かったのよ。三角関係だって納得できたろうしね。でも使命を持った現代人にしてしまったことで、行動のすべてがいい加減になってしまった」

「ボロクソじゃな。ミステリ的にはどうじ

ゃった」

「入れ込んで読んでいたら、あの犯人には驚くだろうし、設定をこうした意味も大きいんだけど、もうどうでもいいって感じよね。一体これのどこが評判良いの？」

「冒険小説的なところじゃろうな。ネットで調べてみると〈六人対六十人の対決〉のところを読みどころにしている感想が多い」

「確かにあそこはドキドキした。でも主人公じゃなくて、一緒に闘った下男や馬丁《ばてい》に感情移入したからだからね」

「そこまで嫌われる主人公も珍しい(笑)」

「でも、それで良いんでしょ？　この企画はあくまで〈私の評価〉が一番なんでしょ？」

「それはもちろんじゃ。儂もさっきから、庇《かば》えるところは庇おうと思っておったが、頷けることばかりじゃ」

「でしょ？　間違ってないよね私。でも最初に〈ファンの中ではこれが一番〉と聞いてなくて良かったわ。もし聞いてたら、このあと読んでなかったもん」

「次は『ニューゲイトの花嫁』かな？」

「諦めずに読んで良かったわ。まずミステリ的なことを言うと、今までで一番魅力的な謎だった。やっぱり途中で軽く忘れられてる気もしたけど、一応そちらに向かって進むし。トリック的にはあれしか考えられないから驚きは少ないけれど、演出が上手いと思うし」

「ようやくカーの面目躍如じゃな。人間関係的には、この作品でもやはり三角関係的なところがあり、落としどころはあれでいいのか？　と思わないでもないが」

「でも、タイムスリップした出しゃばりじゃないから、許せる。あの展開には女性の意思も含まれているしね」

「冒険小説としても無理がない。濡れ衣を晴らすというのは判り易いし、そもそも復讐譚は冒険小説の王道じゃ」

「今までの四作の書かれた順番はどうなの？」

「早い順に『ニューゲイト～』『ビロード～』『喉切り～』『火よ～』じゃな」

「じゃ正解は出てたんじゃないの。方法論としては一作目で正解していたのよ。それに余計なものを足しちゃったから、二作目以後は焦点がぼやけたとしか思えないわ」

「脇役もそれぞれ良い。というか、こういう感想って今までのH－1では出て来なかったことじゃ。まあそういうことを期待して、今回のチョイスとなったんじゃが」

「次、『ハイチムニー荘の醜聞』ね。これって歴史ミステリ？」

「この作品は一見、現代ミステリに見えるが、カーによる注記にも書かれているとおり、作品内で実在の事件に言及し、その事件に関係した元警部が探偵役を務めているからじゃな」

「今までの四作を読んでいる時は、どうしてこんな寄り道するんだろう、と思っていたんだけど、いざこうやって、シンプルな構成のを出されると、ちょっと退屈に感じちゃった」

「今回の狙いはそこにあったんじゃ。波瀾万丈のストーリーと、本格的謎解きの融合は可能なのかと。もし可能だとして、その割合はどうなんだと。一方の代表が、ちょい地味な『ハイチムニー～』なのは、不公平な気もするが」

「さっきも言ったとおり、感想はなし。どこにも引っかからなかった。そして問題の……」

「『エドマンド・ゴドフリー～』じゃな。読むのを断念したのは。これは儂もダメじゃった。実は単行本のときにも一度挫折《ざせつ》していた。でも文庫ならいけるかと思ったんじゃが……」

「だって、登場人物表に名前がある人物だけで、七十五人もいるのよ。しかもそこに書かれていない人物だって当然出てくるし。無理よ無理。私には絶対読めない。一応チャレンジしてみたけどさ。ところで何よ、博士の言ってる〈理由〉って」

「実在の事件の〈事実は変えずに、想像を加えて謎を解く〉のもまた、歴史ミステリの一つのスタイルだからじゃ。言ってみれば究極のアームチェア・ディテクティブ。本格ミステリの一つの理想と言えるかもしれん」

「私も最初は面白そうだと思ったよ。でももう何も判らない。一切理解が出来ない。私からすれば、時刻表を眺めるだけで、旅ができる〈テツ〉の世界だわ」

「時代でも国でも何でもいいから一つぐらいは、我々との接点が欲しかった、というところじゃな。それは書いたカー自身も感じたかもしれん。さすがに全部を事実で埋めるのは、ちょっと制約が多いぞと。だからのちに『ニューゲイト～』路線になったと見るのは妥当なところじゃ」

「うーん……」

「どうしたんじゃ?」

「面白かったのは断トツで『ニューゲイト～』だけど、はたしてH−1的にはこれでいいのかな、とね。面白かった部分は本格以外の要素だったし……」

「それはりっちゃんが決めればいいのじゃ。この場はそういう約束なんじゃから」

「そうね。じゃ、こういうのもありということで」

◉第十三試合出場作品とりっちゃんの評価

『火よ燃えろ!』	ミステリ以前の難点が多い	×
『喉切り隊長』	冒険要素とミステリ要素の乖離が残念	◯
『ビロードの悪魔』	主人公が好きになれないのは致命的	×
『ニューゲイトの花嫁』	動と静のバランスが良い	◎
『ハイチムニー荘の醜聞』	ちょっと物足りない	×
『エドマンド・ゴドフリー卿殺害事件』	評価不能?	?

◉優勝

『ニューゲイトの花嫁』

◉ ミステリのある風景 ◉

国樹由香の

本棚探偵の日常

◉第13回◉

もう秋も深まっているというのに妙に暑い日が続いたりと不思議な気候の東京である。いや、日本全体の現象かな。さすがに数日前からは冷え込み出して、犬たちも丸まって眠るように。わんこ計は温度計より判りやすいのだ。

それにしても焦る。明日には被災地ボランティアに向かう探偵と私なのだが、例によってこの原稿が終わっていない。メフィストの原稿が出来なかったせいで、犬二匹（黒犬かの子&茶犬くり丸）と留守番する羽目になってしまった失敗は繰り返さないぞ。なんといっても今回は犬連れでボランティアに行くのだ。付いて行けなかったら、たった一人でとり残されてしまう。

犬たちを連れて行くのには理由がある。

一つ。寒くなってきたので、車の中で待たせておいても熱中症の心配がない。

一つ。ボランティア作業後に犬と戯《たわむ》れると、疲れが吹っ飛ぶ気がする。

一つ。うちの犬は大きめなのでペットホテル代が高い。だったらそのぶん寄付したほうがいい。

一つ。かの子は大手術から見事生還したばかり。退院後、寂しがり屋になった気がするので、連れて行ったほうがいいだろうという判断。
そう、大手術。まさに青天の霹靂《へきれき》だった出来事。九月から十一月にかけての話なので、タイトルをつけるならば『夏と秋の奏鳴曲《ソナタ》』といったところだろうか（麻耶《まや》さん、すみません）。
始まりは九月後半のささいな吐き戻し。そのときはこんな大騒動になるなんて全く思っていなかった。かの子は全然元気だったし。かかりつけ医では原因不明で、動物の救急病院で診《み》ていただいたのが十月二日。その日からの怒濤《どとう》の展開は以下の闘病日記に詳しい。いつもと傾向は違うが、同じ病気に悩んでいる犬（もしくは他の動物）と暮らす方たちの参考になるかもしれないし、間違いなく本棚探偵最大の事件ということでここに記しておく。

【黒犬かの子の闘病日記】

［九月後半］
急に朝食べた食事を夕方戻すようになる。かかりつけ医は夏バテの延長ではないかと。点滴でその日は復活。しかし翌日も、その次の日も、吐き戻しが止まらない。元気なのだが栄養不足から急激に痩《や》せて心配に。胃薬を飲ませても改善せず、レントゲンを撮っても原因不明。結局大学病院で診てもらうことに。予約は十月十三日だった。

［十月二日（日）～四日（火）］
しかし、相変わらず吐き戻すかの。動物の救急病院で有名な三鷹《みたか》獣医科グループへ。二十四時間やっていて、獣医師は沢山、診

療機器も充実。詳細検査を受けさせたところ、かのの病状はとんでもなかった。

胃と副腎《ふくじん》にかなり大きな腫瘍。悪性で他にも転移していた場合、余命二ヵ月で手術も出来ないとのこと。こちらがショック死するかと思った。

でも確定ではない。大学病院なら手術してもらえるかもと言われる。三鷹さんで改めて予約を取ってもらった先は東大《とうだい》病院。転院は五日。

食べられないかのは点滴が命綱なので、転院前日まで三鷹さんに入院。四日夜に引き取りに行き、その夜は自宅で二人と二匹ゆっくり過ごす。最悪の事態を想像すると泣けてくるので、何も考えないようにするのが大変。ちなみに何事にもポジティブな探偵は「絶対大丈夫な気がする」と言い張っていた。

［十月五日（水）〜十日（月）］

東京大学大学院農学生命科学研究科附属動物医療センター（こんなときだがなんて長い正式名称！）は人間の病院のように立派で、広い待合室には見るからに重病な動物たちがいっぱい。先生方は皆さん優しくて感じがいい。

東大ではレントゲンと超音波の他に、全身麻酔が必要なCTと胃カメラの検査も受けさせた。

内科の先生に「十一歳と若くはないですし、病気も重い。全身麻酔で死ぬ場合もあります。どうしますか」

と言われたが、我々夫婦に迷いはなかった。だって調べないと手術が受けられなくて死んじゃうんだから。

かのは元々が頑丈らしく、全身麻酔も難なく乗り越えてくれた。しかし検査結果は更に酷《ひど》いもの。胃の腫瘍は大きい上に出来た位置が悪く、食べ物を腸に流す穴をせきとめてしまっているそう。問題は副腎の腫瘍。「数年に一匹」しか発症しない珍しい腫瘍で、手術も大変難しいと。

ところがここで光が。

「胃の腫瘍に関しては良性だと思います。経験上、ここまで大きいものは良性のことが多いんですよ」

先生、本当に？　良性なら切ってもらえるんですよね？　副腎は気になるが、とにかく私たちはかのにもう一度口からごはんを食べさせてあげたかった。この際、胃だけでも何とかなれば。

外科の先生の見解も「胃はいけそう。副腎は相当難しい」だった。

「肥大した副腎が太い血管に食い込んでいるので、大出血を起こして死ぬこともあります」

しかし我々の決意は固い。同意書にサインをし、手術をしていただくことに。

この期間は偶然にもイベントが多く、お見舞いに行っては夜にお出かけというパターンだった。予定をキャンセルしたとして、かのに会えるのはわずかな面会時間だけ。家でやきもきしているくらいなら、出かけるほうが気が紛れてずっといい。

かののことは誰にも話していなかった。先が見えない状態で友人たちに心配をかけたくなかったから。ただ、この期間我が家にお泊まりした作家の麻耶雄嵩《ゆたか》さんには黙っているわけにいかず、話した。そしたらお見舞いに付いて来てくれたのだ。すごく嬉しかった。

友人作家さんたちが集まるパーティーにて、数名にさわりだけ話したりも。聞いてもらうのってセラピーになるんだなと思った。

［十月十一日（火）］
手術当日。始まりは昼の十二時だったのに、終わりが夕方六時だなんて。先生方もここまでの大手術になるとは予想していなかったようだ。かのの腫瘍の頑固さよ。
結果は成功。絶望のどん底から浮上出来た。この日は会えないので、探偵と二人で祝杯をあげる。

［十月十二日（水）〜十八日（火）］

ドキドキでお見舞いに。私たちが病室まで行くのかな……と考えていたら、昨日の今日なのに元気よく歩いて待合室にやってくる、かの。お腹からチューブ三つも出てて、包帯ぐるぐる巻きなのに大丈夫なの〜？

「かのちゃんは本当に元気ですね。頭もすごくいいし」

と担当の研修医さん（ちなみに女性でめちゃくちゃ可愛い）。頭のよさについては他の先生方にも言われた。私が言うのも何だが、かのは本当に賢いのだ。だから人間ぽくて、ふびんになる。入院してから目でずっと「かのを今日も置いて行くの？」と訴えているのがたまらない。

犬は術後三日目がヤマと知り焦ったが、

それも乗り越えた。お見舞いに通い、今日は点滴が外れた、今日は水を飲んだ、今日はごはんを食べたなどと喜んでいるうちに退院の日。チューブは一本だけになった。それも一週間後の抜糸のときにはずしてもらえる。病理検査の結果はまだ出ていないが、危険な状態は完全に脱した。

ものすごくお金がかかったけれど、命の値段と考えれば安い。探偵にとっては一日遅れのバースデイプレゼントとなった。東大に足を向けて寝られません。未来永劫《えいごう》！

［十一月八日（火）〜現在］

最終的な病理検査の結果が出た。実は肝臓への転移があったので、調べてもらっていたのだ。「良性」とのこと。万歳！　取ってもらった腫瘍のうち、胃は良性で副腎は悪性。肝臓への転移が副腎からならば危険だった。今後月イチの超音波検査は絶対だけれど、現状は大丈夫に。かのはなんて強運な犬なんだろう。探偵の予言は見事に当たったというわけだ。

ではここで気になる料金について、はっきり書いておこう。三鷹獣医科グループでの検査＆入院費用と、東大での検査＆入院＆手術代の合計は約八十万円だった。我が家の加入していたペット保険で、三割程度は補償してもらえる予定。通常診察は五割補償なのだが、手術費には限度額があるため三割に落ち着いた。二匹で年間十万円払っていた甲斐《かい》があったというもの。保険大事！　いいよね探偵、こんな締めで。

今は静かな東松島の水門の前で、犬たちと探偵

本格力
Hon Kaku Ryoku
Mystery book guide
of the bookshelf detective
第14回

◉ほんかくだもの◉

どんでんがえしに
大声をあげる
最後の一行に
声をなくす
どちらも
本格
なんだなあ

みすき?

◉ 勝　手　に　挿　絵 ◉

ストーリー

売薬問屋を営む地味で実直な父、小町と呼ばれたお嬢様育ちの美しい母。
不釣り合いな両親に居心地の悪さを感じていた
少年R・Oはある日気がつく。
母が自分を連れ回すのは、浮気のための口実だったと。
すべてを知った父は家出し、思いもよらぬ姿で帰ってくる。

横溝正史「面影双紙」昭和八年作品
『怪奇探偵小説傑作選2　横溝正史集　面影双紙』（ちくま文庫）所収

坂東善博士

H-1グランプリ

本当にお薦めしたい古典を選べ!

りっちゃん

第十四試合

◉フレンチ・ミステリ◉

「儂は坂東善博士。長年にわたって本格ミステリについて研究している」

「私はりこ。ごく普通の女子高生よ」

「その二人が、〈現代でも通用する古典本格ミステリとはなんぞや〉をテーマに、議論を戦わせるこのコーナー。さて第十四試合は、フレンチ・ミステリじゃ」

「フレンチということは、フランスのミステリね」

「もちろんフランス、それにベルギーを足したものじゃな」

「なんで足すの？」

「ベルギーはフランスの隣の国で、約四割がフランス語なんじゃ。それにフレンチ・ミステリを語る上で、絶対に外せないジョルジュ・シムノンは、出身こそベルギーじゃが、フランスに移住してから売れっ子になった。なんてこともあって、この二国はミステリを語る上では切り離せないことになっている」

「へえー」

「と、知ったようなことを言ってるが、これらは全部フレンチ・ミステリの研究家である松村喜雄《まつむらよしお》さんの著作『怪盗対名探偵　フランス・ミステリーの歴史』(晶文社《しょうぶんしゃ》)からの受け売りじゃがな」

「なるほど、受け売りなら安心ね。ところでフレンチ・ミステリって聞くとお洒落な感じするね」

「これまでにりっちゃんも何冊か読んでおるぞ。ガストン・ルルーの『黄色い部屋の謎』とか、S・A・ステーマンの『殺人者は21番地に住む』『六死人』とか」

「『六死人』って優勝した作品ね。なるほど……特にお洒落というワケでもないか……」

「お洒落ではないけれど、英米の作品と違った面はもちろんある。今回はその辺をふまえて鑑賞しようではないか」

「えっ、七冊もあるの？」

「大丈夫じゃろ？　薄いのが多いし」

「わっ、可愛い装幀のもある。愉しみー」

あらすじ紹介（**読了順**）

E・ガボリオ『ルコック探偵』旺文社《おうぶんしゃ》文庫　松村喜雄訳　○居酒屋で起きた殺人事件。パリ警視庁は簡単な捜査で事件の終結を図ろうとするのだが、若い警官ルコックは、現場に残された足跡から、逃げた女性がいたことを突きとめる。シャーロック・ホームズなど、のちの探偵像に多大な影響を与えたルコックの捜査方法とは！

ピエール・ヴェリー『サンタクロース殺人事件』晶文社　村上光彦《むらかみみつひこ》訳　○雪の降るクリスマス・イヴの夜にサンタクロースの衣装を着た見知らぬ男が殺された。教会からは聖ニコラの宝物も盗まれる。フランスのとあるオモチャ造りの盛んな小さな町で、一体何がおこりつつあるのか？

P・ボアロー『殺人者なき六つの殺人』講談社文庫　松村喜雄訳　○パリの高級アパートの窓から救いを求めて叫ぶ一人の女性。そのすぐあとには銃声も聞こえた。人々がその部屋に駆けつけると、先ほどの女性とその夫が撃たれて倒れていた。はたして犯人は衆人環視の中でどうやって逃げたのか⁉　捜査をあざ笑うかのように立て続けにおこる第二、第三の事件。それらはいずれも密室での殺人だった‼

ボワロ＆ナルスジャック『技師は数字を愛しすぎた』創元推理文庫　大久保和郎《おおくぼかずお》訳　○原子力工場でおきた殺人事件。現場の金庫からは、パリを全滅させることが可能な重さ二十キロほどの核燃料チューブが盗まれていた。重い核燃料を持ったまま、犯人はどうやって密室状況から消えたのか？

S・A・ステーマン『マネキン人形殺害事件』角川文庫　松村喜雄訳　○臨時停車のため、真夜中の田舎《いなか》駅で降りることになったマレイズ警部は、なぜかこの町の雰囲気が好きになれない。翌日の朝、帰ろうとした警部が目撃したのは、両目をえぐられ、心臓にナイフを突き立てられ線路に横たえられたマネキン人形だった。不吉な予感がした警部は、たった一人で捜査を始める。やがて、とある過去の事件との接点を見つけ出すのだが……。

クロード・アヴリーヌ『ブロの二重の死』創元推理文庫　三輪秀彦訳　○刑事シモンが、自分の上司であり名付け親でもあるブロの部屋で見つけたのは、瀕死のその人だった。部屋の反対側ではもう一人男が死んでいる。しかもよく見ると、その男もブロだった。なぜブロが二人!?　一体この部屋で何があったのか!?　純文学で成功していた作家が、あえて挑んだミステリとは。

ジョルジュ・シムノン『男の首』角川文庫　宗左近《そうさこん》訳　○二人の女性を殺したとされるウルタンは、その罪を認めないまま死刑執行の日をむかえた。ウルタンが犯人と思えないメグレは事件をもう一度洗い直すため、わざと彼を脱獄させるのだが、まんまと撒《ま》かれてしまう。辞職期限の十日間で、メグレは真相に辿り着くことができるのか!?

「読んだわよ」

「お、満足そうな顔。気に入ったものがあったんじゃな?」

「まあ、色々とね。最初に読んだのは『ルコック探偵』。このガボリオという人が、世界で初めて長編推理小説を書いた人らしいけど……」

「まず解説しておこう。世界初のミステリとされているのがエドガー・A・ポーの『モルグ街の殺人』。これは短編で、書かれたのは一八四一年。コナン・ドイルが世界一有名な探偵であるホームズシリーズを発表し始めたのが約半世紀後の一八八七年。

ガボリオが世界初の長編ミステリ『ルルージュ事件』を書いたのは一八六六年。『モルグ街～』と『ホームズ』の丁度中間ぐらいじゃ。そして『ルルージュ～』の三年後に、この『ルコック～』が書かれたと」

「へえー、今から百四十年も前なんだね」

「その頃日本は明治二年。身分制度が廃止されて、みんなが平等になった年じゃ」

「えっ、じゃその一年前は江戸時代ってこと!? そう考えたらルコックってすごいよね。雪の足跡を追うだけで、何人かの行動が見て来たかのように全部判るんだもん」

「そこなんじゃが、ところでりっちゃんはさっき儂が言ったホームズは読んだことはあるのかな?」

「ないけど……」

「えっ、一冊も!?」

「ないわよ」

「並んでただろうが、ポプラ社版が小学校の図書室に!!」

「だって図書室なんて行ったことないもん」

「そんな……。ああ、なんと嘆かわしい……」

「それ以上この話題を続けるなら、私帰るわよ」

「判った判ったもう言わん。イヤ、何が言いたかったのかというと、このときの足跡の捜査というのが、そのホームズとそっくり同じでの」

「ホームズが真似したってこと?」

「ホームズの方がもっと洗練されてはいたが、明らかにルコックを意識しているのは判る」

「そう言えば、巻末の解説にもあったわよ

ね。ホームズの作品の中で、ルコックを下に見るような発言があると……」

「逆に言うと、そうやって自作で言明せずにはいられないほどルコックが気になっていたという証しじゃな。まあそもそも、似てるうんぬんを言うなら、ルコックもホームズも『モルグ街～』に出てくる探偵デュパンにそっくりなのじゃが」

「じゃ一番偉いのは『モルグ街～』を書いたポーって人なの？」

「一番かどうかはともかく、半世紀のちの作家が意識するぐらいの衝撃作だったことは確実じゃ」

「だったらどうして、このコーナーで取り上げないの？」

「短編だからな。でも本格ミステリを語る上で、ポーの作品やホームズは避けて通れない。いつか短編特集はやるべきじゃろうな」

「んで、ルコックに戻るけどさ。科学捜査っての？　靴に付いてた泥を分析して『あそこの土と同じだ』とかって、今では当り前のことだけど、明治になったばかりだと思うと、西欧ってすごいよね」

「儂らが最初に出合う科学捜査はホームズ、最初に出合う暗号もホームズ」

「暗号はルコックにも出てくるよね」

「ちなみに、ポーにも出てくる」

「え？　それもやっぱり真似ってこと？」

「そうではなく、その三つ（ポー、ガボリオ、ドイル）が正しく繋がっているということじゃ。その上で今日の繁栄があると」

「ふーん。でね、前半はそうやって面白かったのよ。本当なら長いし古くさいはずなのに、少しもそれを感じさせないでさ。ところが後半のこれって何？　いきなりルコックにヒントを与える超人みたいなのが現れたと思ったら、全く別な話が始まるし」

「まず後半の別な話。あれもホームズの長編ではお馴染《なじ》みの手法。犯罪者がなぜそうなったかを独立した話で読ませるという」

「またホームズ……」

「やっぱり相当ルコックを意識していたんじゃな。それから、見せ場をさらったあの脇役。あれについては完全な受け売りになるので、松村喜雄さんによる、この旺文社文庫版の解説か『怪盗対名探偵』をぜひ読んでもらいたい。そうすれば、あのキャラの本当の意味が判る上に、さらにフランスでは名探偵以上に、ルパンのような怪盗にも活躍の場が与えられている理由が、丁寧に書かれておるからの」

「つまりこのルコックがなければ、世界一の名探偵は生まれなかったかもしれないし、現在のミステリの繁栄はなかったかもしれないってことね」

「正にそうじゃ。そういう意味で、面白いかどうかはともかくコレは読んでおいてもらいたかった一冊ではある」

「だったら余計残念ね。後半がもっとスッキリしていたら優勝していたかもしれないのに」

「そこまで評価が高かったとは予想外じゃ」

「次に行くわよ。『サンタクロース殺人事件』」

「可愛い装幀が気に入っていたが……」

「そこだけだったわ」

「ありゃりゃ」

「これユーモアミステリっていうの？　なんか緊張感がないのよ」

「他のミステリと違って〈文章が上品〉なせいもある」

「読む前にイメージしてたフレンチ・ミステリってのはこういうのだったけれど、やっぱりこれは違う。ということで次」

「えっ、もう終わりか？　雪の足跡トリックは？」

「言わせるの？」

「いや、いい。ただし、七十年以上前の作品だということを忘れないで欲しいと」

「ルコックの方がもっと古いけど、古びてなかったわよ。ああ、そうそう。これってどういう意味？　一八八ページのここ」

「どれどれ、ええと……『遅かりし由良之助《ゆらのすけ》』。うぅむ……」

「じゃ次、『殺人者なき六つの殺人』。これは面白かった」

「おおそうか」

「まずね、内容のわりに短いのがいい」

「これはタイトルにもあるからバラしてもいいが、六人が死ぬのに二百六十ページしかない」

「つまり四十ページで一人ね」

「それが全部不可能犯罪。そう考えるとすごいことじゃな」

「だから休みがないよね。女性の悲鳴で始まった一つ目の密室殺人。それの捜査中に、なんと別の部屋で二つ目の密室殺人。その夜のうちに毒による殺人未遂事件と、遠く離れた場所での密室殺人というめまぐるしさ」

「あまりにも早い展開に、ページをめくる

指が止められない」

「でね、同じ刺激も続けば慣れてくるでしょ？　本格ミステリ的な場面にちょっと飽きてきたかな……って頃に、色調が変わってサスペンス調になる憎らしさ」

「そこでググッと緊張させておいて、ページをめくれば……」

「またまた密室殺人ー!!」

「密室は全部で五回。勿体ないほどに盛り込みすぎじゃ」

「さすがにそれだけ事件が続けば、犯人もトリックも見当がつくけど、本格ミステリ的にはそれで正しいはずよね」

「そうじゃな。このページ数、数少ない登場人物、これでもかの事件。それで犯人が判らなかったら、どこかで作者は誤魔化《ごまか》しているということじゃからな」

「トリックもすべて実現可能なところがいいよね。密室はそもそも無茶なはずなのに、明かされてみると不自然なところがどこにもないというのがすごい」

「一つや二つならともかく、あれだけの数での」

「不可能犯罪の犯人を見てて不満に思ってたことがあるのよ。そんなに賢いなら、殺人なんかしなくても逃れる道はあったんじゃないの？　って」

「それは同感じゃな。そういう意味ならこの犯人にそれはない。まあ今となっては乱《らん》歩《ぽ》の『類別トリック集成』とかで、有名になったパターンばかりだから、新鮮な驚きはないのじゃが……」

「密室の完成度ってトリックじゃなくて、どれぐらい自然にストーリーに組み込まれているかだと思うのよ。そういう意味では百点だと思う」

「おお、そんな分析が出来るようになったなんて、すごい進歩じゃ。さすがに五年間も高校二年生をやっているだけのことはある」

「私たちの存在そのものを脅かす発言は無視して次。『技師は数字を愛しすぎた』。この作品は二人で書かれてるんだけど、その一人が『殺人者なき~』の……」

「P・ボアロー。ボアローとボワロ。表記は違っておるが、これは出版社が違っているせいじゃ」

「同じ作者のせいか、話の主要部分がかなり同じ。いくら何でもこれは……」

「密室トリックのパターン。そして犯行の動機……。単独で読むと面白い話なのじゃが、さすがに似すぎておる。核燃料というアイテムを持って来たところは新鮮だが、読んでいてこれは違うと判る。ものすごく危険で重要なはずなのに、登場人物たちが少しもパニックにならんからの」

「原子力と言っても、発電じゃなくて、ロケットの燃料ね」

「それが普通に出てくるところが、原子力大国のフランスらしい。他の国ならもう少し恐怖の味付けになったかもしれん」

「それはともかく、まず最初の数ページで集中できなかった」

「どうしてじゃ？　四ページ目で事件はおこるぞ」

「キャラの名前よ」

「は？」

「ルナルドー、ベリアール、ルジーヴル、

ソルビエ。もう誰が誰だか判んないもん」

「全員に〈ル〉と〈濁点《だくてん》〉がついていると……。なるほど、その次に出てくるオーベルテもそのルールに法《のっと》っている」

「前もこういうのあったよね」

「あったな。ディクスン・カーの作品だったかな……」

「これって日本人が感じるだけだろうけど、こういう運だって、もしもこれが名作なら違っていたんじゃないかしら」

「すごい論理の飛躍じゃな。まあ判らんでもないが」

「一番良かったのは題名ね」

「『技師は数字を愛しすぎた』？」

「読み終えてみると、そこにすべてが込められていると判るじゃない」

「おおー、そんなところにも気づいたか。すごいすごい」

「では次。『マネキン人形殺害事件』。導入部の雰囲気は好きなんだけれど……」

「雨の夜の田舎町。人はみな愛想がなくて、泊まった宿は寒く、真夜中に窓から見えたのは、線路の上で誰かが重そうな何かを引きずっているところ……。確かに情感はタップリじゃ」

「でも良かったのはそこだけ。ストーリーが進展してもその雰囲気が続かないのは事件がおきないから。だって実際の犯罪って洋品店の飾り窓が割られて、マネキンが盗まれたことだけだもんね」

「なのに、主人公の警部は何かあると信じきって、勝手に捜査してるし。展開があったから良かったけれど、何もなかったらどうするつもりだったのかと」

「とある毒の入手経路は面白かった。青酸カリは無理でも、あれなら私でも手に入れられるかもしれないと思えたし。まあ実際には無理なんだろうけど」

「そして、この話でもルコックと同じく、最後になって突然超人キャラが現れて、美味しいところを奪って行く」

「この人が主人公なら、話は二十ページで終われるのに……」

「そこは突っ込んではダメなところじゃ」

「脇役に推理を奪われた警部の言い草もすごいよね。『ちっぽけな田舎でニワトリどもを相手に捜査したのです』だってさ。そのちっぽけな田舎のニワトリに勝てなかったくせにねえ」

「りっちゃんは知らないだろうが、マネキンを列車に轢《ひ》かせるというアイデアは、日本の高木彬光《たかぎあきみつ》や島田荘司《しまだそうじ》の作品でも使われていて、それらの方がはるかに面白くできておる。もちろん最初にやったのは『マネキン～』なのじゃが……」

「だって『マネキン～』の理由には腰がくだけたもの。え、それっぽっちの理由だったの？　って。警部の勝手な捜査はそこから始まるんだから、もう少し深い理由が欲しかった」

「儂的に気になったのはあそこじゃ」

「言うと思った。どうせあの遊びのところでしょ？」

「だってそうじゃろ。男女のグループが物置小屋でする遊びが〈拷問《ごうもん》ごっこ〉だぞ。若い女性が『それぞれの好みに従って、しばしば柱に縛りつけられ』るんじゃぞ。そこをもっと聞き込まんかい警部！　ってなもんじゃ。逆に言えば、そっちの方に話が進んだ方が、導入部の人形轢殺《れきさつ》事件に綺麗《きれい》に繋がったと思うんじゃがどうだ？」

「そう言われればそうかもしれないけれど、どうでもいいわ。ということで次の『ブロの二重の死』」

「ああ、今回儂が一番熱く語りたかったところが、すげなく飛ばされた」

「同じ顔した男が二人撃たれているという発端の事件が独特よね」

「そこから推測できることは、双子かそっくりさんか、ということになるしかないんじゃが……。読めばそれしかないよなという真相」

「さすがにちょっと現実感はないけど、文章の上手さがそれを補っているよね」

「元々は純文学の作家らしいからの。純文学の作家なのにミステリの熱心なファンで、ミステリが純文学より下に見られているのがイヤで書いてみたんだと」

「逆に言えば、自分が書けば格が上がるかも、と思った節もあるよね。みんなもっと頑張ってくださいよ、と（笑）」

「実際そういう出来になってる。本格的に目立つところはないけれど味はある。この人が『マネキン〜』を書いたなら、ちょっと違ったのではないか、と」

「あと美女が出てくるよね。これは『殺人者なき〜』でも『技師は〜』でもそうだったけど、ただ出てくるだけでなく、深い意味を持ってね。その辺がフレンチ・ミステリの特徴？　と思ったんだけど」

「確かにルパンでも美女は重要じゃ。その人のためにルパンは正義にも悪にもなる」

「じゃ博士も本を書いたら？　『怪盗対名探偵』の勝手な続編で『怪盗対美女対名探偵　フランス・ミステリーのもう一つの歴史』っての」

「確かに『怪盗対名探偵』でも、その辺のところは深く掘り下げてなかったような気がする。なるほど、それはいいアイデアじゃな。よしまずは『マネキン～』の〈拷問ごっこ〉について考察するか」

「では最後の『男の首』」

「シムノンは本格作家ではないのじゃが、フレンチ・ミステリを語る上で外すワケにはいかないから敢えて入れておいたものじゃ」

「頭の部分でもそれを言ってたけど、どうして外しちゃいけないの？」

「大変な売れっ子作家だっただけでなく量産もしたからじゃ。なにせメグレ警部（のちに警視）のシリーズだけで、百十三編もあるからの。とこれも松村喜雄さん調べの丸写しじゃ」

「メフィスト編集部の人――!!　今回の博士の原稿料の四割は松村さんに振り込んでおいてね――!!」

「あっ、コラ！　勝手に何をいう」

「確かに本格ではなかったけれど、本格っぽいところもあったわよ」

「どこじゃ」

「手紙の筆跡からそれをプロファイリングするところ」

「確かにあったが、アレはちょっとやりすぎじゃ」

「筆跡を誤魔化そうと左手で書いてあると断定するのはまあいいかなと。でもってインテリらしいとか女性的性格だと見なすのもまあいい。でも五、六ヵ国語を自由に読み書きできるとか、最終的に、不治の病にかかってる的なことを指摘するのはどうかと思うよね」

「一瞬、ギャグかと思ったのじゃが、結局全部当たってるしの。そういえば筒井康隆《つついやすたか》の『俗物図鑑』という作品では吐瀉物《としゃぶつ》評論家というのが出て来て、ゲロを見ただけでそれを吐いた人物のプロファイルをし、最終的にとんでもないことまで言い当てるという名シーンがあるのじゃが、てっきりそれの元ネタかと思ったものな。まあ筒井のはどう見てもホームズのパロディなのじゃが……」

「またホームズ。本当に読まないとダメみたいね」

「シムノンが受けた理由の一つに〈犯人像を書き込んだ〉というのがある」

「まあね。犯行の動機は面白かったよ。今の時代にならピッタリだけど、この時代にこんなキャラを作ったのはすごいと思った」

「脇役の同僚刑事のこともおろそかにしてないぞ」

「頭を殴られて入院する刑事でしょ？　手当中も退院したあともずっとそこがハゲになるんじゃないかと気にしてる。今まで読んだ作品で数多くの刑事と出会ったけれど、あんなことに悩んでる刑事って、確かに読んだことないよね」

「そりゃメグレだって冷たい態度になるわな」

「お前が脱走犯に逃げられたせいで、上司の俺が辞職のピンチになってるというのに、気にするのはそこかー!!　って話よね」

「まあメグレはそういうキャラではないが」

「うん、渋かった」

「というわけで、今回はH－1という企画以外に、歴史的なものも勉強してもらおうと思って『ルコック探偵』と『男の首』を加えてみたワケじゃが」

「うん、面白かった。それじゃいつか短編特集もよろしくね」

「その前に、りっちゃんが気に入ったボアローじゃ。単独作品は多くないのじゃが『三つの消失』という名作もあるから読んでみるといい。ナルスジャックの『死者は旅行中』とカップリングになった『大密室』（晶文社）というのが儂の書庫にあるはずじゃから」

◉第十四試合出場作品とりっちゃんの評価

ガボリオ	『ルコック探偵』	前半は面白いけれど	△
ヴェリー	『サンタクロース殺人事件』	上品すぎる	×
ボアロー	『殺人者なき六つの殺人』	密室オンパレード	◎
ボワロ&ナルスジャック	『技師は数字を愛しすぎた』	『殺人者なき〜』と似すぎ	○
ステーマン	『マネキン人形殺害事件』	人形を壊す理由が……	×
アヴリーヌ	『ブロの二重の死』	事件が個性的	○
シムノン	『男の首』	面白かったけれど本格ではない	△

◉優勝

『殺人者なき六つの殺人』

国樹由香の
本棚探偵のスーパーハードな日常
◉第14回◉
じゃ 新連載の 取材に 行ってくるよ
一月下旬
いって らっしゃーい
取材先
極寒の 宗谷《そうや》岬《みさき》
ゴオオオオ
うおおお 寒い——っ!!
そこを目指して 稚内《わっかない》からたった一人で 四二・一九五キロ 走る取材
って どんなんや——!
詳しくは ビッグコミックスピリッツ 連載中 『キクニの全県ラン』を ご覧ください（CM）
マジで 遭難するとこ だったよ
お疲れ さまー

※現在は連載終了。単行本をよろしくです！

二月下旬
東京マラソン本番！
国樹も走りました
東京メトロ
自己新を目指す！
と はりきりすぎ
後半失速
自己ベストより二十一分も遅いゴールなんて……
いやいや私なんて30キロ地点タイムアウト
ガックリ
翌日
黒犬かの子の腫瘍《しゅよう》が再発 再手術のため 東大病院※へ
二人して昨日のダメージで変な歩き方に
おおおっ
おおお
病気なのに一番元気

※東京大学大学院農学生命科学研究科附属動物医療センター

三月
あと少しで町内会班長の任期が終わる！
それを心の支えにゴミ集積所の札出しだっ
ぴゅー
お疲れさまー
『本格力』のための本読まなきゃ
昔の文庫字ちっちゃー
かののお見舞に行ってくる
行ってらっしゃーい
※今回交代で行ってる
ライブ出演することになったから歌の練習しないと
六曲も歌うなんてスゴイ
拓郎の歌
ええとその件はですね
また町内会だって
たいへんそう

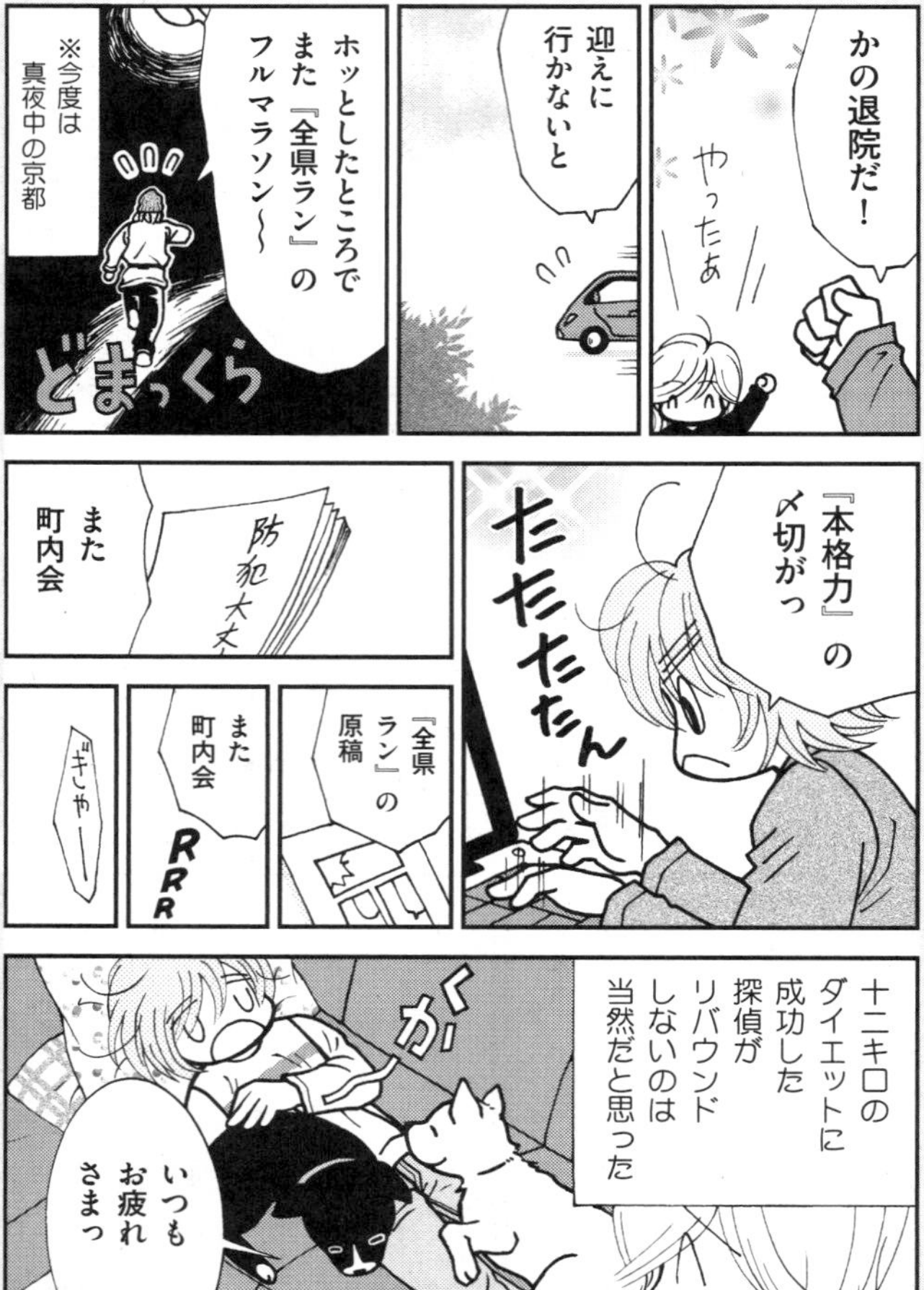
かの退院だ！
やったぁ
迎えに行かないと
ホッとしたところでまた『全県ラン』のフルマラソン～
※今度は真夜中の京都
どまっくら
『本格力』の〆切がっ
たたたたん
また町内会
防犯大
『全県ラン』の原稿
また町内会
RRR
ギしゃー
十二キロのダイエットに成功した探偵がリバウンドしないのは当然だと思った
くかー
いつもお疲れさまっ
おしまい

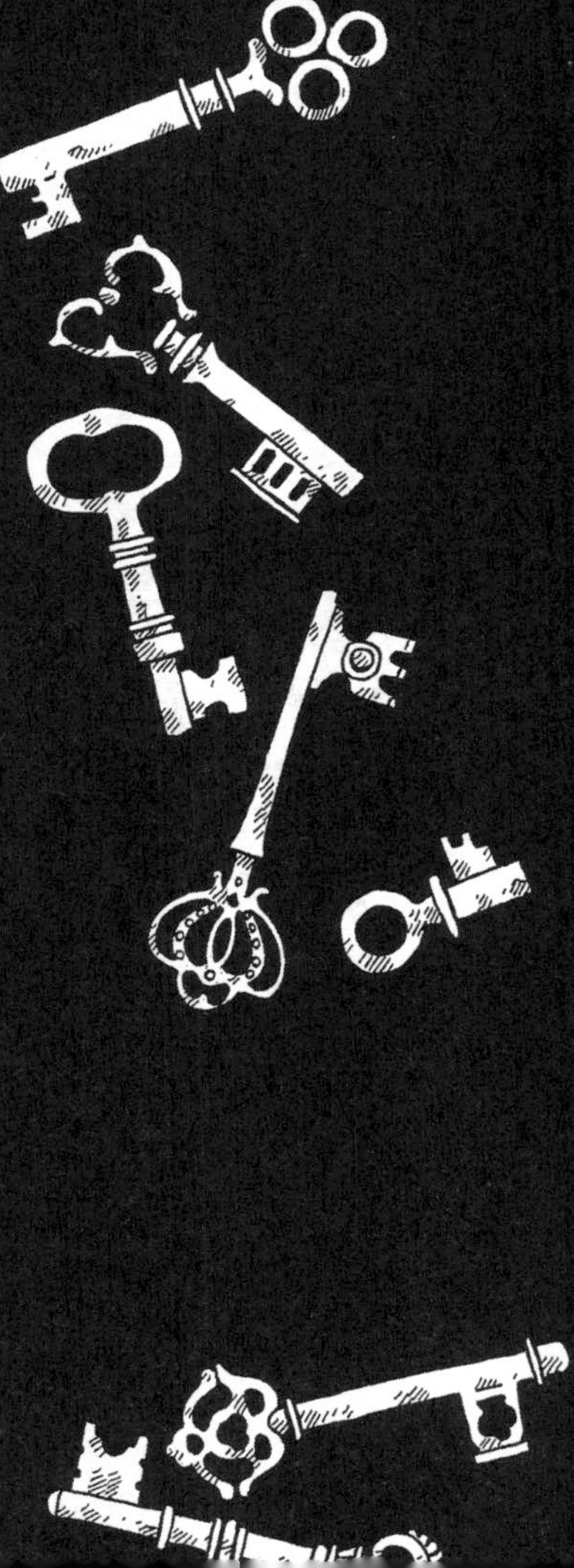

本格力

Hon Kaku Ryoku

第15回

ミイラ男より
復員兵の
包帯だよね
ほんかくだもの

みすき

◉ 勝手に挿絵 ◉

ストーリー

主人公の少年は、ある日、父に言われる。
「今日お前を連れて遊びに行ったところで、
お前を捨ててしまうつもりなんだよ」と。
その言葉どおり父は少年を港に連れて行き、一人外国航路の船に乗り込む。
残された少年は悲しくてむせび泣き、不審に思った役人に
父の人相を問われるのだが……どうしてもその顔が思い出せないのであった。

渡辺温《わたなべおん》「父を失う話」昭和四年作品
『アンドロギュノスの裔《ちすじ》』（創元推理文庫）所収

坂東善博士

H-1グランプリ

本当にお薦めしたい古典を選べ！

りっちゃん

第十五試合

◎ライツヴィルにて◎

「儂は坂東善博士。長年にわたって本格ミステリについて研究している」

「私はりこ。ごく普通の女子高生よ」

「その二人が、〈現代でも通用する古典本格ミステリとはなんぞや〉をテーマに、議論を戦わせるこのコーナー。さて、第十五試合は、エラリイ・クイーンじゃ」

「クイーンは前にやったじゃん」

「第二試合でな。あのときは『奇跡の32年』という括りで、１９３２年に書かれた四冊について語った」

「えーと『ギリシャ棺の謎』『エジプト十字架の謎』『Xの悲劇』『Yの悲劇』だったわね」

「そう。その四作はクイーンの中でもとびきりの名作じゃ。だがそれだけではクイーンを語ったことにはならない」

「その他の作品も『他の作家と比べたら、おつりがくるほどの奇跡ではある』って言ってたよね」

「そうじゃ。それぐらいクイーンという作家はすごいんじゃ。で今回は、クイーンの中~後期の作品から『ライツヴィルもの』と呼ばれているものを選んでみた。全部で六冊。冊数的にもちょうどいいしな」

「ライツヴィルって？」

「アメリカの地方都市の名前じゃ。実在ではなく架空のな。クイーン探偵が小説の執筆のために訪れ、心の故郷《ふるさと》となった町。じゃが、皮肉にも彼はそこで色々な事件に関わることになる」

「うふふ。他のミステリを読んでも思うけど、どうして探偵がいる場所って事件がおこるのかしらね」

「金田一《きんだいち》少年とか、コナン君とかじゃな。それはある意味しかたがないことだとは思う。職業探偵とか刑事じゃない者が主人公の場合、事件の現場にいる理由がないからの。じゃがライツヴィルはちょっと違って、その辺も一応考えられておる」

「そこも含めて読みどころってワケね」

「そうじゃ。ということで今回は次の六冊じゃ」

あらすじ紹介（読了順）

『災厄の町』以下すべてハヤカワ・ミステリ文庫　青田勝《あおたかつ》訳　○結婚式の前日に姿を消したジムは三年後に突然戻って来た。許嫁《いいなずけ》のノーラは消えた理由を問いつめることもなく二人は一緒に暮らし始める。ある日のこと、ノーラは夫の書いた手紙を発見して愕然とする。夫は……私を殺そうとしているのではないだろうか。この家に間借りをしていたエラリイは相談を受け、真相解明に乗り出すのだが……。

『フォックス家の殺人』青田勝訳 ○第二次大戦帰りのフォックス大尉は精神を病んでいた。彼は「いつかこの手で妻を殺してしまうかもしれない」という不安に怯《おび》えていた。その原因は十二年前に自分の家でおこった事件にあると考え、エラリイに過去の事件の再調査を依頼する。本当に自分の父親が母親を毒殺した犯人なのかと。事件以後閉ざされていた家の鍵を開けるエラリイは、はたして新しい証拠を見つけることができるのか？

『十日間の不思議』青田勝訳 ○ハワードはときどき記憶をなくすという病にかかっていた。このままでは何か犯罪をおかしてしまいそうだと思った彼は、旧友のエラリイを訪ね、しばらく自分を監視してくれないかと依頼する。二つ返事で引き受けたエラリイは、その行先がライツヴィルと知り驚く。複雑な心境でかの地に帰ってきたエラリイだが、それを待っていたかのように三たび事件はおこる。

『ダブル・ダブル』青田勝訳 ○エラリイに届いた匿名の封筒には、ライツヴィルの新聞の切り抜きが数枚入っていた。記事のつながりも差出人の意図も一切不明だが、何かが心に引っかかるエラリイ。そんなとき事務所にあらわれた一人の少女は、自分と一緒にライツヴィルに行ってくれと依頼する。どうしてまたあの町なんだと訝《いぶか》るエ

ラリイの前で立て続けに事件がおこる。童謡に則って犯行を重ねる犯人の意図とは⁉

『帝王死す』大庭忠男訳　○エラリイとクイーン警視は、なかば拉致《らち》同然に、治外法権の独立国に連れて行かれ「帝王」と呼ばれるこの国の統治者に届いた脅迫状の謎を解明するよう威喝《いかつ》される。気がすすまぬまま脅迫状の犯人を見つけるエラリイだが、彼の眼前で不可能犯罪が起きてしまう。密室殺人の犯人は誰？　そしてその方法とは⁉　真相を探るためにエラリイは帝王たちの故郷、ライツヴィルに向かう。

『最後の女』青田勝訳　○殺される友人ジョニーの最後の声を聞いたのはエラリイだった。ジョニーには別れた妻が三人いるのだがこの日は全員が集まっていた。現場に残された彼女たちの衣服。犯人は三人のうちの誰かなのか？　そしてその動機は、書き換えられようとしていたジョニーの遺言状にあるのか？　二十年ぶりに訪れたライツヴィルで、またしてもエラリイは事件に巻き込まれる。

「読んだわ」

「どうだ。驚いたじゃろう？　国名シリーズや悲劇四部作との違いに」

「ええ、驚いたわ。特に一作目の『災厄の町』にはビックリした。地味すぎてイライラしたもの。いつになったら事件がおこるのよ⁉　って」

「儂もそれは思った。確かにこの作品は地味じゃ。でも実を言うとな、初期の国名シリーズも地味ではあるんじゃ。『ローマ帽子の謎』や『フランス白粉の謎』にも派手なところは一切ないし」

「このコーナーで私が読んだ『ギリシャ』や『エジプト』はワクワクするところがいっぱいあった。博士がよく言うケレンミがあって」

「だが『ローマ』や『フランス』にはそういうのは一切ない。ただ地味に捜査をするだけ。ページ数は多いのに、事件は最初におきる一つだけだし」

「でも地味とはいっても、捜査をしてるんだから」

「そうなんじゃ、そこが一番違う。なにせ『災厄』では事件すらおこらずに話が進む」

「言ってみればホームドラマよね。なんだか他人の家の中の会話をただ聞かされてる感じ。どうにか殺人事件がおこるからまだいいけど……」

「儂も最初は戸惑った。昔、読んだときにな。だから『災厄』以外のライツヴィルものを読むのは、実は今回が初めてだったんじゃ」

「ええっ、そうなの⁉」

「知識として知ってはいたんじゃ。ライツヴィルものも国名シリーズや悲劇四部作に負けずに面白いらしいと。だが一作目がこれじゃろ？　こりゃどういうワケかと思うわな、普通は」

「ということは、世間的にはこれは面白いのね？」

「そういう意見をよく聞く」

「どこがいいの？」

「それは人それぞれだと思うが、例えばこういう意見が多い。『初期のエラリィは推理マシンだが、この作品の彼には人間味がいいけど……」

ある』と」

「何それ？」

「初期の作品は論理を重視するあまり、パズルを読んでるようで、小説を読んでいる気がしないという言い分じゃな」

「え？　推理小説なんだからそれでいいんじゃないの？」

「儂もそう思う。だが昔から根強くあるんじゃ。『推理小説である前に、小説であるべきだ』という言い方がな」

「じゃ何？　そういう人にとってはこれがいいの？　家庭内の問題をグチグチ書いたりするこれが。そして、何だかすっきりしない事件を読まされるのが」

「それだけではないだろう。まあ擁護側の意見も判るんじゃ。現場に残された証拠を虫眼鏡で観察して導き出す結論より、犯人の心理や動機を読み込んだ推理の方が面白いというのもな」

「なるほど、だからエラリイがいる前で事件がおこらなきゃいけないんだ。犯行前の犯人の言動を見ていられるからね。事件がおきてから駆けつけたら、証拠に頼るしかないもんね。でも、だからといって、あそこまで引っ張らなくても」

「そうなんじゃ。昔の儂もそう思った。クイーンが〈推理〉より〈小説〉に重きをおくなら、儂にはもうこれは要らないなと。で、二作目以降のライツヴィルを読むことはなかったんじゃ。きっと全部こういうものなんだろうってな」

「で、今回はどうだったの？　私は最初に言ったけど全然面白くなかった。『ギリシャ』や『Y』を読ませたあとで、どうしてこれを薦めたのかと博士を恨んだほどにね」

「儂も正直つまらなかった。二度目の今回もな。昔より理解はあるつもりじゃぞ。〈推理〉の前に〈小説〉であって欲しいという意見には大いに頷けるし。ただ……」

「ただ？」

「エラリイほどの探偵が、あの可能性に気づかなかったことが納得できないんじゃ。なぜなら儂は気づいたからな」

「それって自慢？」

「いや、自慢にもならないと思っている。〈小説〉として読むから目くらましになったのであって、儂のように冷めた目で読んでる者にはすぐに判ったと思うんじゃ」

「私には判らなかったけれど、そうかもしれないわね」

「ところで儂には知り合いがいる。飯城勇《いいきゆう》三《さん》さんというエラリイ・クイーン研究家が」

「クイーンの研究本を出してる人ね。確かこの前、その人が出した本のことにも触れた気がするけど……博士の口ぶりでは知り合いに聞こえなかったけど……」

「あのときの原稿を書いてからの知り合いなんじゃ。とあるパーティで『Ｈ－１でクイーンを取り上げてくれてありがとうございます』と御礼を言われて」

「そうだったんだ。だったらいいの？　ここで『災厄』の悪口を言っても」

「心配には及ばん。今年のパーティの席で、飯城さんに直《じか》に質問をぶつけてみたからな。『災厄』のどこがいいんですか？　と」

「うわっ、怖っ！　気分悪くされなかった？」

「それは大丈夫じゃ。飯城さんは大人じゃから、親切に答えてくれた」

「どういう風に？」

「あの作品は二度目が面白いんですと教えられた」

「博士は二度読んだじゃん」

「そういう意味ではないんじゃ。儂は二度とも同じ気持ちで読んだが、飯城さんがいうのは二度目は犯人の立場に立って読む、という意味だったんじゃ」

「犯人の立場で読む……。」

「おお、よく覚えておったの。つまり倒叙《とうじょ》ね」

叙小説のつもりで読むんじゃ。犯人の立場に立って、目の前のエラリイを騙《だま》してやるぞという気持ちで読む」

「ちょっと待ってね。ええと、犯人はあの人でしょ……引っ掛けるために何をしたっけ？　なんか芝居をしたっけ？　ダメ、六冊も読んだ後じゃよく判らないわ」

「ところが驚くことに、芝居はしていないらしいんじゃ」

「え？」

「犯人の感情はすべて本当のことらしい。なのにクイーンは——ひいては読者は——それを疑ってかかるから騙される。そこが『災厄』のすごいところだと教えてくれた。まあメモを取らない立ち話だから間違えて伝聞している可能性もある。その場合責任はすべて儂にあるので、くれぐれも飯城さんに抗議をしないようにということをヒトコト付け加えておく」

「なるほど。だから冷めて読んだ博士は真相に気づいたと」

「そう思うんじゃ。だからそれを知るためにもいつか三回目の読書が必要だと思ってる。教えに従った読み方での」

「何だか今回、博士の感想がメインになっちゃってんですけど」

「いや、すまんすまん。飯城さんの意見が面白かったから、ちょっと伝えておきたかったんじゃ」

「でも評価は変えないわよ。私の感想がメインの連載なんだから」

「判っておる。では次。『フォックス家の殺人』じゃな」

『フォックス家の殺人』ね。ええと……何でだろう……」

「どうした?」

「面白かったのよ、すごく」

「おお、それは。良かったじゃないか」

「やっぱり話自体は地味なんだけどね。どうしてかな?」

「もう事件はおきてて、何せ過去の事件の再調査だから、エラリイが全編にわたって捜査をしている、からじゃないのか? 国名シリーズみたいに」

「……というのとも違うよね。国名シリーズと決定的に違うのは怪しい人物が一人もいないことよね」

「何せ登場人物は、主人公夫妻と服役中の父、それにその弟のたったの四人」

「さっきの『災厄』は本当のことも嘘《うそ》に聞こえるけれど、こっちは一人も嘘を言ってるように見えない」

「もっと突き詰めて言うと、みんな良いヤツだから、誰も犯人であって欲しくない」

「そこで、ちょっと判ったの。ああ、ライツヴィルのシリーズではこれがやりたかったんじゃないかって」

「明らかに登場人物全員に愛情を持って書

いてるからな。国名シリーズでは確かにこれは無理じゃ」

「で、さっきやっと判ったの。博士が言った『〈推理〉の前に〈小説〉であって欲しい』という意見は、こういうことを示しているのかと」

「では、どうしてこっちはよくて『災厄』はダメだったんじゃろうか？」

「あっちは登場人物が多いからよ。本当にどうでもいい人のことにまで筆を費やしているからうっとうしいのよ」

「事件の真相に煙幕を張るためというよりは、今後も出る予定のこの町のことをきちんと説明しておこうと思ったんじゃろうな。実際『災厄』に出てきた人物がこっちにも出てくるし」

「しかも大切な役割を持ってね」

「だが不思議な作品じゃ。儂は絵を描くから小説を読む時も、ストーリーよりも絵としての場面が大切だったりする。極端に言えば、絵のためには、ストーリーのつじつまを犠牲にしてもいいとさえ思っているぐらいに」

「そういう意味で言うと、この作品って絵になるところが少ないよね」

「少ないどころか一ヵ所じゃ」

「エラリイが夜中に怪しい人物と遭遇するところね」

「小説を読む時はいつも絵を考えながら読んでおる。儂がこの作品の挿絵を描くなら、今回はどこを絵にするだろうかと」

「あそこしかないわよねえ」

「あそこだけじゃ。表紙も口絵も全部あそこじゃ。でも連載中に面白く描けるところはどこにもない」

「母親が倒れているところは回想シーンで描けるよ」

「もうそこを何度も描くしかない。誰かがそのことを口にするたびに」

「でも面白いのだから不思議よねえ。ミステリを読んでいて『誰も犯人にしたくない』と思ったのは初めてのことだった」

「確かにそこが〈小説〉として成功しているところじゃな。そして〈推理〉としても〝あの証拠〟が国名シリーズばりの読ませどころになっておる」

「んで、やるじゃんライツヴィルと心を入れ替えて読んだのが『十日間の不思議』なんだけど……これが」

「どうだった？」

「更にすごかった」

「おおっ」

「登場人物は『フォックス家』と同じく四人。でもここには後に被害者になる人も含まれているから正確には三人。もう完全に短編小説のノリ。なのに長編。しかも事件は全然おきないし。だけど面白いという、これは一体どういうワケ？」

「その事件がおきないというところじゃが、読んでる間はそこに気づかないんじゃな。キャラの関係性が面白くての。あと〝不穏な空気〟はずっと漂っているし」

「そこよね。この話も地味と言えば地味だけど——だって事件がおきないんだからね——でも絵にする場面は多い」

「それは多い。大きな事件は終盤までおこらないが、脅迫状の件とか墓荒らしとか小さなケレンはたくさんある。でもまあそんなことよりとにかくサリーじゃ。彼女さえ描いていれば儂も読者も大満足じゃ」

「ついでに作者のクイーンも主人公のエラリイもね」

「そう、エラリイのメロメロっぷりはどうしたワケじゃ。友人の義母なのに、友人の前であろうと気にせずに甘い言葉を口にしたりするし」

「エラリイってこんなキャラじゃなかったよね？」

「明らかにライツヴィルに来て変わった」

「探偵の前に男だったってワケね」

「しつこいようじゃが〈推理〉の前に〈小説〉だからな。作家クイーンは今まで触れなかったそこも書こうとしたんじゃろう」

「とにかく、ヴァン・ホーン家の人たちのことをじっくり読まされるでしょ。『フォックス家』のときは『誰も犯人にしたくない！』って思ったけど、今度は『犯人にも被害者にもしたくない‼』って思ったもの」

「そうなったらもうミステリではなくなるけどな」

「それでもいいと思ったもの。いつもは『早く誰か死になさいよ』とか思うけど『十日間』はこのまま事件がおこらずにいて欲しかった。ただ脅迫事件だけが解決されてね」

「とにかくそうやって〝今までと違うもの〟が書きたかったんじゃな。代表作をいくつも書いたあとで、更なる高みを目指した作家クイーンのすごいところじゃ」

「事件の内容が変わるとともに、エラリイの真相究明の態度も変わってきてるよね。以前は自信満々に犯人を名指ししていたのに、このシリーズでは……」

「そこが作家クイーンを語る時の重要なテーマになってくるんじゃな。探偵はなんのためにいるのか？　探偵だからといって、すべてをさらしていいのか？　とかな。これを語り出したら探偵小説全般を否定することにもなりかねない」

「最初に『探偵がいるから事件がおこる』って、冗談めかして言ったけど、そういうことも含んでいるわけね」

「ライツヴィル・シリーズのいくつかでは、完全にそこもテーマになっている。自分の完全犯罪の仕上げのために、エラリイの推理が必要だった、なんて犯人が登場してくるからな」

「ある意味、やっちゃいけないことをやっちゃったのね」

「あげくこの作品ではもっと踏み込んでしまった」

「九日目で終わらず十日目があったことね」

「世界はしばしば背反する二つの言葉で語られることがある。例えば〈白と黒〉。或いは〈光と闇〉〈天と地〉〈善と悪〉なんて具合に。それでいくと〈神〉に対する単語はなんじゃ？」

「えーと〈悪魔〉？」

「そうじゃ、〈神と悪魔〉じゃな。探偵小説で言えば探偵が〈神〉で犯人が〈悪魔〉と置き換えることも可能じゃ。だが、そういう二元論にはこういう考え方もある。『光があるから闇が生まれるんじゃないか』と」

「この前見たホラー映画だったかSF映画でも最後にやっつけられた悪魔が叫んでたわ。『俺たちを作ったのはお前らの信じる神じゃないか！』って」

「そういうことじゃ。クイーンはこの作品でそんなことまで考えちゃったんじゃ。面白い〈小説〉を書こうとしたばっかりに」

「難しいことは判らないけど、面白くなるならそれでいいけど」

「『そうさ、俺がいるから犯罪がおこるのさ。だったら手っ取り早くこうしてくれる‼』とかって、エラリイが連続殺人をするとかってどう？」

「うわっ、面白そう！」

「ははは。まあ良いけどな。探偵の存在に悩む女子高生なんて、儂も見たくないし。じゃ次」

「『ダブル・ダブル』ね。ライツヴィルで初めていっぱい人が死ぬ。でも……」

「カタルシスがないんじゃな、これが」

「どうしてかな？　私も〈推理〉より〈小説〉が好きになっちゃったのかな？」

「いや、そうでもない。だってここでは確かに人はたくさん死ぬが、事件か事故か判らないものばかりじゃ。だからエラリイも別に〈推理〉はしていない」

「なのに、ダラダラいるよねえ、この町に。事件は何の進展もしていないのに」

「長期滞在の理由は明白。事件のためというより、リーマという少女と一緒にいたいがためじゃ」

「『十日間』で人妻に目覚めたエラリイは、今度は少女にメロメロ」

「可愛いなありーマは」

「うわ、博士までデロデロな顔して。そうか、おっさんは好きよね、こういう少女が。やっぱりブドウの蔓《つる》で作った輪っかを頭に乗せてもらいたいんだ、エラリイみたいに」

「儂はこの作品でクイーンを神と思った」

「また宗教論？」

「リーマの脚の描写が多くて」

「そっちかい!!」

「その部分をさっそく書き写してみようかと思ったが、次回の『エンピツでなぞる美しいミステリ』で披露しよう」

「どうして今回じゃないの？」

「もうここだけですっかり長くなってしまったからの。メフィストの定価をむやみに上げてもイカンじゃろうし」

「たったの二ページじゃないの、あのコーナー」

「いや、脚のことなら増える可能性もある。なにせエラリイは……。あ、いや次回じゃ、次回」

「で、作品の感想なんだけど『十日間』で悩んだエラリイがどこかに行っちゃって、また戻ってるんだけど」

「それはな、その二作の間に『九尾の猫』が入ってて『十日間』を引きずったエラリイは、そこで一応の踏ん切りをつけているからじゃ」

「その作品って、ここで読んだわよね？」

「そうじゃ。第九試合での」

「ダメじゃん、そんな重要な話を独立させて読ませちゃ」

「しかたないだろ。初めに言ったとおり『十日間』は読んでなかったし。『九尾』も読んでなかったし。とにかくすべては『災厄』のせいじゃ。アレがピンと来なかったんで、この辺りのは手つかずだったんじゃ」

「人のせいにしてるし。でもまあ、それはそれでありかな。みんながみんな順番どおりに読まなきゃいけないというものでもないだろうしね」

「かばってくれてありがとう」

「でも『九尾』はもう一回読むことが決定ね。なんか惜しい作品だったから気になってたの。そこを踏まえて読んだら名作かもしれないものね。ということで次は……」

「おっと『ダブル』の感想がまだじゃ」

「もうー！　博士のせいで横道にそれちゃったから、言った気になってたじゃないの。ええとね、とにかくエラリイがピリッとしない。これってミッシングリンクものだけど、気づくのが遅い気がする」

「そこは海外作品を読むつらさじゃな。あの童謡が一般的なアメリカ人にとってどれぐらいポピュラーなものかが判らないから、そこは判断できない。まあ、エラリイしか気づかなかったくらいだから、普通の人は知らんのじゃろう。まあこの辺は重要な部分に関わるので、あまり言えないが」

「だったら私たちに判るワケがないよね。犯人の意図が。だから面白くないのよ。やっぱり張り合いたいじゃない。探偵より先につながりを見つけるぞ、って。思い出したけど『九尾』もミッシングリンクだったよね。基本的にその趣向って、読者が勝てないようになっている気がするのよ。そこが好きになれない理由かな」

「でも儂は『ダブル』では、エラリイより先にそれを見つけてしまった」

「えっ、あの童謡知ってたの？」

「もちろん知らないが、これは逆に翻訳書ゆえに気がついたんじゃ。とある重要な箇所の単語に、親切な翻訳者によってルビが振られていたせいでな」

「あっ、そういうことね。こういうとき、母国語じゃない作品を読む難しさを感じるわね」

「よく例に出されるが『Yの悲劇』のあの単語とかもな」

「そうね。あと気がついたのはエラリイの気絶ね。『フォックス家』から三作連続で気絶する」

「有栖川有栖《ありすがわありす》さんは目から鱗《うろこ》だったらしい。『フォックス家』を読んで『本格の探偵も気絶していいんだと知りました』と言ってた。『気絶が許されるのは、ハードボイルドの探偵だけだと思っていましたから』だって」

「クイーン信者って、そんなことまで教えにするんだね（笑）」

「あとはまあ、ライツヴィルの馴染みの人物に不幸がおこると」

「そうね、そういうところはシリーズの面白さね。でもこの作品の感想はこれだけ。次は……」

「異色作の『帝王死す』じゃ」

「ほんとに異色作だった。なにこの変わりよう？　というか、これをシリーズに含めていいの？　確かに犯罪の動機に関する手がかりはライツヴィルにあったけれど……」

「事件そのものも予告殺人に密室殺人という、ケレンの中のケレン」

「さすがにちょっと飽きちゃったのかなあ、地味な話に」

「劇画チックな軍事王国が舞台ではあるけれど、相変わらずそこで演じられるのはホームドラマじゃ」

「なのよねえ。巡洋艦とか爆弾が出てくるけれど、中身は親子ゲンカや兄弟ゲンカだものねえ」

「事件がなかなかおきないところも共通している」

「ということはやっぱりシリーズでいいのか。でもこんなに嘘くさい設定だとライツヴィルの良さが出ないじゃない」

「ライツヴィルの良さ?」

「エラリイが職業探偵じゃないってことよ。犯人を捕まえたいからではなく、誰かを助けたくて捜査に関わり、あげく皮肉なことになったりする、というパターン。でもこの話の設定だと感情移入ができないじゃん」

「『十日間』の逆で『誰が殺されても誰が犯人でも構わない』ってわけか」

「そうよ、それは次の『最後の女』も同じ。あれは一見、元のライツヴィルのスタイルに戻っているように見えるけれど、誰にも感情移入できないところはこの作品と同じよね。あとライツヴィルの描写も『帝王』ではぞんざいだよね」

「エラリイは調査に赴くが、それをリアルタイムで描くのではなく、報告書という形で要点だけにしている」

「リアルタイムにしたら長くなっちゃうし、書くのが面倒臭かったのかしら」

「いや、ああしないと、捜査のときの会話から見抜かれると思ったのかもしれないな。報告書の形ならエラリイの感情が入らないからこっちは読み飛ばす公算が大きい」

「そうね、それぐらいのことは考えるかもね。とにかくこれはシリーズじゃない。出版社もそう考えたのかなと思ったのは、これだけ訳者が違う」

「なるほど、そこは気づかなかったな。儂的にはこの作品の不満はまた別のところにあって……」

「カーラを魅力的に描いているけれど、脚の描写が少ない、とか？」

「それもある。嘘じゃ、それは冗談。ミステリとしてのもっと根本的なこと。あの密室殺人じゃがな、儂は別解を考えついちゃったんじゃ」

「え、嘘⁉」

「しかもそっちの方が、もっと驚ける」

「どういうの？　教えてよ」

「これは大切にとっておきたいから内緒じゃぞ。ゴニョゴニョ」

「えぇーっ、そんなのバカミスじゃない」

「いいや、トリックというのは、それだけを取り出せばそんなものじゃ。ただそれを納得させるための理由付けと演出が大切なんじゃ」

「どこかで発表したいの？」

「チャンスさえあればの。ハードルは高いが」

「まあ頑張ってね。じゃ最後ね。『最後の女』」

「さっきちょっと感想が出たが……」

「そう、感情移入が出来ない。そこが一番のポイントね」

「ミステリ的な読みどころとしてはダイイング・メッセージだが……」

「やりたかったことは、すごい判るけれど、ちょっと無理があるよねえ」

「ああ、すごく残念じゃ。欲張らなかったら納得出来るものになったと思うが、それが面白いかと言えば、やはりそれなり。これはここまでやったことに意味があると思う。のじゃが……」

「題名は良かったわよね」

「題名……ああ、なるほどね。色々とな」

「そして『最後』とあるように、ライツヴィルもこれが最後ね」

「初めてエラリイがここに来てから二十年が経ち、すっかり様変わりしてしまったライツヴィル」

「はたしてエラリイにとってどういう場所だったのか、というところで、また次回」

◉第十五試合出場作品とりっちゃんの評価

『災厄の町』	国名シリーズとの違いに戸惑った	△
『フォックス家の殺人』	これがやりたかったのかと納得	◎
『十日間の不思議』	事件がおこっていないのに面白い	◎
『ダブル・ダブル』	童謡見立て殺人は魅力だが	○
『帝王死す』	どうせなら、もっと派手にして欲しい	△
『最後の女』	時代の先を行くと古くなる不運	×

◉優勝

『フォックス家の殺人』『十日間の不思議』

国樹由香の

本棚探偵の日常

◉第15回◉

探偵に新しい相棒が出来た。その名は金時《きんとき》。推定四月一日生まれ。元気なオスの雑種犬だ。

まだ仔犬の金時は某アニマルシェルターから我々の元にやって来た。真っ黒の顔、額に白い三日月、白いボディに大きな黒のハート柄、足先には黒ぶち模様。生首すげかえトリックのような見た目は、雑種の不思議としか言いようがない。

国樹の祖母（九十六歳）から届いた携帯メールの言葉がぴったりだったので、そのまま引用する（原文ママ）。

「きんときちやんのしやしんみましなまかふしぎなこねかのの代わりができてよかったね」

摩訶不思議《まかふしぎ》な子。まさに、である。

この連載でも何度かふれたが、我が家の黒犬かの子は昨年九月から病気と闘っていた。三度の手術を受け、その都度大復活を遂げてくれたものの、病には勝てず六月一日に空の住人に。葬儀が済んだ翌朝、残された茶犬くり丸を見た瞬間に私は思った。

「次の犬がいないと駄目だ」

かのとくりは姉弟《きょうだい》だったので、顔立ちが似ている。このままでは、くりをマトモに見つめることさえ出来なくなってしまうではないか。探偵に問う。

「新しい犬をもらって来てもいい？　かのが死んだの昨日だけど、すでに耐えられそうにないんだ」

「もちろん。最初の犬こた（小太郎《こたろう》）が死んだときも、すぐにもらって来たくりかのに助けられたもんな。今回も次の犬に助けてもらおう」

犬選びは私にゆだねると言う。

「でも名前は考えたよ。くりかのここコンビを引き継ぐのは、くりきんときコンビだ」

「ええ〜、金時〜？」

カッコよくない気がして思わず不満の声を上げたけれど、何度も反芻《はんすう》するうち最高の名前に思えてきた。まさかり担いだ金太《きんた》郎《ろう》はのちに坂田《さかた》金時になった。逞《たくま》しく育ちそうだ。うん、悪くない。


多忙な時期で動けない探偵を残し、私はネットで見つけたアニマルシェルターへと向かった。新しい家族の一員「金時」と出会うために。

沢山の犬猫を保護しているシェルターは自然豊かな場所にある。広い土地が必要だからだろう。何度も電車を乗り継いで現地へ。そこに運命の仔犬がいた。捨てられていた四兄弟の一匹。

「この子が金時だ！」

一目でそう思った。

ネットであらかじめ見ていた画像は顔のアップ一枚きり。全貌《ぜんぼう》は実物を見るまで判らなかったのだが、まさかこんな変わった柄だとは。

同じ日に子ども連れのご家族が犬を見に来ていた。会話から察するに、初めて飼う

犬を探しに来たようだ。四兄弟を気にしている。勝手に金時を運命の犬と思い込んだ私は、

「あのご家族が金時を気に入ったらどうしよう。話し合い？　じゃんけん？　私、じゃんけん超弱いのに」

そう思いながら金時をぎゅっと抱きしめていたのだが、どうやら別の仔犬に決めた様子。半泣きで胸を撫《な》で下ろす。

そのときの緊迫感を後日探偵に伝えたら大笑いされた。

「こんな見た目がユニークな犬に一目惚れする人は、そうそういないって」

そういうもの？

というわけで無事に金時は我が家が引き取ることになった。ワクチン接種の関係上、すぐに連れて帰れなかったのは大誤算。九日まで待たねばならなかったのだ。待つ数日間の長かったこと。でも「金時がもうすぐやって来る」という事実は、かののことで折れそうになる気持ちを支えてくれた。

さて、金時がやって来てからの探偵は立派な「イクメン」と化した。直に地面を歩かせてはいけない時期なので、トートバッグに金時を入れ首から下げて散歩する。私はくりを連れて隣を歩く（逆のこともあり）。私が不在のとき探偵は、首にトートバッグ金時、手にくりを繋いだリードを持って散歩だ。子連れ狼《おおかみ》のような風情《ふぜい》で笑ってしまう。

しつけだって一所懸命やる。

「もうお座り覚えたよ！　こいつ賢いなあ」

ひたすら褒めちぎるさまは親ばかの極みだ。しかしである。相手は生まれて数ヵ月のいたいけな仔犬。そう上手く事が運び続

けるわけがない。

我が家の犬は代々とても大人《おとな》しい。最初の犬こたは成犬を引き取ったこともあり、はなから手がかからずクール。物事全てを達観しているような犬だった。友人いわく、

「インドの修行僧のような犬だね」

そして、姉弟犬のかの子とくり丸。かのは大変センシティブ。教室の片隅で一人読書をしている文学少女のイメージだ。ただし不思議ちゃんでもあったので、好きなジャンルはホラーかミステリであろう。くりは気弱な弟タイプ。甘えん坊で平和主義。一時期は二十キロもあったのに、チワワにすら負ける。当然かのには一度も喧嘩《けんか》で勝てたことはない。いわゆる草食系男子だ。

そんな三匹と暮らした我々なので、金時が一日で犬おもちゃを破壊したときは心底驚いた。くりかのが十一年かけて、壊さず大事に遊んでいたおもちゃ。二人で声を揃えて叫んだ。

「ついに我が家に犬らしい犬が！」

犬らしい犬である金時は実にパワフル。人間がおもちゃを投げて、それを犬が取りに行く遊びがある。かのが全く興味を示さなかった遊び。

「かのに比べて、くりはおもちゃが好きだねえ」

探偵とよく言い合っていたものだが、それが大間違いであることに、金時の登場でやっと気が付いた。くりは五回程度のやりとりで気が済むのに対し、金時はエンドレスで遊びたがるのだ。

夜鳴きは当然あったが、やがておさまりホッとしたのもつかの間、大問題が勃発《ぼっぱつ》し

た。

　犬は群れで暮らす動物なので、リーダーに従うことで知られている。金時はすぐに探偵がこの群れのリーダーであると理解した。そこまでは完璧。

　ところが、リーダーを信頼するあまり、不安鳴きが始まってしまったのだ。探偵が二階に上がる。不安で鳴く。探偵が庭の水まきをする。不安で鳴く。探偵がトイレに行く。不安で鳴く。

「トイレは行かせてくれよ〜！」

　夜中のトイレ時に鳴かれると、ご近所の皆さんに土下座したくなる。寝ると天使なのに、寝ないときは悪魔だ。先住犬のくりが天才に思えてくる。

「どっちが可愛いって？　寝ているほう」

　これは人間の子どもにもあてはまる答えだろう。

　犬の場合しつけ方法は色々あるが、一番ポピュラーなのが「無視」だ。鳴いているときは目線を合わせず、近づかない。鳴きやんだら側に行き「いい子だね」と褒める。犬は黙ればいいことがあると学習する。この方法で今までの犬たちをしつけてきた。金時にも当然やる。全然鳴きやまない。なんと言うか、根性が違う。これが犬らしい犬か。

　それでも毎日コツコツとしつけていたら、変化が見られるようになってきた。大声から小声に。小鳥のようなかぼそさできゅうんきゅうんと鳴く。

「あと一息！」

　探偵と喜び合い、買い出しに出ることにする。ほんの短い留守番もしつけのうちだ。

犬用サークルの中から不安そうにこちらを見る金時と、ソファでくつろぐくりを残し、しばしお出かけ。

十分後。帰宅した我々の目前に頭を抱える光景が展開していた。大きいほうをサークル内のトイレスペースでした金時。ところが、まだまだ仔犬。それを踏んづけながら歩き回っていたらしく、サークル全体が汚れまくりだ。くりはトラブルを察したのか、すでに二階に避難していた。

懲りた我々はより金時に気を配るようになった。そこで法則を発見。金時は「探偵がいなくなると、大きいほうをする」のだ。例えば食後三十分間見張っていても絶対しない。探偵が一瞬目を離す。している……というパターン。その素早さときたら魔法レベル。済ませた直後でも、三秒見ていないとしている。あまりの自由自在ぶりに驚く。

「やっと判った！　これは俺へのアピールだよ。片付けに飛んで来てくれると思ってるんだ」

探偵の推理は大当たりに思う。だって、側にいれば全然しないのだから。今日も攻防戦は続く。探偵に新しい夢も出来たようだ。

「こいつ活発だからさ、いつか一緒にマラソン大会に出たいな」

いい夢だと思う。明智小五郎《あけちこごろう》と小林《こばやし》少年のようなナイスコンビになって欲しいけれど、顔が黒い金時はさながら二十面相かな。ということは永遠のライバル？　額の三日月のせいで旗本退屈男《はたもとたいくつおとこ》の別名がぴったりすぎる金時だけどね。

boatjapan
まかふしぎなこ

本格力
Hon Kaku Ryoku
Mystery book guide of the bookshelf detective
第16回

◉エンピツでなぞる美しいミステリ◉

エラリイは落した煙草を拾おうとしてかがみながら、彼女のくるぶしをきゆっとつねった。

エラリイ・クイーン
青田勝＝訳
『ダブル・ダブル』（ハヤカワ・ミステリ文庫）

かつて推理マシンのようだったエラリイ・クイーンは、ライツヴィルという地方都市を知ってから、ずいぶん人間臭くなっていった。事件解決にあたり苦悩する様を見せたり、真相は自分の胸に秘め、あえてそれを発表することをしない、などというのは、国名シリーズの頃には見られなかった姿である。

　もちろんそれがいけないと言いたいわけではない。良いと言いたいのでもない。「作品が面白ければ、どっちでもいい」というのが、ただのミステリファンである僕の気持ちだ。

　さて、人間臭くなったエラリイの日常生活はどうなったか？

　恋なんぞをしたりするのである。ときには捜査のことなど完全に忘れて、デートなんかに出かけたりするのである。食事に行ったり、ドライブしたり、川で水遊びをしたり、ドキドキしながらホテルに部屋をとったり。まるで忘れていた青春を取り戻すかのような勢いなのである。

　でも大丈夫。腐っても〈(元)推理マシン〉。ハードボイルドの探偵や００７なんかと違って、一線を越えることはけっしてないからね。

　もちろんそれがいけないと言ってるのではない。良いと言ってるのでもない。作品が面白ければ、エラリイは何をやったっていいのである。だって前作の『十日間の不思議』では、ちょっと倫理に反することまでしちゃってるもんね。

　さて、春の虫が目覚めちゃったエラリイはすごい。いきなり友人の若い義母に恋しちゃうからね。そして今回の『ダブル・ダブル』で好きになるのは、野に育ち、裸足が似合う、元気で無邪気な少女なのである。美しい人妻に魅《ひ》かれて、いかにも童貞っぽい（知らんけど）ところを見せたエラリイだが、次の相手が野生少女というのは、いきなりのおっさん趣味である。

もちろんそれがいけないワケではうんぬん、と三たび繰り返す。作品が面白ければうんぬんと、それも三度繰り返す。

問題は……彼が脚フェチだったということだ。

同じ趣味を持つ者として、そこだけは見過ごすことができなかった。というワケで、前に挙げた文章がそれである。

ここだけならばそうとは言えない。かがんだときに、目の前にたまたまそれがあった、と考えられるから。

でもこれより前に、気になるシーンがあるのだ。少女がエラリイから買ってもらったスカートを彼の前で穿いてみせたときに、自分の脚を見つめるエラリイに気がつき、彼女が問いつめるという場面が。

そこが長いのである。「あたしの脚」「きみの脚」「あたしの脚」と、一ページ以上にわたって、その単語が繰り返されるのである。それがあった上でのくるぶしつねりなのである。それをするために、ワザとタバコを落としたのは一目瞭然である。

くるぶしに触るシーンはのちにも出てくる。そしてこのときは彼女が寝てるのをいいことに、その手はずっと置いたままなのだ。

くるぶしつねりの半ページあとには別の人物によるフェチセリフもあった。そして気がついた。脚フェチなのはエラリイではなく、作者のクイーンだったということに。

かかなかったの
かけなかったの
ダイイング
メッセージ
なんだな

みすき

◉　勝　手　に　挿　絵　◉

ストーリー

田んぼの中を横切る線路。その踏切を通りがかった一人の巡査は、
喪服のような黒いスーツを着た男を見かける。その足元には白菊の花束。
やがて男はかつてこの踏切で列車に撥ねられて死んだ
一人の少年のことを話し出した。
その事故を目撃していた者はいなかったはず。
すべての発端となったはずの万年筆は、はたしてどこに消えたのか？

江島伸吾「巡査と踏切」昭和六十四年作品
『鮎川哲也と13の殺人列車』（立風ノベルス）所収

坂東善博士

H-1グランプリ
本当にお薦めしたい古典を選べ！

りっちゃん

第十六試合

◉ミステリ・ボックス◉

「儂は坂東善博士。長年にわたって本格ミステリについて研究している」

「私はりこ。ごく普通の女子高生よ」

「その二人が、〈現代でも通用する古典本格ミステリとはなんぞや〉をテーマに、議論を戦わせるこのコーナー。さて、第十六試合は、現代教養文庫の『ミステリ・ボックス』じゃ」

「現代教養文庫って初めてね」

「そうじゃな。出版社は社会思想社《しゃかいしそうしゃ》。その名からも判るとおり、元々は人文科学や自然科学の本を出しているところじゃ」

「そこがミステリを？　どうして？」

「それは知らん。商売になると思ったのか、ミステリ好きな編集者が一人いたのか、或いはある日社長の枕元に亡くなった先代が立って『ミステリを出せ〜』と言ったのかもな。とにかく、そこがミステリをいくつか出した。まずは’70年代に『異色作家傑作選』という日本人作家のシリーズを。そして’90年代になってから出したのが、今回取り上げる『ミステリ・ボックス』という名の叢書じゃ。全部で四十九冊ある」

「四十九冊？　中途半端な数ね」

「喜国雅彦の『日本一の男の魂』（ヤングサンデーコミックス）は十九冊じゃ」

「どうでもいいわよ、関係ない漫画の話は」

「ミステリ・ボックスが半端な数なのは、会社が経営不振により事業停止してしまったせいじゃな」

「事業停止、そんなとこの本を取り上げるの？」

「そらそうじゃ、作品に罪はない。この出版社はなくなったが、他の出版社から出し直されている作品も多い。つまり、作品を選ぶ目は間違ってなかったと」

「判ったわ。で今回そこから、えーと……五冊選んだのね」

「ミステリ・ボックス最大のヒットは『修道士カドフェル』というシリーズ。これが四十九冊のうち、二十一冊もある」

「半分近くね。あれ、でも選んだのは一冊なの？」

「これが問題での。このシリーズはどれもすごく面白いのじゃが、問題が二つある」

「一つは？」

「厳密に言うと本格でない。本格テイストも含む歴史ミステリじゃ」

「え⁉　だったらダメじゃん」

「でもこれを読まずにいるのは人生の損だ

と思う。だから、そこを理解した上で、りっちゃんにはぜひ読んでもらいたかったのじゃ」

「ふーん、本格好きの博士がそこまで言うんだからよっぽどね。で、二つ目の問題は？」

「古典……じゃない」

「ええーっ、そっちの方が問題じゃないの。本格かどうかは人それぞれだけど、年代は絶対的なものでしょ」

「そこを判った上で言っておる。それでも読んで欲しいのじゃ」

「判ったわよ。しょーがないわね。で次は？」

「ミステリ・ボックスで一番多いのは『カドフェル』じゃが、次に多いのがD・M・ディヴァインという人。この人の作品が四作。こちらはカドフェルと違い本格なので二冊を選んだ」

「ジョン・ハーヴェイという人も四作あるけど？」

「それらは警察小説じゃ。しかも年代が新しいから論外じゃ」

「カドフェルで例外を認めさせた舌の根も乾かないうちに」

「舌の根って、女子高生が使う言い回しじゃないぞ」

「しかたないでしょ。古い本ばっかり読んでたら、こんなことにもなるわよ」

「で、次はステーマンの『ウェンズ氏の切り札』」

「ステーマンて、これまでにも何冊か読んだわよね」

「『六死人』『マネキン人形殺害事件』『殺

人者は21番地に住む』の三冊。『六死人』が優勝しておるな」

「三冊の感想は一勝、一敗、一引き分け、てとこかしらね」

「確率五割なら、読んでみたいと思うじゃろ？　最後がマイクル・イネスの『ある詩人への挽歌』。選んだ理由は、江戸川乱歩《えどがわらんぽ》が選んだ世界第五位だからじゃ」

「確か第一試合って、そういう括りだったよね。博士って『乱歩選』て言葉に弱いよね」

「惚れた弱みじゃ。どうしようもない。ということで、以上五冊よろしくじゃ」

あらすじ紹介（**読了順**）

エリス・ピーターズ『死体が多すぎる』大出健《おおいでけん》訳　○王の死後、継承権を巡る内乱に揺れるイングランド。修道士カドフェルの勤めるシュルーズベリ修道院も占拠され、九十四人の捕虜が処刑された。だが死体の数は九十五。一つ多い死体は誰なのか？　そして何のために殺されたのか？　戦《いくさ》の中、カドフェルは物言わぬ死人のために、静かに捜査を開始する。

D・M・ディヴァイン『兄の殺人者』野中千恵子《のなかちえこ》訳　○霧の夜、兄に電話で呼び出されたサイモン。だが彼が事務所についてみると兄は射殺されていた。その夜は霧のせいで時間感覚は狂い、様々な人間のアリバイが不確かになっていた。警察の捜査に納得出来ないサイモンは調査を始めるのだが、やがて兄の秘密を知ることになる。

D・M・ディヴァイン『五番目のコード』野中千恵子訳　○帰宅途中の女性教師が何

者かに襲われる。幸いにも彼女は命をとりとめるのだが、以後事件は続発する。現場に残されたカードは何を意味するのか？　事件を調べる新聞記者ビールドだが、次第に犯人の手中に落ちようとしていた。

S・A・ステーマン『ウェンズ氏の切り札』松村喜雄・藤田真利子《ふじたまりこ》共訳　○暗黒街の住人である弟フレディを更生させようと、兄のマルタンは夜の街で彼を捜す。だが彼の願いもむなしく、フレディは悪事を重ね、ついには殺人事件の容疑者になってしまう。事件解決の依頼を受けた弁護士ウェンズが最後に手に入れた〈切り札〉とは⁉

マイクル・イネス『ある詩人への挽歌』桐《きり》藤《とう》ゆき子訳　○雪に埋もれたスコットランドの小さな村。村人たちから〈奇人〉と呼ばれていたガスリーは、ある夜、城壁から墜落死した。相続者である少女、彼女の恋人、道に迷って辿りついた同じ姓を持つ客人。はたして彼らの中に犯人はいるのか？　中世英詩の華とよばれたウィリアム・ダンバーの詩「詩人たちへの挽歌」が今夜もまた、静かに流れる。

「まず最初は『死体が多すぎる』ね。博士が熱心に薦めた意味が判ったわ。すごく面白かった」

「じゃろ？」

「何なのこれ？　面白さから言えば、これまで読んだ作品の中でもかなり上位にくると思う」

「じゃろじゃろ」

「確かに本格とは言えないかもしれないけれど、死体を見てカドフェルがいろいろ推理するところはゾクゾクしたわ。かなり細かく言うんだけど、自分の専門知識を使った推理だから、嘘臭くないのよね」

「じゃろじゃろじゃろ」

「まず謎が魅力的よね。戦争で九十四人も処刑されて、今更一つぐらい死体が多くても気にならなそうだけど、登場人物たちの誰もが、戦と殺人を区別しているのがいいのよ」

「一つ多い死体の謎を解く、というメインストーリーと同時進行で、いくつものサブストーリーが絡み合う構成もいい」

「で、何と言っても登場人物たちよね。全員いいのよ。主人公、脇役、ヒーロー、ヒロイン、悪役、ちょい役、その誰もが共感出来る言動をしてくれる」

「死体でさえもきちんと死んでいる」

「何回か前にカーの歴史ミステリを読んだところだったから、尚更《なおさら》それを感じたわ」

「そうじゃな、あれらの作品には、主人公に納得できないところが確かにいくつかあった」

「トリックはいくら捻《ひね》ってもいいけれど、キャラは芯を通しておいて欲しいわよね」

「そう、悪役は悪役なりの、異常なヤツは異常なヤツなりのな」

「悪役だって、ときには一匹の虫を助けることがあるよね。逆に、悪役だから虫にさえも容赦ないときもある。それはどっちでもいいのよ。上手な人が描けばどっちも納得出来るし、下手な人が描くとどっちもおかしく感じる」

「エリス・ピーターズの文章が上手いなあと思うのは、地の文では〈美人〉とかって表現をしないんじゃ。それを書く必要があるときは誰かのセリフで言わせる」

「なるほどそこには気づかなかった。でもそうだと書いてなくても、愛すべきキャラばかりだから、女性は全員美人、男はすべて男前だと思って読んでしまう」

「嬉しいぞ。すっかり参ってくれて」

「でもいいの？　本格的な評価はほとんどしてないんだけど」

「これに関しては大丈夫。勝ち抜きは別にして、知っておいてもらいたかっただけじゃ。本格だけでもつまらない。こういうのがあるから、本格もまた活きる」

「でねえ、これがあまりにも面白かったので、もう一冊カドフェルを読んでみたの」

「え、本当にか？」

「そう『氷のなかの処女』って作品をね。それも面白かった」

「どうして、それを選んだんじゃ？」

「ネットでファンのサイトとかを参考にしてね。嬉しかったのは『死体が……』の重要人物が、再度登場してくれたこと。そしてカドフェルの、とある秘密が明らかになるところ」

「儂もあまり読んでいないが、このシリーズの愉《たの》しみはそこにもあるらしい。ということで、そろそろ次にいこうか」

「じゃ、ディヴァインの『兄の殺人者』ね。最初の感想。とにかく本格だったなあと」

「どういう意味で？」

「一つの事件をああだこうだする。あの人の言ってることは本当なのか嘘なのか？　何かを隠しているのは間違いない。こういう可能性もあるけれど証拠はないし……という感じ」

「はは、本格の悪いところを取り出したみたいな言い方じゃ」

「だって、まず殺されたお兄さんに同情できない。それを捜査する弟の気持ちもよく判らない。本格だから犯人を捜さなきゃって感じなのよ。でもさっきの『氷のなかの処女』なんか、死体の描写を見ただけで、絶対にこの人を殺した犯人を捕まえてやりたいと思ったもの。やはり、そこの違いは大きいわよ」

「もっとゲーム仕立てなら、気持ちはあとでもいいと思う。じゃが、この作品はそっちでもない。ゲームならもっと派手にしなければいけないし、明らかに人間の内面を描こうとしている」

「そういう意味ではもう一冊の『五番目のコード』はゲームよね。事件も連続しておこるし、現場にはカードが残されているし。サービス精神もあって、こっちは面白かった。ただ……」

「主人公の性格じゃな？」

「何よあれ。怒りっぽい。女にだらしない。何かというと酒を飲む。かつてのライバルに対する態度だって……」

「リアルな人間を描こうとしたのかもな。でもおかげで効果は半減じゃな、主人公がヤバい立場になっていくときの。ああいう展開になるなら、もっと純なキャラでないとな」

「ミッシングリンクはよくできていると思う。今までに言ったかもしれないけれど、ミッシングリンク物って、絶対に読者は勝てないようになっている。でも、この作品のそれは、ちょっと意味が違うのよね」

「おお、よくそこに気がついた。そう、視点を変えれば読者にも見えるようになっているのじゃな」

「犯人の隠し方に関してもそうよね。ある点に気がつけば判る。でもよくできた本格というのはそういうものだと思うのよ。方程式じゃないんだから、ああなってこうなって、だからこうなってと説明されるより、解けるときにはバババッと解けていいと思う」

「章の変わり目に〈殺人者の告白〉という手記が挟み込まれているがあれも上手い。本格の表現形態の一つと思わせつつ……」

「上手いよねえ。だからこそ主人公が残念なんだけど、書かれた年（'67年）を考えればすごいのかな」

「確かにな。ある意味、時代の先取り……かもしれん」

「犯人像もよね。今ならしっくりくる。手記の部分も含めて、色々先を行ってたのかもしれないね」

「では次は『ウェンズ氏の切り札』」

「中編だったのね。同時収録は『ゼロ』という作品。ついでだからそっちも読んだけど、両方とも中途半端だった」

「『ゼロ』は今回は置いておこう。語るのは『ウェンズ氏～』の方じゃ。〈中途半端〉というのは判る。書き方のスタイルについてじゃな」

「そう。ハードボイルドみたいな始まり方でさ、ああ、これってこっちの作品なんだと、適当に流して読んでいたら、ちゃんと本格的なネタがあったと。それならそういう書き方をしてくれてないと、驚けるものも驚けないよね」

「ネタがあるから、ここで取り上げたんじゃが……」

「その可能性も感じたけど、あまりにも話が進むしさ。ずっとステーマンらしくないなあ——たった三冊しか読んでいないけれど——と、思いながら読んでた」

「最初からそういう書き方をしたら、あからさまだったかもしれない。考えたあげくの方法だったんじゃろう」

「こういう作品の愉しみはもう一度読むこと。そういう意味では中編だと手軽でいいよね」

「なるほど、そこには気がつかなかった」

「さて最後の『ある詩人への挽歌』。博士の好きな乱歩が選んだ、世界第五位」

「乱歩は順位づけが好きで、何度もこの手のベスト10を選んでいるから、もはや何がどうなのか判らない。大いに持ち上げておきながら、数年後には『そうでもなかった』と言ってみたりな。この作品だって解説にあるとおり〈最初の三分の一ほどはスコットランド方言で書かれているので、特別の辞書を持たない私には、ほとんど理解できなかった〉なんて言っておきながら選んでいるんだからすごい」

「でも博士は気になるんだよね」

「あばたもなんとかじゃ。で、どうだった?」

「日本語で書かれていたけれど、最初の三分の一ほどは、ほとんど理解できなかった……」

「わははははは。マイクル・イネスは読み辛いことで有名だったりするからな。以前『ストップ・プレス』という作品を読んだのじゃが、もう何が何やらさっぱり判らなくて、途中で放り出したことがあるぐらいじゃ」

「なのに、読ませるなんて……」

「乱歩が選んだから……」

「この作品は章ごとに書き手が替わるんだけれど、問題は第一章ね」

「靴直しの職人が書いた、という体《てい》をとっている」

「だけど、それが上手くてね。本当に靴直しの職人が書いたような文章だから、って本物の靴職人さんが書いた小説なんて読んだことないけれど、もうさっぱり判らない」

「第二章は城にいる若者が、恋人に送った手紙じゃが……」

「長過ぎるよね。便せんに直したら、一体何枚になるのよ。もしも私の彼が、クリスマスにあんな長い手紙書いてきたら、一発でお別れするけどね。しかも出会った女のことを嬉しそうに書いてるし」

「今日こんなことがあった、という内容だけれど、とても〈今日中〉には書けない分量。書き終わる頃には事件は解決してるぞと」

「確かにね。それでも博士はこれが好きなのね？　乱歩が選んだからって」

「今回読んでみて判ったんじゃ。ミステリとして読まなければいいんじゃないかと」

「本格として読まないんじゃなくて、ミステリとして読まない!!」

「幻想小説として読むんじゃ。荒涼たるスコットランドの風景。雪に閉ざされた城。

徘徊《はいかい》する狂人。鼠《ねずみ》につけられた手紙。何かを知ってそうな使用人。おりにつけ繰り返される意味ありげな詩。やがておこる不可解な事件……。どうじゃ、雰囲気たっぷりではないか」

「確かにね、あの雰囲気だからこそ、あの驚きの真相とのバランスが取れるのかも」

「じゃろ。あの真相は日常には絶対に合わない」

「というところで、今回は以上。ところで、最後に訊いていい？」

「何をじゃ」

「ミステリ・ボックスといいながら、なぜかディヴァインの二冊は創元推理文庫なんだけど……」

「見つからなかったんじゃ、教養文庫版が。どこにしまったかさっぱり見つからない。でも大丈夫、翻訳者も同じテキストだから、何の問題もない。以上」

「毎日本を並び替えているから、そういうことになるのよ。いい加減置き場を固定したら？」

「それだけはイヤじゃ。本の並び替えは、ある意味、本を読むより愉しいからな」

◉第十六試合出場作品とりっちゃんの評価

ピーターズ	『死体が多すぎる』	面白さは◎だけれど、条件が違うので	○
ディヴァイン	『兄の殺人者』	被害者のキャラは大切	×
〃	『五番目のコード』	あらゆる点で、古さを全く感じない	◎
ステーマン	『ウェンズ氏の切り札』	やはりステーマンはパズル作家だ	△
イネス	『ある詩人への挽歌』	次回は博士の読み方で試したい	△

◉優勝

『五番目のコード』

国樹由香の

本棚探偵の日常

◎第16回◎

もう十一月だと思うと俄然焦る今日この頃。気候のおかしさのせいか庭の楓《かえで》は青々としていて、紅葉の気配すらない。時の流れが摑めない中、確実に成長している生き物が一匹。ニューフェイスの雑種犬「金《きん》時《とき》」である。金時が我が家の一員になって五ヵ月が過ぎた。ずいぶん人間語を理解してくれるようになり、探偵と私と犬二匹で楽しく平和な毎日を過ごしている。

　と、言い切れたらどんなにいいか。実際は喜びと苦悩が半々の日々だ。あるときは「うちの犬、天才だ」と思い、あるときは「宇宙一のおバカかも」と思う。

想像よりずいぶん大きめに育った金時は、すでに成犬のように見える。先住犬くり丸を圧倒する勢いだ。ところが中身は未だ仔《こ》犬《いぬ》の部分が色濃い。

　金時は我が家に来て間もなく難治性の皮膚炎を患《わずら》ってしまった。母犬からの感染が濃厚だが、氏素性の判らぬ捨て犬ゆえはっきりした原因は謎のまま。とにかくその皮膚炎のせいで、金時は長い長いエリザベスカラー生活を送ることとなる（エリザベス朝時代の衣服に使用された豪華な襟風《えりふう》のアレ。パラボラアンテナ風でもある）。

いたいけな仔犬が大きなカラーを付けて不自由そうに過ごしているのは見ているほうも辛かった。でも犬は最初のしつけが肝心だ。平常心でしつけに励むことを誓い合う探偵と私。本棚探偵にあらず、「イクメン探偵の日常」だ。

　ところが、それだけ気を引き締めたにもかかわらず、明らかに失敗したしつけがある。トイレだ。最重要なのに！

　ご存知の方も多いと思うが、仔犬は予防接種を済ませてからでないと直に地面を歩かせることは出来ない。感染症にかかる危険性があるからだ。金時は皮膚炎治療の注射を優先したので、予防接種が先延ばしになった。そのせいで地面に降ろせず、長いこと抱っこ散歩をする羽目に。そんな数ヵ月を過ごした結果、ペットサークルの中に置いた犬用トイレでしか用が足せない犬に育ってしまったのである。

　え？　それはいいことじゃないのかって？

　確かにマナー的には完璧だ。ご近所付き合いを考えても、絶対にいい。しかし、自宅の庭でさえしてくれないというのはいかがなものか。体が大きくなったぶん排泄《はいせつ》量《りょう》も増え、ペットシーツが飛ぶように減っていく。周りに飛び散る。ああ、小型犬ならどんなにか。探偵と交代で丸一日トイレ周辺に気を配る状況だ。庭に犬用トイレを置いてみても駄目。「ペットサークルの中で」というのが金時にとっては重要らしい。

　困る。非常に困る。探偵は運転が大好きだ。犬を車に乗せて旅行にだって行く。トイレが外で出来なかったら遠出が不可能になってしまう。ペットサークルをいっそ車に?

それこそ無理だ。我が家のサークルはかなり大きい。探偵と私が体育座りをすれば金時と一緒に入っていられるほどのサークルを、分解して車に載せトイレの度《たび》に組み立てて?

現実的じゃなさすぎる。

善悪が微妙なトイレ問題の他にもうひとつ。金時がくりに飛びかかるのをやめさせたいというのがある。金時はハイパーな子どもだが、くりは十二歳。人間年齢だと立派に老人だ。

「くりはお兄ちゃんだけど、おじいちゃんなんだから、激しい遊び禁止!」

注意も大変ややこしい。私は探偵に提案した。

「しつけの先生に来てもらおう!」

思い起こせば十二年前。先住犬くり丸とかの子の仔犬時代にも訪問しつけをお願いしたのだ。仔犬二匹をいっぺんにしつける方法がどうしても判らなくて。

当時の先生は「怒らないしつけ」を推奨しているかただった。我々もそこが気に入ってお願いし、無事にくりかのはいい子に育った。

「自分たち、結構しつけの才能あるんじゃゃ」と、有頂天になるほどに。

しかし、自信はもろくも崩れ去る。金時にはくりかので学んだノウハウがほとんど通用しないのだ。たぶん「犬らしい犬」だからだと思う。怒らないしつけの場合、悪いことをしたら声を荒らげず「イケナイ」

と注意する。やめたら「いい子だね」と褒める。これをひたすら繰り返すのだが、金時は優しく注意するくらいでは全くこたえない。くりかのはたいそうデリケートな性格で、すぐ反省したのに。当時の先生に相談したかったが、関東から関西へ引っ越されてしまった。新しい先生を捜さなくては。

そして数週間後。我が家に新しい先生がやって来た。若くて小柄な可愛らしい女性。とても優しそうだ。私は悩み事を一気にまくしたてた。

「なるほど。判りました。それでは普段のように金時ちゃんに接していただけますか。私は横で見ていますので」

探偵のコマンドでお座りののち、伏せ。その次に待て。次々と無難にこなすが、興奮してくるとごまかそうとする。遊びに気を取られるのか集中力が続かない。

「普段はもっと出来るんですけど」

焦る探偵。動物と子どもはそういうものだ。

「父親に甘える子どもみたいなものでしょうか」

質問する私。先生の答えは衝撃的なものだった。

「いいえ。金時ちゃんはお父さんではなく〝おじいさん〟だと思って甘えていますね。つまり、孫気分です」

お・じ・い・さ・ん！

探偵が⁉　そりゃ年齢的にはビンゴだけど！　くりと同じくふびん！

「怒っているようでいて本気で怒っていないことを見抜かれています。おじいさんは結局孫に甘いですから」

じゃあ私はおばあさんと思われているのかどうかは、恐ろしすぎて聞けなかった。

「基本的なことは出来ているので、まずは確実性を高めましょう」

先生は音のサインとご褒美フードを使ってのしつけを教えてくださる。素直に従う金時。大げさなくらい褒めちぎる。いい感じだ。訪問しつけは全部で七回。教わったことは毎日自主トレし、一週間後先生に見ていただく。

三回まで順調にステップアップしたものの、四回目に問題が勃発した。金時が突然、大人しく側で様子をうかがっていたくりに飛びかかったのだ。じゃれているだけだが、くりは嫌がっている。こういうとき先輩犬は教育的指導として後輩犬を嚙《か》んででもルールを教えるものだが、優しいくりは絶対にやらない。我々の制止を無視してはしゃぐ金時を見て、先生は言った。

「ちょっと厳しくしてもいいですか」

ここまでの先生はずっと優しかった。厳しくってどんな？　探偵と顔を見合わせる。

「例のトイレしつけもこれからですし、いけないことはいけないと本気で判らせておこうと思います」

そういうことならとうなずく我々。

「では、机上の割れ物はどかしてください。椅子《いす》なども端《はし》に寄せて。逃げようとしてめちゃくちゃに暴れ出しますから。くりちゃんは一番離れたお部屋に連れて行ってください」

段々怖くなってくる。先生、一体何をしようとしているんですかっ。

「お二人は私から離れて。金時ちゃんを私のほうに。これは私が用意した空《から》のスチール缶。中には小石を数個入れました。では今からトラウマを与えます」

そう言った途端先生は手に持っていたスチール缶を金時の耳元で激しく振った。ものすごい音。ほんの数個の小石でこんなに？

金時は大パニック。激しく動いて逃亡しようとするも、先生にがっしり首輪を摑まれていて動けない。叩《たた》かれたわけではないし、音を聞かされたのはほんの数秒のことなのに。

「外国のアニメで足を回転させて走る表現あるけど、あれくらい足回ってた」

と探偵。先生の横で呆然《ぼうぜん》とした表情のましっぽを完全に下げている金時。我々も呆然。

「心のケアが大事なので、よく我慢したねと褒めちぎってください」

この日をきっかけに金時は劇的に変わった。言葉で注意しても聞かなかったとき、スチール缶を掲げる。振らないで、見せるだけだ。途端に大人しくなる金時。くりにのしかかろうとしていてもピタリとやめて、神妙な顔でお座りをする。しかも、缶を見せれば庭でトイレをするようにもなった。

「時計じかけのオレンジだよな〜」

うん、私もそう思ったよ。トラウマってなんて怖いんだろうって。でも、昨日はついに金時がレベルアップする音が聞こえたよね。RPGでおなじみのあの音が本当に。だって缶を全然使わなかったもの。どんでん返し無しの時計じかけのオレンジであることを祈ろう。

理解力が高まったついでに、金時の大勘違いである「おじいさん問題」も解決していますよう。

トラウマ。
スヤスヤ
いい子に眠ってるー
あっ
カターーン
ガララ
例の。
コロロ…

二階堂黎人『カーの復讐』講談社文庫
装画 アイデアラフ

本格力

Hon Kaku Ryoku

Mystery book guide
of the bookshelf detective

第17回

いちばんたいくつ
なところに
伏線がある
人生も同じ
なんだなあ

みすき

◉　勝　手　に　挿　絵　◉

ストーリー

家々が眠りにつく深夜、静寂を引き裂いて奇怪な叫び声が谺《こだま》する。
とある学生が窓を開けて覗いてみると、顔と腕を青白く光らせた怪物が、
ゼンマイ仕掛けのロボットのように歩いていた。
くしくもその夜、二つの死体が発見される。怪物の正体ははたして!?

津島誠司「叫ぶ夜光怪人」平成四年作品
『A先生の名推理』(講談社ノベルス)所収

COLEBOURN SERVED IN FRANCE,
CARE OF THE LONDON ZOO. IN 1919, HE
WHERE SHE WAS VISITED AND
THE AUTHOR A. A. MILNE AND
IN 1926, A. A. MILNE
WINNIE-THE-POOH, NAMED
BEAR TO CHRISTOPHER
POSTERITY. WINNIE DIED AT
12, 1934.
カナダ、ウィニペグ、Assiniboine Parkにて

◉ ミステリのある風景 ◉

坂東善博士

H-1グランプリ

本当にお薦めしたい古典を選べ！

りっちゃん

第十七試合

◉アルセーヌ・ルパン◉

「儂は坂東善博士。長年にわたって本格ミステリについて研究している」

「私はりこ。ごく普通の女子高生よ」

「その二人が、〈現代でも通用する古典本格ミステリとはなんぞや〉をテーマに、議論を戦わせるこのコーナー。さて、第十七試合は、アルセーヌ・ルパンじゃ」

「ルパン三世じゃないのよね」

「近頃はまずそれを断らなきゃいけないのが面倒じゃな。こっちのルパンは、一九〇五年にフランスの作家モーリス・ルブランの手によって生み出された怪盗じゃ」

「映画とかにもなってるよね」

「二〇〇四年に、ルパン生誕百年を記念して作られたヨーロッパ映画の大作じゃな」

「違うわ。去年作られた日本映画よ」

「えっ、知らんぞ、そんなの。ちょっと待ってろ、調べてみる。うわっ、本当にあった。『ルパンの奇巌城《きがんじょう》』。出演、山寺宏一《やまでらこういち》、ウド鈴木《すずき》。原作、モーリス・ルブラン、何じゃこりゃ、知らん、知らんぞっ！　まさか、りっちゃん、これを観たとか言うんじゃないだろうな」

「観てないよ。雑誌見てた友だちが『なんだ、ルパン三世の実写じゃないのか』って言ってたのを聞いただけよ」

「ううむ、気になる」

「ウド鈴木が？」

「違う。出版社の動きがじゃ。普通は小説が映画になるときは、出版社もそれに合わせて原作小説の帯を作り替えたりするんじゃや。だから、このときはどうだったのだろうとな。もしタイアップ帯が存在するのなら、コレクションしないとまずいじゃないか。ああ、最近はテレビも観ないし、本はネットでポチるから、迂闊《うかつ》だったー」

「はいはい、もう判ったからね。小説の話に戻りましょ」

「簡単にあしらわれてしまった。うん、小説の話じゃ。で、今回はルパンなんだが、実は番外扱いにしようと思っていた」

「どうして？」

「ルパンものというのは、推理とか謎解きよりも冒険の要素が強くてな。Ｈ－１で論じるのはちょっと違うと思ったんじゃ。いや、本格として歴史に残る名作もたくさんある。でもそのほとんどは短編に集中してな。長編を扱うこのコーナーには合わんのじゃ」

「前にここでフレンチ・ミステリを扱った

けど、そのときに教わったよね。フランスでは怪盗にも活躍の場が与えられていることが多いって」

「おお、よく覚えていたな。まあそういうわけで、二十世紀のフランス文学で一番成功したであろうルパンシリーズは、フランスミステリの代表として本当に相応しい存在であるのじゃが……」

「本格では語れないと」

「でもミステリの歴史を語るときには絶対に外すことはできないシリーズではある。なので、りっちゃんには教養の一つとして読んでおいてもらいたかったのじゃが、今回四十年ぶりにいろいろと読み返してみたところ……」

「本格ミステリだったのね？」

「そうじゃ。記憶の中で本格だと思っていたものが、そうではなくて、印象が残っていなかったものの中にそれがあったと」

「で、それが目の前に積んであるこの六冊なのね」

「いや違う。ルパンの人となりを知ってもらうために、あえて冒険系も用意した」

「創元推理文庫と新潮文庫。どうして二つの出版社なの？」

「単行本なら偕成社ですべての作品が読めるのじゃが、権利関係で文庫は一社では揃わない。そのため本棚の並びが美しくないのが困りものでの。山寺宏一じゃない方の映画公開時にハヤカワ文庫が『全集を出す』と宣言していたようじゃが、残念にもというか、やっぱりというか、数冊で止まったままなんじゃ」

「ちょっと待って。創元推理文庫の方は

〈リュパン〉になってるわよ」
「そこが翻訳小説の面倒なところじゃ。だからといって、ここでルパンとリュパンを使い分けるのもどうかと思うしの。今回はすべてルパンで統一することにする」

あらすじ紹介（**読了順**）

『奇巌城』創元推理文庫　石川湧《いしかわゆう》訳　◯処刑された王妃マリー・アントワネットが書き残したメモをめぐるルパンと十七歳の少年探偵ボートルレの知恵比べは、英国を代表する探偵シャーロック・ホームズをも巻き込みつつ、海岸にそそりたつ古城へと辿り着く。はたしてそこには何が隠されている⁉

『８１３』『続８１３』新潮文庫　堀口大《ほりぐちだい》學《がく》訳　◯ダイヤモンド王と呼ばれる大富豪がルパンとの会見後に殺された。現場に残された〈８１３〉は何を意味するのか？　ルパンは全ヨーロッパの運命を賭けて、謎の人物〈Ｌ.Ｍ.〉と闘う！

『水晶の栓』創元推理文庫　石川湧訳　◯政界をゆるがす汚職事件の証拠を手にした代議士ドーブレックは、それを使って政界を自由に操っていた。彼の存在をにがにがしく思う政界と警察に加え、死刑宣告を受けた部下の命を救うためにその証拠探しに加わるルパンだが、怪物ドーブレックのために、何度もピンチに陥る。

『棺桶島《かんおけじま》』新潮文庫　堀口大學訳　◯〈棺桶三十島〉と呼ばれる孤島は、十字架にかけられた四人の女たち、触れると焼けただれてしまう神の石など、不気味な伝説に彩られていた。誰かに導かれるように、この島へと足を向けたベロニックがそこで目撃したのは、死んだと思っていた自分の息子が島民を虐殺する場面だった。彼女の危機を救う貴族、ドン・ルイス・ペレンナの正体は！

『虎《とら》の牙《きば》』創元推理文庫　井上勇訳　〇二億フランの遺産をめぐって起こる怪事件。予期せずその受取人に指名されたドン・ルイス・ペレンナは愛する女性を守るために闘う。密室殺人。衆人環視の中、テーブルの上にあらわれる手紙と、謎は深まる。現場に落ちていたリンゴに残された虎の牙に似た歯型は何を意味する？　闇に閉じ込められたペレンナの推理は〈そのとき〉に間に合うのか⁉

「読んだわよ。まず総評ね。博士が言ってる意味が判ったわ。ルパンにとって本格風味は、一つのパーツにすぎないってことがね。まず『奇巌城』。すごく面白かったけど、これは完全に冒険小説ね」

「初期の名作じゃ」

「ホームズが出てくるけど、これって他の人の作品でしょ。こういうのアリなの？」

「もちろんアリじゃない」

「やっぱり」

「実はこの作品以前にもルパンにホームズは登場している。短編が一つと中編が二つ」

「よっぽどお気に入りだったのね」

「というか、この時代にミステリを書く上で、ホームズは絶対に無視できない存在だったということじゃな。認めつつも負けたくないという意識が大きかったんじゃろ」

「私は本家のホームズをまだ読んでいない

けど、ここに出てくるホームズって、ちょっとひどくない？」

「ちょっとどころかひどすぎるな。見せ場はないし、引き立て役だし、最後にはあんなことしちゃうし。完全に悪意に満ちている。そりゃ原作のコナン・ドイルも怒るってもんだ」

「やっぱり怒ったんだ。そりゃそうよね」

「詳しいことは知らんが、最初の短編に登場したときに、抗議したらしい。それでルブランは以後の中編とこの作品では、シャーロックの頭文字のSをホームズの頭にずらしてハーロック・ショームズ（フランス語読みでエルロック・ショルメス）としたんじゃな」

「でも、この作品ではホームズのままだったよ。他の題名を眺めていたら『ルパン対ホームズ』なんてのもあるよ」

「その『ルパン対ホームズ』が中編二つをまとめたものじゃ。ルブラン自身が名前を変えても、外野の日本人からすれば『でも本当はホームズなんでしょ？』と思いたいし、出版社サイドからすれば商売的にもホームズの方がいいし、ということでホームズで通すことの方が多いんじゃ」

「ブログにまずいこと書いたと思ってすぐに削除しても、コピペが出回ってもう消せない、みたいなものね」

「まさにな。で、最初からホームズはルパンの相手としては考えていない、ということで登場したのが少年探偵のボートルレじゃが……」

「あのさ、この少年もどこかで読んだ覚えがあるんだけど」

「ルルーの『黄色い部屋の謎』に出てきたルールタビーユじゃな。少年記者の」

「あ、それそれ。十代のくせに大人に生意気な口をきくアイツ。完全にキャラが同じよね。警察に『事件解決に協力してくれ』と頭を下げられても『試験がありますから』とかって無下《むげ》にするとこなんかそっくり」

「『黄色い部屋〜』が書かれたのが一九〇七年、こっちはその二年後だからな。流用に間違いはないだろうな」

「でもこっちはホームズと違って、悪意はないよね」

「ホームズはイギリス人、こっちは同じフランス人だからかもしれんな」

「感想に戻るけど、この作品のルパンは主人公じゃないのね。それにビックリした」

「それがルパンシリーズの面白いところじゃ。誰にでも変装出来るキャラということもあるんじゃろうが、話によっては脇役にもなるし、善人、悪人、或いは探偵、そしてもちろん怪盗にもなる」

「H－1的には読みどころは前半よね。暗号、消えた犯人、盗まれたはずなのに何も消えていない謎。でも面白いのは後半の冒険部分かな」

「何度も言うが、これはルパンを知ってもらうために読んでもらった。本格ミステリ的には次の作品の『８１３』なんじゃが」

「ゴメン、最後まで読めなかった」

「おっと！」

「『奇巌城』に比べて、なんとも動きが少ないというか。最初の事件のところで、もう飽きちゃった」

「警察が捜査するホテルの中での連続殺人。

普通ならワクワクするところじゃが」

「というのは表向きの理由。本当はもっとささいなこと」

「ささいなこと故に許せないところじゃな」

「そう、ルパンがね、自分のことを〈わし〉って言うの。これがもう脱力で……」

「この新潮文庫が最初に出たのが昭和三十四年、その頃はこれでも良かったんじゃろうが、ルパン＝スタイリッシュというイメージが定着している今はさすがに違和感がある」

「他にも、古い表現はたくさんあるのよ。でもそういうのは気にならなかった。古典を読んでるんだなーって、気持ちよくもあった。でも、〈わし〉はダメ」

「これはファンの多くも指摘しているところじゃ。この小説内でのルパンはまだ三十代後半。そこだけでも変更するわけにはいかないのかな新潮社さん、と言いたい。そのせいで、ホラこうやって途中で投げ出した若者もいるし」

「これ以後、話はどう転がっていくの？」

「主人公とは思えない悪いことをしつつ——そこも好き嫌いが分かれるところじゃが——最後にミステリ的な驚きが待っているんじゃ。ああ、読まなかったのは惜しい。惜しいが、その気持ちは判らんでもない」

「いつか待ってれば、違う訳が出るんでしょ？　そのときでいいかな」

「ハヤカワさーん、全集をお願いしますよー!!」

「ということで『続８１３』は未読。しかたないよね」

「新潮文庫さーん!!」

「次『水晶の栓』。これは本格系よね。メインの謎は、その証拠品はどこにあるのか？　ってこと。ドーブレックの部屋の中にあるはずなのに、誰も見つけられない」

「色々な立場の人間が、それぞれの理由で探すけれど探し出せない」

「ドーブレックもそれを知っているのに、平気で外出する。留守中に見つけられるものなら見つけてみろと言わんばかりにね。そのことからも判るように、今回のルパンの敵は、とにかく堂々としているよね」

「堂々としていながら、粘着質でもあり、ねちっこくいやーな感じで脅迫する」

「あそこで読者は、脅迫される人物に同情しちゃうわよね。で、必然的に今回のルパンは正義の立場に置かれると。そしてやっと判ったの。ルパンが他の主人公と違うのがここだって」

「怪盗が善行をしてもイメージを損ねないけれど、逆はあり得ないものな。まあ、シリーズの最終回に〝敢えてやる〟場合は別にして」

「なるほど、シリーズ物にはそういう面白さもあるわけね。読んでみたいけど何がある？」

「ええと、例えば……って、言えるか！　シリーズ名を言っただけでネタバラシじゃ」

「それもそうよね。まあそれはともかく、この作品は『奇巌城』に比べると派手さが少ないんだけれど、死刑執行のタイムリミットというサスペンスがあるから、それを全く感じさせなかった」

「その辺が、デュマから続くフランス大衆文学の流れなんじゃろうな」

「というわけでこれは面白かった。ルパンのことも好きになったし。ところでクラリッスというヒロインが出てくるけど。いやヒロインというには年齢がナニだけど、まさかこれって……」

「ルパン三世とは違うぞ。あっちに出てくるクラリスは、ルパンの別の作品のヒロインから取った名前じゃ」

「そうよね。ちょっとビックリした。で次は『棺桶島』。まず前半部の虐殺シーンに驚いた。ミステリじゃなくて完全にホラー、というかスプラッタ」

「不可能を通り越して、不条理な出来事の連続。こりゃどう考えても現実的な解決は無理だぞと心配になるんだけれど、ちゃんとミステリとして着地してくれる」

「それだけに、種明かしをされてからの後ろ半分が退屈だった。真相がつまらなかったとかじゃなくて、動きがなくなっちゃったからね。ルパンもなかなか出て来ないし。ところでアレは何？　なんでルパンは違う名前になっちゃってるの？」

「それは『続813』とその次に書かれた『金三角』を読めば判ることになっている。ルパン物は作品それぞれとは別に、大河的なストーリーも持っているんじゃ」

「なるほどね。そういう意味で言えば、この作品はルパンじゃない方が良かったかもしれない」

「どうしてじゃ？」

「ルパンが出てきちゃうと安心しちゃうのよ。ああ、これでベロニックは助かるわとね。もしもこれがノンシリーズだったら、どこに転がるか判らなくて、もっとゾッとしたと思う」

「もしもそうなら、今回読ませてないけどな」

「確かに。で最後は『虎の牙』。これは面白かった、というか、本格的要素ではこれが一番よね。車や飛行機で敵を追っかけたりと冒険の要素も多いけれど、主眼はあくまでも謎解きだし」

「これが意外だったんじゃ。ルパンを読んだのは中学のときで、『奇巌城』や『水晶の栓』が面白かったのは今でも覚えていたんじゃが、この作品のことは全く記憶に残ってなかった。シリーズの後ろの方だったから、真面目に読んでなかったのかもしれない」

「この作品は脇役のキャラもいいよね。ルパンの元子分で、今は巡査部長のマズルー。子分はこれまでに何人も出てきたけど、キャラの立ち具合では間違いなく一番。だってルパンの作戦で警察に潜入しているのに、警視総監の命令の方が大切なんだからね。恋愛に悩んでいるルパンに、自分の嫁の話をして励ましたりね」

「そのルパンの恋愛には驚いたじゃろ。今回のヒロインに恋したときに、その真剣さを伝えるあまり、これまでに女を好きになったことはない、なんて驚愕《きょうがく》のセリフを吐くんじゃから」

「今回、私が読んだだけでも、真剣な恋愛が、ええと、一回……二回……。困ったものねプレイボーイは」

「というわけで、そろそろ結論じゃ」

「そうね、『813』以外は全部面白かった。ただ『奇巌城』は冒険ものとして、『棺桶島』

はホラーとしての面白さだったから、優勝は『水晶の栓』と『虎の牙』の二作ね。以上！」

「新潮さーん、ハヤカワさーん、くれぐれも『８１３』の新訳をお願いじゃー!!」

◉第十七試合出場作品とりっちゃんの評価

『奇巌城』	面白かったけれど本格ではない	○
『８１３』	どうしても〝ワシ〟が気になって	×
『続８１３』	未読	—
『水晶の栓』	連敗のルパンにハラハラ	◎
『棺桶島』	一級のホラー。後半が残念	○
『虎の牙』	本格と冒険のベストな融合	◎

◉優勝

『水晶の栓』『虎の牙』

国樹由香の
本棚探偵の日常
第17回
最近 探偵を
悩ませているのは
雑種の♂
現在 生後11カ月の
金時《きんとき》
とにかく
元気
ボール投げ
エンドレス
きゃっ
きゃっ
そして
ポジティブ
我々が
室内で
立ち話
している
だけで
モンク
面白いね―
ふたりそろってるって
ことは
ばさばさっ
おさんぽ?
おさんぽ?

脈絡なく全て自分の都合のいいように考えている
わく
わく
わく
午後の散歩今さっき行ったろ
あー犬の抜け毛ひどーい
コロロ
ぼくもぼくも
こらこら
きゃっ きゃっ
先住犬くり丸がおとなしいのをいいことに
♪
大きくなっても
♪
乗る!
俺は金時を無視するっ
犬のしつけの先生いわく
犬にはクールに接するほうがいい子になりますよ いわゆる〝ツンデレ〟です
先生の口からツンデレ!

探偵読書中
おひざのるー
無視
スッ
……
テンション上がらず
ツンデレ作戦大成功!
つんでれっておいしい?。
——のはずだった

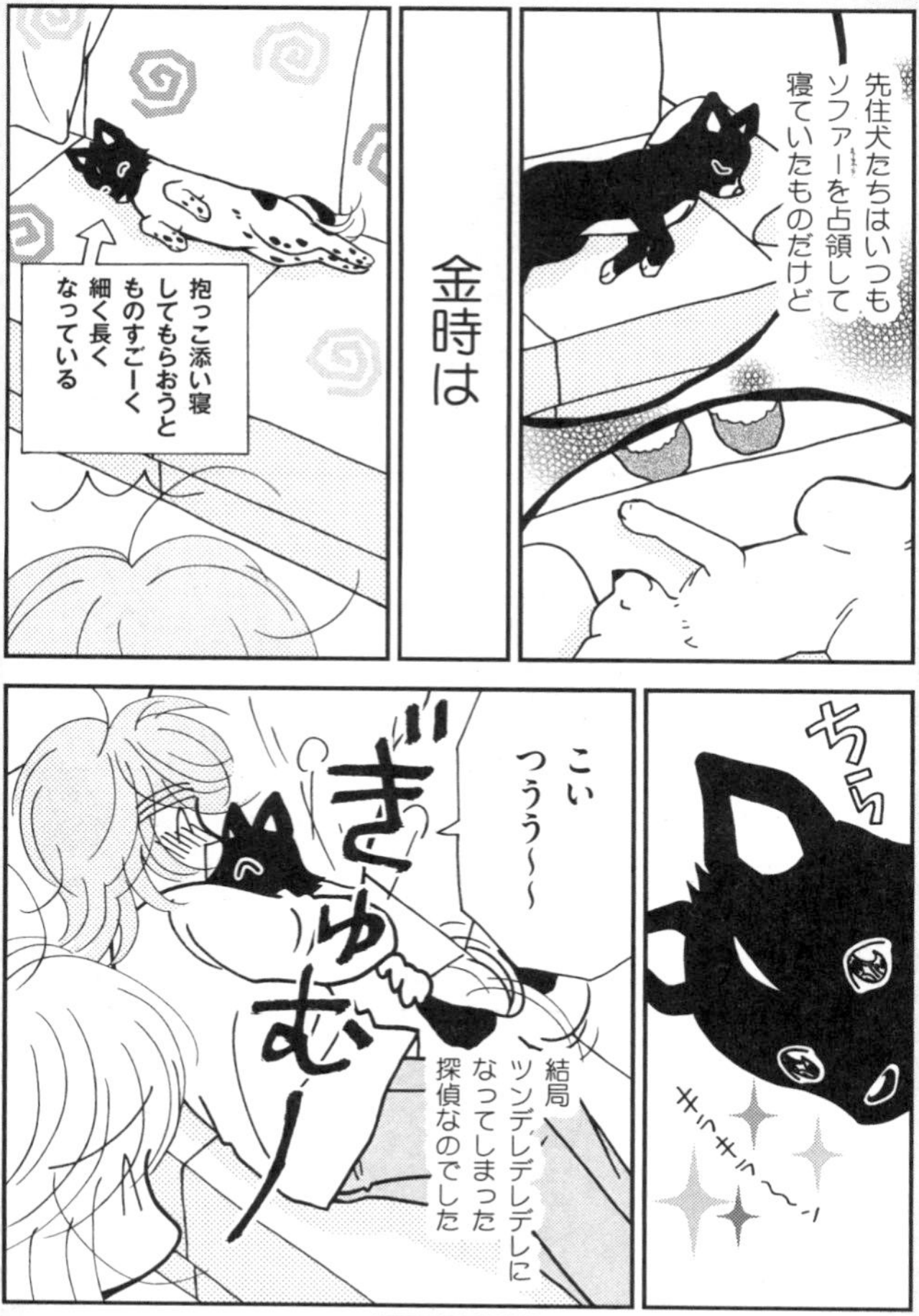

先住犬たちはいつも
ソファーを占領して
寝ていたものだけど
金時は
抱っこ添い寝
してもらおうと
ものすごーく
細く長く
なっている
ちら
キラキラ〜〜!
こい
つうう〜〜
ぎゅむ
結局
ツンデレデレデレに
なってしまった
探偵なのでした

おしまい

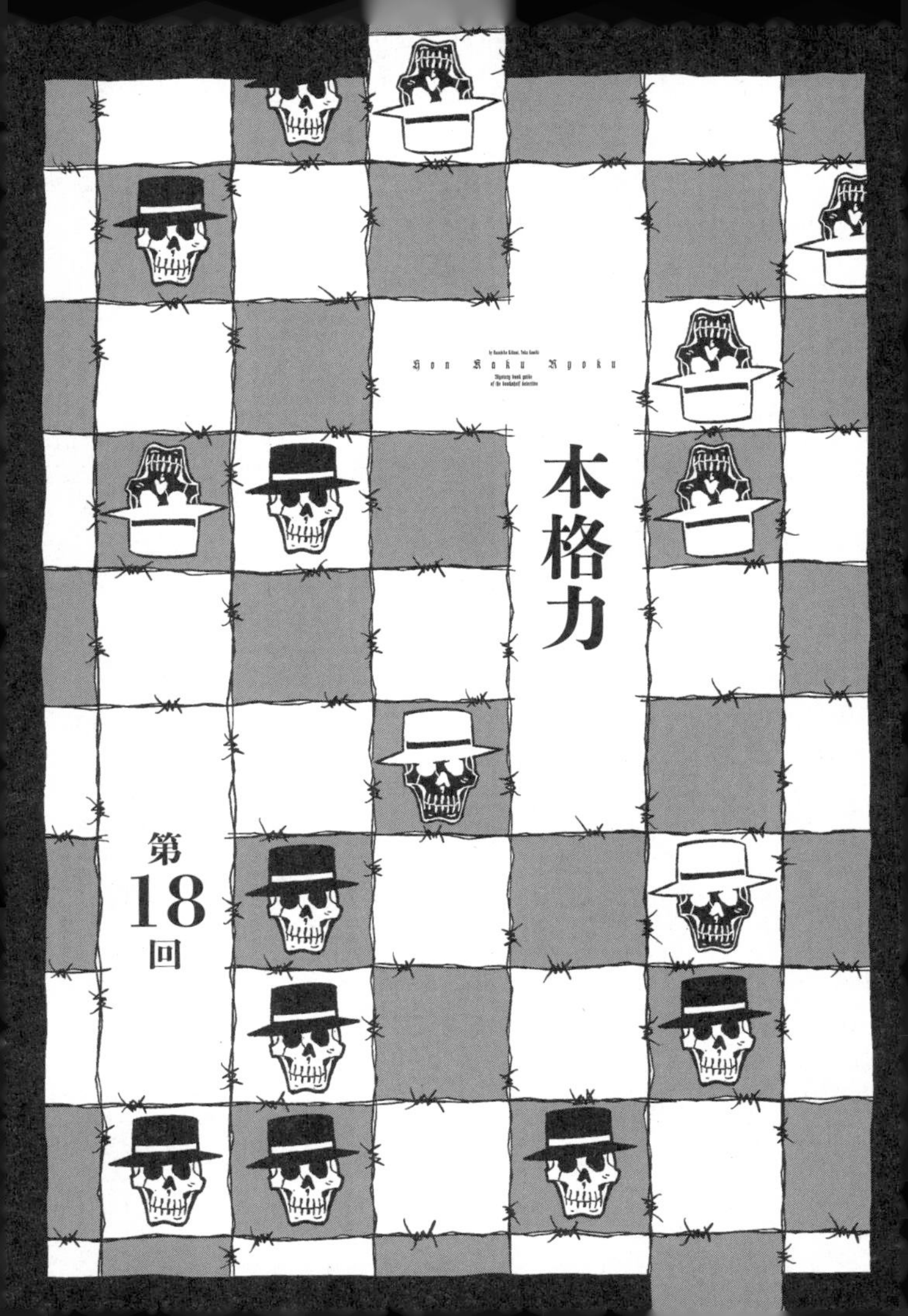

Hon Kaku Ryoku

Mystery book guide
of the bookshelf detective

本格力

第18回

そこでだね、

わが友よ《モナミ》、

アガサ・クリスティ

中村能三訳

『ゴルフ場の殺人』(創元推理文庫)

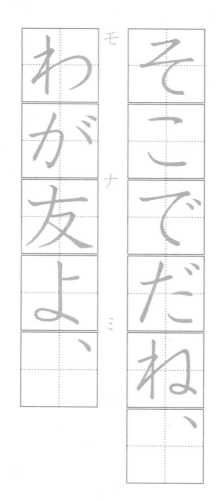

モ

ナミ。

右ページを見れば判るように、日本語の〈わが友よ〉につけられたルビだ。この言葉のセットはクリスティ作品にしばしば登場する。

最初にこれと出会ったのがどの作品だったのかは覚えていない。一番最初に読んだクリスティ作品は『アクロイド殺害事件』だが、あれにはヘイスティングズが出ていないので、きっと違うだろう。なぜならこの呼びかけは、ポアロが特別な友人の（&ポアロ譚の記述者である）ヘイスティングズに向けて発する言葉だからだ（クリスティの熱心な読者ではないので確実なことは言えない。間違えていたらごめんなさい）。

とにかく中学で読んだどれかの作品で出会ったはずなのだが、最初は不思議でならなかった。なぜここにルビが必要なのだろう。読める単語にわざわざ意味の分からないルビってどういうことだと。

その意味に気づいたのは高校生になってからだ。ポアロは普段、英語でしゃべっているけれど、ときどきわざとフランス語を交えるキャラだったじゃないか。なるほど、ルビがついている箇所はポアロがフランス語でしゃべっている部分だったのか。

じゃあここのエ・ビアンもジュヌ・オームもオ・ルヴオワールもそうだったのか（順に〈そこで〉〈若い人〉〈行っておいで〉）。そして感情が高まるとセト・イストワール・ラ（使い古された話を）などという慣用句でもなさそうなことまでフランス語でしゃべってたのか。

というようなことは映画で観れば一目瞭然だったが、中高生の僕を責めないで欲しい。だって『アクロイド～』で背負い投げをくらって以来、クリスティを読む時は勝負に神経を集中させていたんだから。

というわけでモナミである。何度も登場する単語の中で、これだけが特に僕の耳に残る。なぜだろうと考えていて思いついたのは、日本の女性名にありそうということ。しかもその響きは丸顔の可愛らしい少女を思い起こさせる。

さらに使われる場面のほとんどが呼びかけのときなので、名前であっても少しもおかしくない。「そこでだね、モナミ」「いや、モナミ」「あるいはね、モナミ」

おかしいのは呼ばれる相手が女性でなくヘイスティングズというおっさんなことだけだ。いや、それだから余計に面白いとも言える。ポアロのキャラならそれもあり得るし。

さらにさらに、イギリスのTVドラマの影響で、そのたびに聞こえてくるのは熊倉一雄《くまくらかずお》さんの声でだから三倍おかしい。

なんてことを思いつつ『ゴルフ場の殺人』を再読してみた。

そこに注目していたからだろうか、ここまでだったかと思うほどモナミの連発であった。

翻訳者もそう思ったのであろうか。後半になって突然ルビなしの〈わが友よ〉が出てくるのである。ルビのつけ忘れだと言われたらそれまでだが、僕としてはわざとだと思いたい。

なんてことを考えていたら、さっぱり真相が見抜けなかった。

やはり推理にルビは邪魔だ。そう思わないかね、わが友よ。

問うたとたんに
終わるもの
初恋と
叙述トリック

みすき

坂東善博士

H-1グランプリ

本当にお薦めしたい古典を選べ!

りっちゃん

第十八試合

◉カーの不可能犯罪◉

「儂は坂東善博士。長年にわたって本格ミステリについて研究している」

「私はりこ。ごく普通の女子高生よ」

「その二人が、〈現代でも通用する古典本格ミステリとはなんぞや〉をテーマに、議論を戦わせるこのコーナー。さて第十八試合はジョン・ディクスン・カーじゃ」

「カーター・ディクスンでもあるわけね。何試合か前に〈歴史ミステリ〉という括りでやったけど」

「あと、別の試合で『火刑法廷』と『皇帝のかぎ煙草入れ』を取り上げたな。歴史ミステリはカーの一つの面だけを取り上げた企画。『火刑~』と『皇帝~』はノンシリーズの名作。そして今度はレギュラー探偵による不可能犯罪もの。いわばカーの主戦場。

こっちは数が多いので後回しにしたんじゃが」

「不可能犯罪ってことは〈密室〉ね」

「大きな意味ではな。まあそのバリエーションを楽しんでもらうのも、今回の目的ではある」

「うーん、どうかなあ。これまでいくつか読んできたけど、密室ってあんまり好きじゃないかも」

「確かに、女性からそういう意見はよく聞く。でももちろんそれを込みでの評価でいいぞ。今のヒットを作るのは女性。そこに合わないならば、それもまた時代がもたらす運命じゃからな」

「判った。厳しい結果になっても文句言わないでね」

「ううむ、ちょっと怖い」

あらすじ紹介（読了順）

『ユダの窓』ハヤカワ・ミステリ文庫　砧《きぬた》一郎《いちろう》訳　○結婚の申し込みをするため、恋人の父親を訪ねたアンズウェルは、出された飲物を口にした途端に意識を失う。しばらくして目を覚ました彼は知る。鍵のかかった部屋の中にいるのは、自分と矢で射《う》たれ絶命している父親だけ。弁護に立ったヘンリー・メルヴィル卿はアンズウェルにかけられた殺人の容疑を晴らすことができるのか。

『三つの棺』ハヤカワ・ミステリ文庫　三《み》田村《たむら》裕《ひろし》訳　○とある雪の夜、グリモー教授の部屋の中から銃声が聞こえた。フェル博士がドアを破ってみると銃弾に倒れた教授の姿だけがあった。犯人は部屋から消え、雪の上にも足跡は残されていない。はたして犯人は空に消えたのか？　深まる謎の中、再び不可能犯罪がおこる。

『帽子収集狂事件』集英社文庫　森英俊訳　○ロンドンに頻発《ひんぱつ》する帽子盗難事件。ただの悪戯目的だと思われた事件だったが、やがて殺人事件へと発展する。霧のロンドン塔で他人の帽子を被って発見された死体。だが近くにいた者たちは、誰一人として犯人も犯行場面も目撃していない。盗まれる帽子の意味は？

『曲った蝶番《ちょうつがい》』創元推理文庫　中村能三訳　○広大な敷地を持つファーンリ准男爵《じゅんだんしゃく》の元に男が現れ宣言した。私こそが本物のファーンリ、財産の相続権があるのはこちらだと。はたして本物はどちらなのか？　なぜそんな状況になったのか？　やがて指紋による判定が行われようとするが、結果が判る前に一人が死に、指紋帳も消えてしまった。事件の裏には何があるのか？　屋根裏の自動人形は何を知っているのか？

『緑のカプセルの謎』創元推理文庫　宇野利泰訳　○毒入りチョコレート事件がおき少年が死んだ。富豪のマーカスは姪《めい》にかけられた疑いを晴らすために事件を考察し、ついにトリックを見つけたと言う。だがその公開実験中に、扮装《ふんそう》した人物に緑のカプセルを飲まされ殺されてしまう。犯行の現場は目撃されフィルムにも残されたが、犯人の決め手は見つからない。フェル博士が映像の中に見つけたものとは？

「読んだわよ」

「その前に、作品選択について説明させて

くれ。事前に説明したとおりカーの作品は多い。そして人によって好きな作品が違っているので数冊選ぶのは面倒くさいんじゃ。そこでまず考えた。カーを多く出しているのはハヤカワと創元じゃが、公平に半分ずつ選ぼうと。で奇数冊になりそうなときは、どちらでもないものを選ぼうと」

「で、ハヤカワ・ミステリ文庫が二冊、創元推理文庫が二冊、集英社文庫が一冊なのね？」

「正確に言うと、ここで取り上げた集英社文庫は品切れで、同タイトルは現在、創元推理文庫でしか読めないのだが、あえて今回は集英社文庫にこだわった」

「その意味は？」

「それはまたあとで説明しよう」

「判ったわ。じゃまず『ユダの窓』。ゴテゴテの密室だったわ」

「問答無用の密室、トリックの中のトリック。ミステリをあまり読まない人の頭の中にある密室トリックは、多分こういうことを指していると思うんじゃ」

「そうね。私もまずそれを思ったわ」

「で、どっちだ？　すごいと思ったのか、無理だわとあきれたか」

「どちらでもなかったわ」

「は？」

「博士がさっき言ったとおり、密室トリックってこういうものだろうなと思っていたから、素直に『なるほどね』と思った。だからそれ以上でも以下でもないかな」

「うぅむ、一番残念な感想かも」

「そうなの？」

「『なるほど』と平然と受け止められるよ

りは、投げつけられた方がカーは喜んだかもしれない」

「でもそれは仕方ないよ。もう今はテレビドラマとかで色んなトリック観ちゃってる時代なんだもの。じゃあ、そういう博士はどうだったの？　再読なんでしょ？　昔読んだときはどうだった？」

「『うわああ』と叫んだ」

「驚いて？」

「そうじゃ。そしてこんなすごいものはすぐに友だちに教えなきゃいけないと思って、このトリックをまんま使って三ページぐらいの短編小説を書いた」

「え？　本を薦めるんじゃなく、自分で書いた？」

「だって本は読んでないからな」

「え？」

「ネタばらしの本でトリックだけ読んだんじゃ。中学一年のときにな」

「えっ!?　トリックをばらされて感動したの？」

「本を買おうにも、どんな出版社から出ているのかも知らない。儂の住む町にはポケミスなんて置いてる本屋さんもないから普通の中学生には読みようがない」

「で、実際に作品を読んだのはいつ？」

「大学生になってこれがハヤカワ文庫で出てから」

「トリックを知ってて読んでどうだった？」

「普通なら解決まで読んで『あのときのアレはコレだったのか！』となるんじゃろうが、題名だけでアレだと判っていたから、確認作業で終わったな」

「寂しい再会ね」

「その代わり、幸せすぎるファーストコンタクトだったと思っているんじゃ。大学生で初読なら色々な知識があってガッカリしたかもしれない。密室ってやっぱりこんなものかとミステリ嫌いになったかもしれない。でも中学生で知ったからこそ『こんなことができるミステリってすごい!!』と一生ものの刷り込みになったわけだしな」

「そんなものかしら……」

「トリック以外はどうじゃった?」

「全編裁判のシーンだから、ハラハラもしたし、そこは良かったんだけれど、事件そのものが単調すぎて……。しかもそれがおきるのは巻頭だし」

「確かに裁判は面白かった。一番は証拠としてアレが持ち込まれるとこ。事件そのものは単調なんじゃが、トリックを知った上で読むと、細かいところがよく考えられていることが判る」

「これに限らず、ヒトコトで説明できちゃうトリックほど、実際に書くのは大変だという」

「ネタ本で読んだ時の『上手くいくんかいな?』という疑問はすべて解決されていたことに感心した」

「それは『三つの棺』でもそうよね。ただしこっちは『ユダ～』と違って込み入ってるから、その状況作りだけで、一冊丸々使った感じよね」

「おっと、次に行くのか。『三つの棺』はファンの人気が一番の作品じゃ」

「そうだろうと思うわ。すべてが密室のために書かれている作品だもんね。さっきも言ったように、すべてが密室を成立させるためのパーツで、余計なことは一行も書かれていない。しかも密室殺人は二つ、そしてそれを成立させるためのとある大きな仕掛け。でも……」

「その先は言わなくても判る。とある仕掛けのためのアレがアレなのがちょっと……じゃろ？」

「いくら何でもアレはないよね。だって他にどうにかできたと思うのよ。実際、今回取り上げた別の作品で、すごく綺麗な使い方をしているものがあったでしょ？」

「なるほど、ナニのナニじゃな。確かにあっちのはよく出来てる。いつも思うんじゃ。よくできているトリックほど実は簡単だったりする。儂は余暇《よか》に四コマ漫画とかを描いているのじゃが同じことを感じるんじゃ。百点の作品は完成形で降ってくる。どこも直しようがない形でな」

「なるほどね。あと、この作品の中に〈密室講義〉って出てくるでしょ？　どうしてこんなのがあるんだろうって思ったの。わざわざ『われわれは推理小説の中にいる人物で』なんて興ざめなことまで言わせて」

「意味とな？　深く考えたことはなかったな。密室についていろいろ考えていることを表明したかったからじゃないのか？」

「まず気がついたのは、あらゆる密室のパターンを分類しているみたいに見えるよね。先行作品なんかタイトルまで書かれちゃって。でも当たり前のことだけど『三つ～』のトリックは含まれていないのよ」

「当たり前だよな。それを書いたらネタばらしになってしまう」

「それを差し引いても、講義という割には、分類が甘い気がするのよ。単純に色々なバリエーションを知っている今の目から見るからそう見えるだけ、かもしれないけれど、フェル博士の意気込みに比べたら、ちょっと物足りない気がするの」

「おっと、面白いことを言いだしたぞ。確かにな、このあとに書かれた江戸川乱歩《えどがわらんぽ》の〈類別トリック集成〉はもっと細かかった気がする」

「ふーん、そんなのがあるんだ。今度読ませてね。でね、思ったのよ。あれは講義なんかじゃなくて、もっと別の目的のために書かれたんじゃないかと」

「どういうことだ？」

「だって、この作品の肝《きも》は密室じゃないし」

「あ！」

「そうでしょ。一番書きたかったのはアレのとこでしょ？　それを気づかせないために、必要以上に密室って言わせているんじゃないの？　わざわざ〈密室講義〉なんて章立てまでして、読者の目をそっちに向けさせといて、実はやりたかったのはそこじゃないという」

「い、言われてみれば、そうじゃ！　確かにあのしかけに関しては密室講義以外にも小説の器を利用している部分がある」

「あったわね。登場人物が関われない部分にね」

「すごいぞ、りっちゃん！　何てとこに気づいたんじゃ‼　うわあ、今の今まで騙されてしまってたぞ。いいや儂だけじゃない。世界中のファンがじゃ」

「そこまでするカーってあくどいよね。でも、だからこそ、アレを成立させるためのアレがアレだったのが許せないのよ」

「おーい、おーい、儂は嬉しいぞーい。りっちゃんがここまで成長してくれて」

「で、悩むのは評価よね。作品自体はB評価なのよ。トリックがごちゃごちゃしてて。でもここまで徹底してやったことに対しては評価したい。でもそうなると、やっぱりアレが……」

「儂は今までAだったけど特Aに変わったぞーい」

「で、次『帽子収集狂事件』だけど、品切れの集英社文庫を選んだ理由って、ひょっとしてこのシリーズ名が『乱歩が選ぶ黄金時代ミステリーBEST10』ってヤツだから？」

「そうじゃ。覚えているかな？　第一試合がこれだったことを」

「覚えているわ。博士が好きな乱歩が選んだ十作。そうか、まだ全部終わってなかったんだ」

「これが九作目。残った一本、セイヤーズの『ナイン・テイラーズ』はいつかやる予定じゃ」

「なるほどね。で、その乱歩はこの作品を『陰惨とユーモアの異様なカクテル』と評しているけど、ユーモアのとこなんてあったっけ？」

「帽子盗難事件のことじゃろうな。殺人事件に発展しなければ、呑気な事件である。あと、犯人の立場から見れば、皮肉な展開は黒いユーモアと感じたかもしれない」

「なるほどね。今はふざけた事件も多いから、この程度は普通に見えるけどね。で感想だけど、まず困ったのは舞台のロンドン塔の位置関係が見取り図だけではよく判らないことね」

「儂も最初に読んだ時はそうだった。あの図じゃ全然判らんかった。位置はともかく、道の広さとか塀の高さとか、現場から見上げた景色がどうなのかとかはな。でも数年前に目出たく見学して来たので、今回は再読が愉《たの》しみだったんじゃ。これで良く判るぞと」

「ズルいじゃん、博士ばっかり」

「いや、そうでもない。実はロンドン塔を見学しているときは『帽子～』のことはすっかり忘れてたんじゃ。だから、この現場のことはボンヤリとしか覚えていない。しかも見学したときは晴れ、小説では霧が立ちこめているから、現場の状況は全く違っていたじゃろう」

「死体があった場所とか、犯人が通った順路は？」

「意識せずにチラと見ただけ。だから小説を読んでも少しもイメージが湧《わ》いてこない。ああ、英国なんて次にいつ行けるか判らないだけに悔しくてしかたがない」

「あーあ、勿体ない。で、真面目な感想としては、犯人に対するフェル博士の態度ってどう？　同情的な立場をとっているけどちょっと違和感があった」

「そうじゃな。黒いユーモアに犯人が翻弄《ほんろう》された故に犯した行為で、確かに真の悪人ではないけれど、あれでは逆に可哀想な人が生まれてしまう」

「問題はそこよ。歴史ミステリでも感じたけれど、カーの倫理観てときどきおかしいよね。だって私たちは水戸黄門《みとこうもん》とかの時代劇でそれぞれのキャラの正しい納まりどころを知っているもん」

「水戸黄門を観てることに驚いた」

「もう何度も再放送してるもん。その気がなくても観ちゃうよ」

「儂的にはポーの幻の原稿が嬉しかった。ポーが書いたテーマに『意外な隠し場所』というのがあるのじゃが、まさに意外なところに隠されて」

「博士は絶対にそこに反応してるだろうと思ったわ。欲しいでしょ？　その原稿」

「もちろんじゃ！　だからこそムニャムニャじゃ」

「そうよね。でね、読んでる時の感想だけど、この作品も『ユダ～』と同じで殺人事件は最初におこるヤツだけ。どうも私そういうのが退屈みたい」

「どっちかと言うと儂もそうじゃ。ロンドン塔とかポーの原稿とか、初読のときより興味深い展開ではあったのじゃが」

「続く事件は殺人じゃなくてもいいのよ。それこそ帽子盗難レベルでもいいの。ちょっと口直しの刺激……お汁粉《しるこ》についてくる漬け物が欲しいというか」

「水戸黄門とかお汁粉とか、喩えがばあさんかと」

「そういう意味から言うと次の『～蝶番』は最高の展開だった。まず導入で過去の事件が一つ語られ、前半は『どちらが本物の准男爵か？』という魅力的な謎で進み、その結果が判りそうなタイミングで殺人事件がおき、事件のあとも自動人形だとか悪魔礼拝で雰囲気を作ってくれるし」

「実は儂が一番最初に出会ったカーはこれ

じゃった。そしてその面白さに感動もした。なのでその後のカー体験は、〈この作品的なもの〉を探す旅だったのかもしれない、とこれを再読しながら思った」

「結論を先に言うけど、今回の中では断然これがよかった。そういう意味だと、博士が最初にこれに出会ったのは幸運なのか不運なのか」

「他のつまらなかった作品で出会ったとしても、カーは続けて読んでいたと思う。そしたらいずれかのタイミングで『～蝶番』に出会って感動もしただろう。違うのは最初の作品に面白さとはまた別の愛着を持つだけのことじゃ。例えば儂にとってはクイーンの『フランス白粉《おしろい》の謎』がそれに当たる」

「ということは再読も面白かったのね」

「否定的な意見では、不可能犯罪のトリックが……みたいな話を聞くことが多いので、そうだったっけ？　と思いながら読んだんじゃが、いやいやどうして、初読のときより面白かった」

「トリックって好き嫌いがあるでしょ。物理的なのがいいとかダメだとか、現実で再現可能か？　に拘るとか、そもそもトリックには興味ないとか。実は私もそのタイプ。肝心なのはその作品にうまく溶け込んでいるかどうかだけ」

「その意味では、この作品にあの真相はドンピシャじゃ」

「不気味でいいよね。あと、関係ないけど〈ちょうつがい〉という漢字を初めて知った。でも知ったあとでも〈ちょうばん〉と読んでしまう」

「それは大丈夫じゃ。儂の親戚に大工さんがいるのじゃが、彼らは符丁で〈ちょうばん〉と読んでいる」

「でその〈ちょうばん〉が、人形かなんかに使ってる部品のことを指しているのかと思ったら、なんと――」

「意味深なタイトルじゃ。かように面白い作品というのはタイトルもよくできている」

「で次はストレートなタイトルの『緑のカプセルの謎』(笑)」

「といいつつ緑のカプセルに謎は少しもない。正しくは『緑のカプセルを飲ませた男、の謎』。これは不可能犯罪ではなくて、フーダニットもの。と言いつつ、誰にも実行出来なかったはずなので、そこがカーらしい」

「アリバイが問題になるんだけど、犯人が姿を見せた数分間が重要なので、問題としてはスッキリしていて考えやすい。そこが『三つの~』との違い。あっちはもうタイムテーブルを見るのもいやだけど、こっちはまだ考えようという気になる。まあそれでも判らないんだけどね」

「そのアリバイのために時計が出てくるのじゃが、これの扱いがすごく上手い」

「とある可能性を示して、違うとひっくり返して、むにゃむにゃむにゃと」

「フィルムを見てフェル博士がヒントをつかむように、これはぜひ映像で観たい作品じゃな」

「ポイントはあそことあそことあそこと……」

「短いシーンなのに、見落としちゃいかんシーンがいくつもあるな」

「それだけに他のシーンが単調かも。毒殺

って一番地味な殺人方法だしね。だからなのか、とある人物の恋心を味付けにつかっているんだけど、これが邪魔（笑）」
「みんなが事件のことを考えているときに、一人だけ上の空だしな」

「その気持ちを抱えた上で行動してたらカッコイイと思うんだけど、ちょっとガッカリだった。歴史ミステリのときにも思ったけど、カーの書く恋愛って……むにゃむにゃむにゃ」

◉第十八試合出場作品とりっちゃんの評価

『ユダの窓』	裁判にはハラハラしたけれど	△
『三つの棺』	メインの仕掛けが残念	○
『帽子収集狂事件』	見取り図だけではよくわからない	△
『曲った蝶番』	すべてが好み	◎
『緑のカプセルの謎』	整いすぎてて残念	○

◉優勝

『曲った蝶番』

国樹由香の
本棚探偵の日常
◉第18回◉

今日は久しぶりにあれをやるっ
九月のある日探偵は叫んだ
あれって？
「犬とラン」だよ
前回のランは三月ほんの小手調べだったあれで犬の体力がよーく判ったから今回は本気で行く！
ぼくおるすばん
で
じゃん！
わくわく
ウエストポーチに犬リードつないでる

じゃ行ってきまーす
気をつけてね―
こらっ落ち着けっ
きゃっきゃっ
くるくる
引っぱるなあ―
ばびゅーん
お前テンション高すぎだぞ―…
大丈夫かな〜〜
しばらくすると
あっツイッターで実況してる

涼しくていい日なので、
久しぶりに金時とランニング。
でも例によって、走っているのは
僕だけ。ヤツはただの
早歩き（雅）。

その写真
ラクラク感に満ち満ちている！
またしばらくしてツイート
さて、今からここを一周する根性があるか？もちろん僕の方に（雅）。
ここ
大きーい湖
多摩湖一周はやめて、トトロの舞台となったここを走る（雅）。
都立八国山緑地
ホッ
山のふもとには、サツキとメイの母さんが入院していた（とされる）病院があります。ちなみに僕もここに入院歴があります（雅）。
あ―― そうそう あのときは大変だったなあ

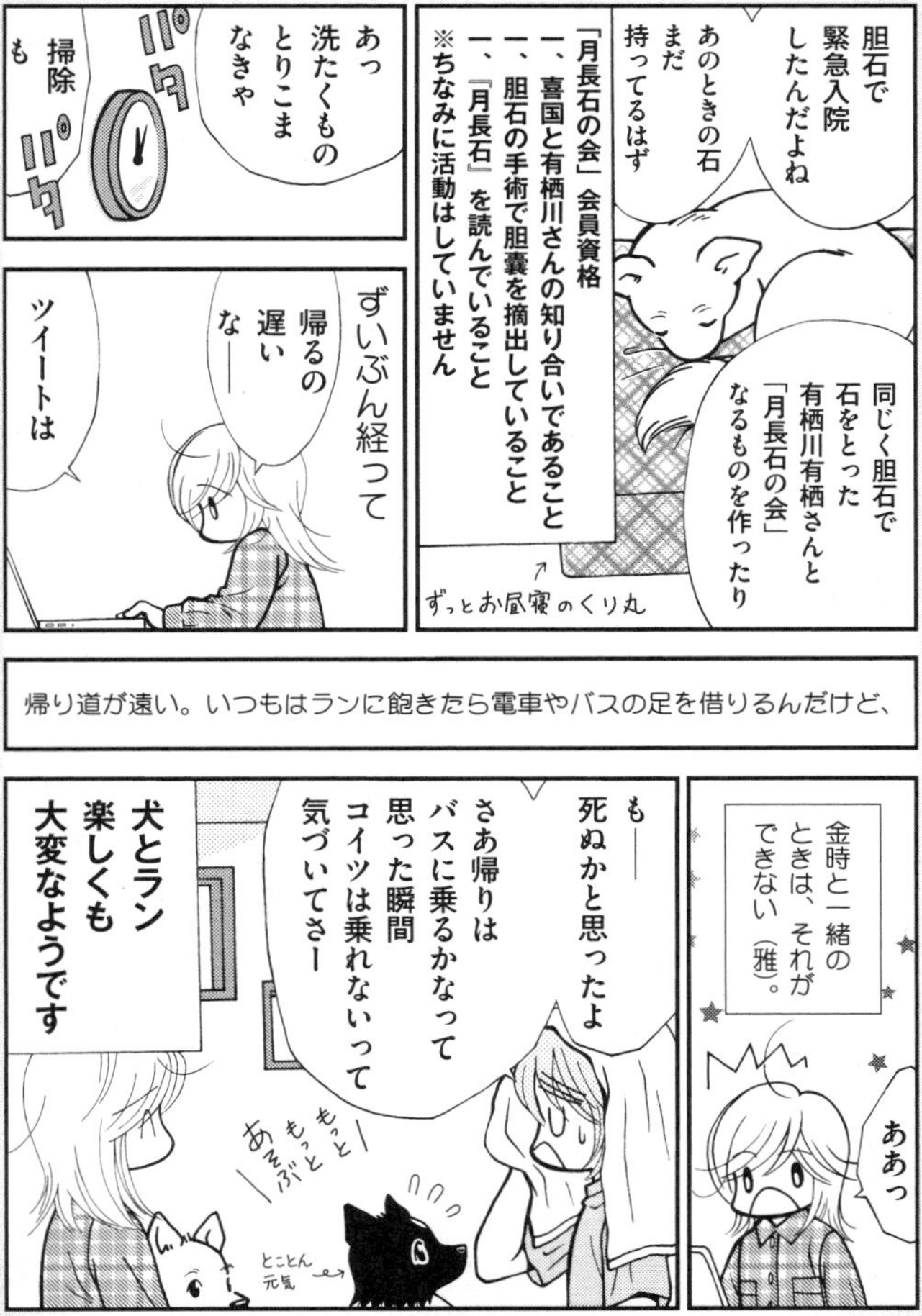

胆石で緊急入院したんだよね
あのときの石まだ持ってるはず
同じく胆石で石をとった有栖川有栖さんと「月長石の会」なるものを作ったり
「月長石の会」会員資格
一、喜国と有栖川さんの知り合いであること
一、胆石の手術で胆嚢を摘出していること
一、『月長石』を読んでいること
※ちなみに活動はしていません
ずっとお昼寝のくり丸
あっ洗たくものとりこまなきゃ
パタパタ
掃除も
ずいぶん経って
帰るの遅いな――
ツイートは
帰り道が遠い。いつもはランに飽きたら電車やバスの足を借りるんだけど、
金時と一緒のときは、それができない（雅）。
ああっ
も――死ぬかと思ったよ
さあ帰りはバスに乗るかなって思った瞬間コイツは乗れないって気づいてさー
もっともっとあそぶ
とことん元気
犬とラン楽しくも大変なようです
おしまい

芦辺拓『怪人対名探偵』講談社ノベルス
口絵イラスト 下描き

本格力
Hon Kaku Ryoku
Mystery book guide
of the bookshelf detective

だまされて
うれしく
だまされなく
てもうれしく
ほんかくだ
もの
みすを

◉ 勝　手　に　挿　絵 ◉

ストーリー

何度も轢殺《れきさつ》事故をおこしてしまうために、
葬式《とむらい》機関車と呼ばれた不吉な列車は、
今日もまた鉄路に血を流した。
その事故の調査を命じられた機関庫助役の片山が
辿り着いた真相は哀しいものであった。

大阪圭吉《おおさかけいきち》「とむらい機関車」昭和九年作品
『とむらい機関車』（創元推理文庫）所収

坂東善博士

H-1グランプリ

本当にお薦めしたい古典を選べ!

りっちゃん

第十九試合

◉ 弁護士ペリー・メイスン ◉

「儂は坂東善博士。長年にわたって本格ミステリについて研究している」

「私はりこ。ごく普通の女子高生よ」

「その二人が、〈現代でも通用する古典本格ミステリとはなんぞや〉をテーマに、議論を戦わせるこのコーナー。さて第十九試合はE・S・ガードナーの〈ペリー・メイスンもの〉じゃ」

「ガードナーという人の作品の中で、ペリー・メイスンという弁護士を主人公にしたヤツなのね」

「ガードナーはA・A・フェアなどの別名を使い、ミステリ以外にもウエスタン小説やギャング小説など何百もの作品を残しているんじゃが、ペリー・メイスンは一番有名で、ヒットしたシリーズじゃ」

「うわ、メイスンだけで八十二編もあるの？」

「テレビドラマやラジオにもなったヒット作じゃからな。儂も再放送で観た覚えがある。記憶に残っているのは、主演のレイモンド・バーの風格のある佇《たたず》まいと、若山弦蔵《わかやまげんぞう》の渋い声だけじゃが」

「弁護士ものってことは、ひょっとして法廷が舞台？　難しかったらイヤだな」

「そこはまあ〝お楽しみ〟と言っておこう。もしも問題があるとすれば……それとは全く別のところかもしれんがの」

「意味深ね。じゃあ読んでみるわ」

あらすじ紹介（**読了順**）
『**奇妙な花嫁**』創元推理文庫　小西《こにし》　宏《ひろし》訳
○新婚の妻がメイスンの事務所を訪ねる。だが彼女は正式な依頼もせずに帰って行く。彼女が忘れたバッグの中には拳銃《けんじゅう》と意味深な電報。不穏なものを感じたメイスンは彼女を探すのだが、見つけた翌日には彼女は殺人事件の容疑者になっていた。
『**すねた娘**』東京創元社　大岡《おおおか》昇平《しょうへい》訳
○フランシス・セレーンには結婚したい男がいた。だが、死んだ父の遺言によって、二十五歳より前に結婚すると、わずかな財産しかもらえないことになっていた。やがて、信託基金を管理していた叔父《おじ》が殺される。しかもその叔父は、殺される前に「姪のフランシスを逮捕してくれ」と警察に電話をしていた。はたして財産目当ての彼女が犯人なのか？
『**幸運の脚**』東京創元社　林《はやし》　房雄《ふさお》訳　○とある田舎町の脚線美コンテストで優勝し

た娘は、希望を求めて都会に出てくる。だがそのコンテストは巧妙な詐欺《さぎ》によるもので、彼女の夢はもろくも崩れる。同じ手による被害者は他にもいるらしい。解決に乗り出すメイスンだが、なぜか地方検事はこの事件の調査に熱心でない。

『ビロードの爪《つめ》』新潮文庫　宇野利泰訳

○人妻と政治家の逢い引きの場で殺人事件がおき、二人の名前が新聞に載ることになった。記事の差し止めを願った人妻はメイスンに相談する。彼女のために働くメイスンだが、あろうことか殺人の容疑者にされてしまう。自分の潔白を証明すれば依頼者の不利になる。板挟みになったメイスンは逆転できるのか？

『偽眼《ぎがん》殺人事件』荻原星文館《おぎわらせいぶんかん》　伴大矩《ばんだいく》訳

○メイスンの事務所に義眼の男が訪ねてくる。彼の依頼は「盗まれた義眼が犯罪に利用される恐れがあるので、もしそうなったら自分は無関係だと警察に説明し、その義眼を検証させないようにしてほしい」という奇妙なものだった。半信半疑のメイスンだったが、やがて殺人事件がおき、その死体は一つの義眼を握りしめていた。その義眼が意味するものは何なのか？

「まず最初に訊きたいことがあるの。今回は文庫あり、全集の中の一冊ありと、バラエティに富んでいるんだけど、これは何？恐ろしくボロボロの一冊」

「『偽眼殺人事件』じゃな。昭和十一年、荻原星文館発行の」

「どうしてこんなのが入っているのよ。旧仮名っていうヤツ？　読みづらくて仕方がなかったわ。〈聴音哨《ちやうおんせう》〉なんて単語が出てきても判らないっての」

「聴音哨——簡単に言うと〈スパイ〉だな。確かに高校生には難しい本だったと思う。だから、最初はこれを取り上げるつもりはなかったんじゃ。書庫の中を見渡したとき、これ以外にガードナーは五冊見つかったし。でも、その五冊目の『どもりの僧正』を、儂が電車の中かどこかに置き忘れてしまって」

「は？　何それ」

「目先のH－1に困ったのはもちろんじゃが、今回の『すねた娘』や『幸運の脚』と同じく、〈世界推理小説全集〉の中の一冊だったから、コレクション的に困ったことになった。全八十巻で揃っていたのに、欠けができてしまったんじゃから」

「高いの？　その本」

「全集の中には高いものもあるが、ガードナーなので、それほどではない。いつか出会えるだろうとは思う。ただ問題は函《はこ》だけが残されていることでな」

「中身だけを無くしたのね？」

「すぐに、知り合いの古書店に探求書としてリクエストしたんじゃが、こう問われた。『五百円の函カケ本と、三百円の函付き本があったら、どちらを仕入れておけばいいですか？』と」

「え？　函カケの方が高いなんてことがあるの？」

「古書の世界では普通のことじゃ。値付けのルールは売る方の裁量。だからこそ面白いといえるのじゃが」

「普通は安い函付きを買うんじゃないの？」

「そしたら函が余るじゃないか」

「捨てればいいじゃないの」

「それはできない。古書は天下の回りもの。どこかに函を探している人がいるかもしれないし」

「だったら函カケを買いなさいよ」

「そうなると、函と中身がフィットしないことがあるんじゃ。それまで違う環境にいた函と中身じゃからな、ときには入らない、なんてこともある」

「あのね……」

「何じゃ？」

「どっちでもええわ————!!」

＊　＊　＊

「さて、本題に戻るわよ」

「おっと、困った顔をしているな。やはり予想は当たったのかな？」

「読む前に博士が言ってた問題ね。多分このことでしょ？　〝一つに選べない〟」

「やっぱりか。そうなんじゃ。これがつまらなくて選べないならどうしようもないのじゃが——まあそれならここで取り上げることもないが——ガードナーの場合はその逆だから困る」

「結論を先に言うね。全部おもしろかった。点数にしたら、どれも八十点以上のレベル。いや、もっと上げてもいいかな。八十五点とか。普通に考えれば、これっていいことにしか見えないけど、作品単位で考えれば、マイナス面になるんだということに気がついた」

「百点の作品と二十点の作品が混在してい

る作家の方が、歴史には残る。作家にとってアベレージは重要じゃが、読者の記憶に残るのはホームランか三振じゃからな」

「ベスト作品の人気投票をしたら、票がバラついて結局一本も選ばれなかった、というパターンよね」

「それ以外にも、もう一つ問題がある」

「何？」

「どれも内容が似ているということじゃ。依頼人は若い女性で、メイスンの助けを求めにくるのだけれど、いつも何かを隠していてハッキリしない。おかげでメイスンの捜査は進まず窮地におちいる。犯罪すれすれの技で切り抜けるメイスン。勝ち目がないまま進む裁判。メイスンの切り札は⁉」

「今回ので言うと『幸運の脚』と『偽眼殺人事件』以外は、だいたいそのパターンよね」

「もうな、こうやってる今も、どのエピソードがどの話だったのか覚えていない。一週間前に読んだばっかりなのに」

「困ったものね、と言いたいけれど、実は私も同じ。二冊目を読んでいる段階で、一冊目とごっちゃになってワケが判らなくなった。ということで、今回は一冊ごとの感想はやめるけど、それでもいい？」

「望むところじゃ。きっとそっちの方がメイスンものの評価になると思うし」

「最初の感想は〈メイスンってぶれない〉ということ。依頼人に裏切られても窮地に陥《おちい》っても、どっしり構えていて安心してみていられるよね」

「あまりにも動揺しないから、ピンチでさえも計画のうちに見えるな」

「メイスンって、考える前に動くからテンポがいいよね」

「テンポの良さは、そのまま小説の長さにもつながる。だからメイスンシリーズは、ボリュームが手頃で、いつでもすぐに手に取れる。で気がついたのは、この二つの要素って、実にテレビ向きだということじゃな」

「なるほど。テレビは放送時間という制約があるから、原作に長短があれば困るものね」

「一つ目のコマーシャルまでに事件が起こって、二つ目のコマーシャルの前後で主人公がピンチになって、三つ目のあとに裁判が始まる、というフォーマットが確立していれば、テレビを観てる方も判りやすい」

「どこかで観た覚えがあると思ったら、それって日本の時代劇じゃん」

「まさにそうじゃな。テレビ的というなら、小説の終わりにちゃんと次作の予告も入ってる」

「予告というか、次作の依頼人が登場してくるのよね。最初は普通に〈メイスンの忙しさ〉を表現しているのかと思ったら、本当にその人が次の作品に出てきてビックリした」

「ときには、その段階でキーワードも示されている。つまり、一つの作品を描いている間に、次の作品の構想は常にできていた、ということ。まあ、そういうことができたから、八十作あまりも書けたと」

「さっきの〈メイスンがぶれない〉ということに関して言えば、弁護士的にどうなの？　って行動を堂々ととるよね」

「証拠を隠したり、嘘の証言をしたりな。それじゃ裁判で問題になるだろうけど、まあそこが大衆小説の良さといえないこともない。しかもガードナーは弁護士もやっていたから、完全な嘘とも思えない」

「刑事なら真実を見つけることが一番大切だけど、依頼人の利益のために働く弁護士ならではよね」

「それでいうと、面白い展開があったな」

「ええと『ビロードの爪』ね。依頼者に『メイスンが現場にいた』と間違った証言をされちゃう。『それは違う』というのは簡単だけど、それをしても依頼者の利益にはならないからと、違う対策を練るメイスン。なるほど、これは弁護士を主人公にした意味があると思ったわ」

「ヒッチコックの映画にこういうものがある。とある男が教会の懺悔室《ざんげしつ》で神父に自分の犯した罪を告白するのじゃ。それを聞いて自首をすすめる神父。だが男はそうしない。あの部屋での告白は外にもらしてはいけないことになっているから警察に行くことができない神父。そうこうしているうちに、神父自身に容疑がかかるが、男の名をいうことはできない。やがて裁判はすすみ……というものじゃが」

「なるほどね。どの世界にも法律とは別の職業上の倫理があると」

「漫画家が描くお風呂屋さんには、若い娘さんしか入っていない、とかな」

「関係ないんですけど」

「ところで、裁判のシーンはどうだった？」

「予想したのより短いのよね。作品によっては裁判シーンがないのもあるし。今までここで読んだ裁判シーンだと、もっと攻めたり守ったりがあるんだけど、メイスンのはシンプルよね。攻撃は一回きりというか、最後の最後にひっくり返すというか」

「儂的には、あれが面白かった。目撃者の証言に間違いがないか調べるために、事件の現場を再現してみせるシーン」

「ああ、あそこはおもしろかったね。詳しく言えないけど、上手いと思った」

「メイスンものには所謂トリックというものはないのだが、あの再現シーンはトリックだったな。犯人ではなく、メイスンが仕掛けた」

「博士的には注目の作品があったよね。『幸運の脚』」

「おお、それそれ。読む前は『幸運の脚』というのは、どうせ魔除《まよ》けにでも使うニワトリの足を乾燥させたものか、何かの諺だと思っていたら、〈美脚コンテスト〉のことだったから驚いた。しかも事件に巻き込まれるのが、その優勝者なんじゃからな。もう嬉しいやら苦しいやら」

「どうして苦しいのよ」

「絵で見られないからじゃ。小説なのが悔しかった」

「何よそれ」

「じゃ、そろそろ優勝作を決めようか」

「今回はどれでもいいわよ。最初に言ったように、どれも八十五点だったからね。あ、『偽眼〜』は別ね。さすがに文章が古くて、何が書いてあるのか判らなかったもん」

「では『すねた娘』にするか。あの事件現場の再現シーンは本格好きでも満足できるものだし」

「『幸運の脚』じゃなくていいの？」

「それは儂の心の中の本棚に並べておく」

◉第十九試合出場作品とりっちゃんの評価

『奇妙な花嫁』	法廷シーンわくわく	○
『すねた娘』	法廷シーンさらにわくわく	○
『幸運の脚』	意外な犯人	○
『ビロードの爪』	困った依頼人	○
『偽眼殺人事件』	現代語訳で読んだら評価が変わると思う	×

◉優勝

『すねた娘』

国樹由香の

本棚探偵の日常

第19回

二月初旬、パリにある「奇跡のメダイユ教会（シャペル・ノートルダム・ドゥ・ラ・メダイユ・ミラキュルーズ）」で、友人が「奇跡のメダイユ（メダル）」なるものを買ってきてくれた。指先サイズの銀盤にマリア像のレリーフ。手にしたものに奇跡の恵みが与えられるらしい。女子でありながら、そういう類いを全く信じていない私。でも友人の気持ちが嬉しかったので、もらったその日から肌身離さず身に着けている。

三月六日。探偵と二人出先から戻ってきたら、茶犬くり丸の様子がおかしい。足に力が入らず立てない状態。呼吸は荒い。探偵と私は慌てず騒がず、くりをドッグベッドに横たわらせる。一月の終わりから何度か繰り返された光景だ。最初は驚いたけれど、一晩眠れば元通りの元気なくりなのだ。

今回もそうだろうと信じていた我々は、明日から行くスキーツアーの準備を始めた。毎年恒例我孫子《あびこ》武丸《たけまる》さん主催の白馬《はくば》スキーツアー。今年は辻村《つじむら》深月《みづき》さん一家、北山《きたやま》猛《たけ》邦《くに》さん夫妻も一緒とのことで、とても楽しみにしていた。我々は犬連れで行くのでさほど滑《すべ》れないけれど、ペンションで犬とのんびり過ごすのも素敵だ。ミステリ作家が三人もいるし、メフィストのエッセイに書けるネタが転がっているかもしれない。
ところが出発予定の朝、くりの体調は戻っていなかった。初めてうろたえる我々。大急ぎで我孫子さんに不参加の連絡を入れた。

時間は少し戻る。一月の終わりにくりが夕食をもどした。これは犬猫にはよくあること。だが翌朝、くりは立てなくなっていた。驚いて病院へ。

一泊させて精密検査をした結果は「血液のガン」。血管を通じて短期間で全身に転移するので、手術も無意味だし特効薬もない。くりはすでに心臓ほか数ヵ所に転移が見られ、状態としては末期。明日死ぬかもしれないし、長くても三ヵ月だと。

「血管が体内で破れると貧血になり、昨日のようにフラフラになります。今のところは数時間で回復しますが、いずれ回復しなくなるでしょう」

言い辛そうに先生が最後に一言。

「苦しむようなら安楽死という選択肢もあることをお伝えしておきます」

目眩《めまい》がした。

その日の夜に探偵ととことん話し合い、くりは絶対に家で看取《みと》ると決めた。くりのお姉さん犬かの子は、三回手術をしたものの治らず、結果的に病院で亡くなった。しかもひとりぼっちで。

「思い出すたびかわいそうでたまらないよ……」

後悔しないことで有名な探偵が未だ後悔

しているのだ。うん私たち、今度こそ後悔しないように頑張ろう。

というわけで、検査入院から無事帰還したくりに対する「甘やかし大作戦」の始まりだ。

まずは食事内容をがらりと変えてみた。くりは幼児期にアレルギー体質が発覚してからというもの、専用の乾燥フード一種類しか食べさせていない。ごくたまに小さいおやつをひとつふたつあげる程度だ。そうしないと、夏場はてきめんにアトピー症状が出る。かゆがって気の毒なので、ずっとフードでコントロールしてきたわけだ。でももう関係ない。三ヵ月後のことは考えなくていいのだから。

「はい、どうぞ」

専用フードと高齢犬用のささみ缶詰を混ぜ、仕上げにチーズをトッピングという豪華版に、くりは大興奮。人間ならば、

「何で急にごちそう？　ぼく死ぬの？」

となりそうなところだが、そこは犬。何の疑問も持たない。実は金時《きんとき》もアレルギー体質で専用フードのみ食べさせているのだが、

「どうしてお兄ちゃんだけごちそう？　ぼくがキライなの？」

などと思わないのが犬。やはり何の疑問も持たず、満足げに自分のぶんを食べている。

朝夕の食事以外も、おやつを欲しがるだけ与える。犬ビスケットにチーズにビーフジャーキー。くりは大喜びで「もっともっと」とねだる。しかし困ったことに我が家

にはもう一匹犬がいるのだ。
「ぼくもぼくも」
という顔でわくわくお座りしている。だが金時には未来がある。甘やかしてメタボにするわけにはいかない。そこで、くりにあげるおやつを十分の一サイズにして金時に与えることにした。もちろん全然気付かない。犬って素晴らしいな。

くりはこの一年で散歩がかなり嫌いになっていた。安易に庭でトイレをすませ、散歩の時間になると寝たふりをする。老犬のボケ防止には歩くのが一番と、いつもなだめたりすかしたりしつつ必死で外に連れ出していた。

ところがまさかの散歩ドクターストップ。血管の破裂が怖いので、歩く刺激さえ控えたほうがいいと。

人間側は複雑だが、くりはこれまた大喜びだ。ちゃっちゃと庭でトイレをし、ソファでごろごろ。時折おやつをねだるのも忘れない。カウチポテトというものに限りなく近い状態といえる。

金時は散歩が大好きなので、結構長い時間くりは私と留守番組だ。この時間帯は金時の目を気にしなくていい気楽さで、私もついおやつを多めにあげてしまう。くりがその事実に気付くのはマッハの速度だった。

その日も意気揚々《ようよう》と探偵と散歩に出かけて行く金時。その背中を見送った途端、くりがおやつをねだってくる。このパターンが数日続いて、鈍感な私も気が付いた。
「あの子いないうちに、おやつちょうだい。はやくはやく」

そう訴えていたのだ。すごいなあ、十三年かけたしつけが数日でパアに。堕《お》ちるのは早いって言うけどと、思わず笑ってしまう。甘やかしが人間にとっても甘美《かんび》とは初めて知った。喜ばれるし、叱らなくていいし。

そんな毎日だったから六日の不調もついのんきに構えてしまったのだ。旅行をキャンセルした日を境に、くりの体はどんどん悪くなった。全然起き上がれないので、念のためとおむつをつけた。すると、

「ひあああーん、ひあああーん」

と激しく鳴く。そんなに苦しいのかと焦《あせ》ったらそうではなく、トイレに行きたいと鳴いていたのだ。おむつなんかじゃ出来ない、お庭に出してと。そこでおむつを外し、探偵が支えながら庭に降ろしてみた。立ってる！　そのままよろよろと木の根元まで歩いてトイレ。戻ってくる力はなかったが、そこまでは出来ることが判った。

でもそれも数日の話。いよいよ立たせることも難しくなる。若い頃は二十キロだったくりも今や十四キロになっていたのだが、それでも人間が支えるには重かった。

「食事もほとんど食べていないのにトイレには行きたいんだな」

「脱水が怖くてポカリスエットは飲ませているんだから、それは行きたくなるよ」

探偵ととりとめのない話をする。

運命の日は静かにやって来た。やはり食べないくり。ふと思い立ち、私が食べていたロールケーキの生クリームをくりの鼻先

に差し出す。舐《な》めた！　嬉しくなってどんどん与える。くりの口の周りがべたべたになっているけれど気にしない。ひとしきり舐めたらイヤイヤをした。

「もっと食べていいのに」

「どうだ、くり。甘いのって美味いだろ」

そしてポカリスエットを一口。この数日でポカリ一本すら飲めていない。でも生クリームを舐めたし大丈夫と、自分たちに言い聞かせていた。

その日はアシスタントの西川《にしかわ》くんも来ていて、皆でくりに声かけをしながら仕事をした。床ずれにならないよう、二時間ごとに体位を変えたり。抱きかかえるたび、

「くり、ふにゃふにゃしてるなあ」

と思いながら。

夜中の二時になり、全員が寝る準備に入ったとき、ウトウトしている風だったくりが突然後ろにのけぞった。探偵の声で皆がくりを覗き込む。三回大きな息を吐いたくり。それが本当に最期《さいご》だった。


奇跡のメダイユをずっと着けていたのに、奇跡は起きなかったじゃないかって？　いや、私は元々そういうのを信じていない人間だ。病気を治してくださいなんて、そんな無茶は言わない。だけど藁《わら》にもすがりたかったから、小さなお願いごとをひとつだけしていた。

「絶対に最期の瞬間を看取れますように」

あんな静かに旅立つなんて、別の部屋にいたら絶対に判らなかっただろう。


奇跡は叶った。

ごきげん。
いい夢。
ゆううつ。
悪夢。
絶対に悪いことは出来ないタイプです（バレバレ）
仔犬時代お姉ちゃん犬かの子と
こんな風に寝ていた。
空の上で二匹が
再会出来ていますように。

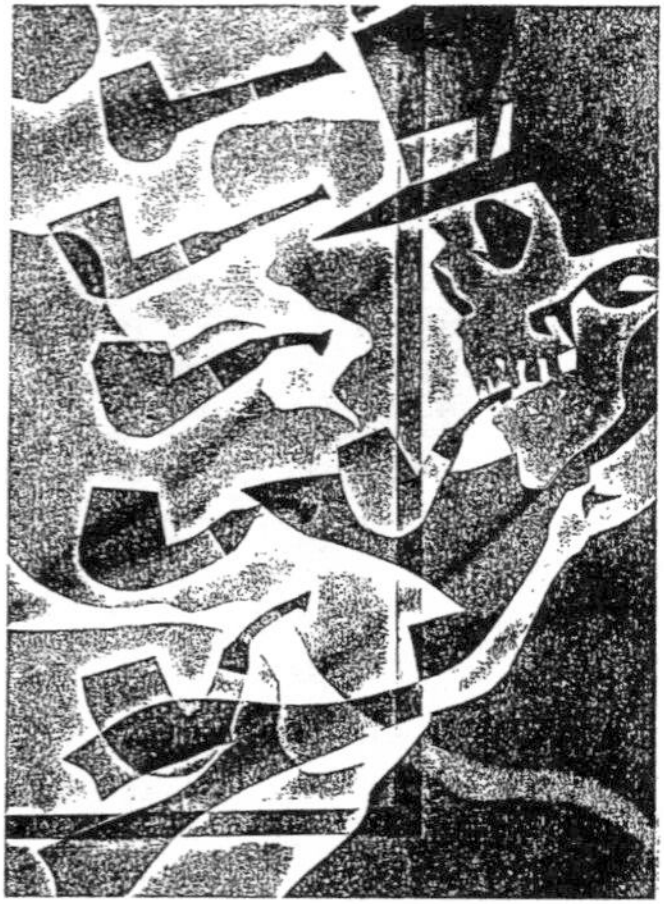

本格力
Hon Kaku Ryoku
第20回

あなたがその
ページを
めくるとき
すぐ横にいたい
ほんかくだ
もの

みすを

◉ 勝 手 に 挿 絵 ◉

ストーリー

旅先の夜、風呂上がりに散歩に出た神津《かみづ》恭介《きょうすけ》は、
墓石に座って笛を吹く盲目の男と出会う。
神津に不思議な体験を語る男だが、
数日後、同じ場所で死体となって発見される。
はたして彼は幽霊に殺されたのだろうか？

高木彬光《たかぎあきみつ》「魔笛」昭和二十五年作品
『死美人劇場』（角川文庫）所収

坂東善博士

H-1グランプリ

本当にお薦めしたい古典を選べ!

りっちゃん

第二十試合

◉クリスチアナ・ブランド◉

「儂は坂東善博士。長年にわたって本格ミステリについて研究している」

「私はりこ。ごく普通の女子高生よ」

「その二人が、〈現代でも通用する古典本格ミステリとはなんぞや〉をテーマに、議論を戦わせるこのコーナー。さて、第二十試合は、クリスチアナ・ブランドじゃ」

「ブランド……。確かこれまでに読んだことあったよね」

「第九試合でな。あのときはハヤカワ・ミステリ文庫という括りで、『ジェゼベルの死』について語った」

「ええと、後半の展開は面白かったけど、いくつかの理由で入り込めなかったという評価をした覚えがあるわ」

「そうじゃな。その評価については、今回

の感想で触れることもあるじゃろうから、後に回すとして……」

「あれ？　今日の課題図書は三冊なの？」

「そうじゃ。実はとある作家とのカップリングで、六冊用意していたんじゃ。ブランドと同じく英国の作家なのじゃが、その二人の、古き良き英国が舞台の小説を、実際に英国で読んだら面白いんじゃないかと思っての」

「そういえば、イギリスに行って来たのよね？　なんとか言うロックフェスを観に」

「ダウンロード・フェスティバル。三日間で二十万人以上が集まる、ハードロック＆ヘヴィメタルの祭典じゃ。F１で有名なドニントン・パークというところで開催されるんじゃが、これが何にもない田舎。近くにダービーという街があるんじゃが、これまた小さくて可愛い街でな。そういうところで、英国の田舎が舞台の小説を読んだら、さぞかし雰囲気たっぷりじゃろうと思ったんじゃが……」

「ということは作戦失敗だったのね」

「そうじゃ、まず行きの飛行機が北京での乗換便だったせいで、落ちついて読めなかった。ロンドンでは儂の大学漫研時代の後輩で、今は作家になった入江《いりえ》敦彦《あつひこ》君が、みっちりとロンドン観光の案内をしてくれたので空いた時間がなかった。そしてロンドンからダービーへの移動の列車は、降りる駅を乗り過ごしてはならぬと本に集中出来なかった。ロックフェスは三日のうち二日間が雨で、本を持って行く状況にさえなかった。フェスが終わってホテルに着くのは夜中の二時。翌日の昼前にはもうフェスの続きが始まるから、本を開く時間などない。帰りの列車は、せっかくの指定席が反古《ほご》にされるという、英国ではよくある列車事情のおかげで、お盆の新幹線の様な状態で立ちっぱなしでまたダメ。そして日本への飛行機では、疲れのせいで、二ページ読んだところで夢の国へと一直線――――というワケじゃ」

「作戦失敗というよりは、最初から負け戦だった気もするけどね。古い友だちに逢う時点で、一人の時間はなくなるし、ロックフェスが雨なのは、日本にいるときから予想できてたんでしょ」

「でもな……、今まで何度も海外旅行をしているが、一冊も読めなかったのは初めてじゃ。予定がつまりすぎていたことは認めるが、他に違う理由があったとしか思えない」

「それは考えなくても判るわ。年齢よ」

「んあ？」

「博士ったら、早めに仕事が終わったとき、嬉しそうに『さあ今日はたっぷりと本を読むぞー』とか言ってるくせに、ソファに座った途端、イビキかいてることが多いもん。数年前まではそんなことなかったよ」

「そうなんじゃ。儂の一番の楽しみは読書のはずだったのに、いつの間にか寝ることがそれより上位にきている。帰国してから読んだこの三冊にしても、ページを開いた途端気持ち良くなってだな、一冊読むのに、一体何日かかったことか……」

「だからなのよね。本に折り目とかシワがついてる。本を取り落としたり、身体の下に敷いちゃったりしてるから」

「ヨダレを垂らしてないだけまだマシかのう」

「そんな本、私は絶対に読まないからね。ヨダレを垂らすようになったら、この連載はお終いよ。いいわね」

「これが始まったころは、セクハラが原因で辞められちゃうかもと心配したけれど……何だか哀しいのお……」

「というわけで、博士が苦労して読んだ今回の三冊はこれ」

あらすじ紹介（**読了順**）
『はなれわざ』ハヤカワ・ミステリ文庫　宇野利泰訳　○イタリア観光ツアーに参加したコックリル警部は、ツアーメンバーの中に、何かの緊張関係があることを感じとる。そして訪れた孤島で緊張の糸は切れ、殺人事件が起こる。だがすべての容疑者にはアリバイがあり、それを証明する立場にあるのはコックリル自身であった。
『緑は危険』ハヤカワ・ミステリ文庫　中村保男訳　○第二次大戦中の陸軍病院。そこには毎日、負傷者が担《かつ》ぎ込まれてくる。爆弾が落ちてくる恐怖をものともせず、処置に従事する医療関係者たち。そんな中、一人の郵便配達夫が手術中に死ぬ。簡単な手術のはずだったのになぜ？　捜査に乗り出したコックリルの前で、新たな殺人が起こる。
『暗闇の薔薇』創元推理文庫　高田《たかだ》恵子《けいこ》訳
○嵐の夜、サリーは、自分を追跡する一台の車の存在に気づく。アクセルを踏む彼女の前で巨木が倒れその道が塞《ふさ》がれる。一刻も早く、その場から逃げたい彼女は、倒木の反対側でやはり立ち往生《おうじょう》していた見知らぬ男と車を交換し、どうにか自宅に辿り着く。翌日、彼女の話に半信半疑の友人たちが、その車を見に行くと、中には死体が転がっていた。

「読んだわ。そして思い出した。『ジェゼベルの死』についてもね」

「その前にブランドのことを解説しておこう。本格の黄金時代というのはクイーンやクリスティ、カーが活躍した三〇年代ということになっておる。このブランドが登場したのは四〇年代ということで、新本格派とされているのじゃが、同時代の作家に比べて、彼女は突出して黄金時代の香りをまとっていた。作品の出来もクイーンやカーに負けていない。だから彼らと同列に語るべきとの声も多い。そう主張する代表格は山口雅也《やまぐちまさや》氏じゃな」

「この三冊の文庫のうち二作が、山口さんの熱い解説だよね」

「ブランドが存命中はイギリスの彼女の家まで訪ねて行ったほどのファンで、山口氏の家で、そのときの思い出の品を見せてもらったこともある」

「博士、山口さんと友だちなんだ」

「そうじゃ」

「じゃ、これから私が言うことはまずいかもよ」

「それはまた別じゃ。あくまでもりっちゃんの言葉で語るのが大切な企画じゃからな」

「ならいいけどね。まず第九試合で取り上げた『ジェゼベルの死』だけど、私はこういうふうに言ってた。『最大の欠点が二つある。見取り図がないから現場がどうなってるかよく判らない。被害者であるジェゼベルの性格がひどいから〈動機〉なんかどうでもいいと感じるし、後半の〈とある趣《しゅ》向《こう》〉も効果がない』。そして評価は△で、もちろん優勝はしていない」

「その二つの欠点には儂も同意している。それに加えて〈舞台上での殺人〉が好きでないと、好き嫌いレベルでのダメ出しまでしておる」

「その三つ、今回の三作にも当てはまるよねえ」

「見取り図が欲しい、は『緑は危険』か」

「逆の言い方をすると『はなれわざ』と『暗闇の薔薇』には、図があって嬉しかった」

「『はなれわざ』はコックリルの居た場所が、全員のアリバイ証明になる重要な場面じゃから、絶対に欲しいところじゃ」

「今、気がついたけど『はなれわざ』も『暗闇の薔薇』も登場人物が書いた図、という体《てい》になっているのよね。『はなれわざ』はコックリルが（二〇〇ページ）、『暗闇の薔薇』はジンジャー巡査部長が（一六三ページ）それぞれ書いてる。で、これも巧みだと思うのよね。著者が用意した図なら嘘は書けないけれど、登場人物なら間違えている可能性もある。しかもどちらも警察関係者だから、一見公平さが保たれているように見える」

「言われてみればそうじゃな。とある国内ミステリの見取り図は、作者が用意したものだから、抜け道もこっそり描かれていた」

「でしょ。実際あの図に嘘があるとか、書き漏らしがあるとかは別にして、ブランドの場合はそこも疑ってかからなきゃいけないようになっているのよ。例えば『暗闇の薔薇』の登場人物表よ。あれだってギリギリのことやってると思うし」

「なるほどな。『暗闇の薔薇』の地図なんか、あってもなくても同じ。というか、脇道を完全に省略している段階で、逆に邪魔にも見える」

「本当にそうかしら？　よく考えてみて」

「え………どういうことだ？」

「あの図の目的は、実は違うところにあった、と言えなくもない気がするんだけど……」

「あ、そうか！　なるほど！」

「自信はないけどね。英国の地理が判らないから。でもそういう見方もしようと思えばできるってこと」

「なるほど。これはすごい。ブランドの騙しのテクニックについては、色んな人がたくさんのことを書いているけれど、あの図のことを指摘したものは、少なくとも儂は見たことがない」

「で、次ね。『ジェゼベル』の欠点のもう一つ」

「被害者の性格がひどいから、推理に興味が持てない。これが当てはまるのは『暗闇の薔薇』じゃな」

「こっちは被害者ではなくて主人公の性格。後半の読ませどころの展開が、彼女の性格のひどさで、哀しみが伝わってこないよね」

「あの性格ありきで、あの展開になったとも言えるが、確かに好感の持てる性格にしておいた方が、悲劇の効果は絶大になったじゃろうな」

「それに何なの？　あのバカさは。自分の車のナンバーを覚えていない。口調がバカ。どうしてトイレに行くたびに『おしっこしてくる』と言わなきゃいけないのか判らない」

「言葉の問題はもう一つあるな。登場人物の一人が正しく発音できない単語をみんなで真似しているんだけど、これが読んでてうっとうしい。目についたところでは『ぐうすり（ぐっすり）』『とおてもとおても（とてもとても）』『ずさましい（すさまじい）』なんてのがあるし、『ふんとに（ほんとに）』に至っては、いったい何十回出てきたか」

「あれって仲間の絆の強さを表すためのエピソードだと思うんだけどさ、他に方法はなかったのかな。それともこれもブランドの作戦かしら？　思考に集中させないという。だってその効果はテキメンよ。ほんとにイライラしてストーリーに集中出来なかったし、どうにか怒りをやり過ごしたと思ったら、サリーの『おしっこしてくる』だもの。もうお前ら全員殺されろー！　なんて殺伐とした気持ちになっちゃったもん」

「考えてみれば、あの状況で考えられる真相は一つしかなかったはずなのじゃが、見事に騙されたのはそういう理由かもな」

「いや絶対にそれはあると思う。ストーリー上、とある理由があって、犯人以外にも隠し事をしている人がいるでしょ。そこでなぜそうしない？　って最初は疑問だったんだけど、読んでるうちに、バカだからしかたないかと思っちゃったのよ。でも結局は、やっぱりそれにも理由があったと。どこまで底意地の悪い作者かと。いや、これは褒め言葉だけど」

「ふんとに」

「もう一回、その言葉使ったら帰るからね」

「おお、怖い。じゃ次、儂が言った〈舞台上での殺人〉が好きじゃないは……やはり『暗闇の薔薇』か」

「舞台上で事件は起こらないけど、主人公が元女優。本格ミステリという嘘くさい世界を、さらに嘘くさくしている」

「嘘くさい世界だからこそ、リアルが必要だと」

「というわけで、個別の作品を論ずる前に、まず『ジェゼベル』の欠点と比べてみました」

「やはり優勝する作品があるようにはみえない」

「そんなことはないわ」

「え、そうなのか？」

「まず『はなれわざ』からね。このページ数で事件が一つは少ないよね、孤島を訪れたグループでの殺人となると、やはり『そして誰もいなくなった』を連想しちゃうけど、あっちが派手だったから、余計にそれは感じる」

「こちらの読みどころは、すべての登場人物が疑わしいこと。そして仮説を立ててはひっくり返すおもしろさじゃ。もっともこの趣向は、この作品に限ったことではなく、ブランドのすべての作品に共通するが」

「ユーモアの部分を削ったら、半分ぐらい短くなると思うけどね」

「嫌いか？　ユーモアは」

「少しならいいけど、全編だとちょっとね。島の警察が面目を保つために、誰が犯人でも構わないという姿勢と、捜査側のコックリルが、みんなのアリバイを証明する皮肉、というのはおもしろかったけど、恋愛関係のアレコレは全部要らない」

「全員を容疑者にするためには、それも必要だった」

「『暗闇の薔薇』も事件は一つ。両方とも読ませどころは、一つ仮説が浮かび上がるたびに、違う局面が見えてくる、にあるわけだから、それは判るんだけど、そうなると文体やキャラに入り込めないと、ちょっと辛い」

「ブランドの魅力のもう一つは、重要な文章を、読者が予期するより前に挟むところ。その中には嘘の手がかりもあるのじゃが、そのタイミングが実に絶妙」

「そこも憎いよね。手がかりが五個出てきたら、こっちも自信をもって推理できるのに、三個出したところで、この人怪しいよね、と作者が匂わす。だからこちらは残りの二個を読み飛ばしたり、違う解釈したりする」

「そういう意味で、ブランドは二度目が面白い」

「でも私はイヤよ。『暗闇の薔薇』をもう一度読むなんて」

「嫌われたものじゃ。ということは気に入ったのは……」

「『緑は危険』ね。これは面白かった。全員が容疑者とか、それぞれ仮説が成り立つとかの構成は同じだけれど、短い上に事件も多いから、他の作品で欠点に思えたところが目立たなかった」

「やはり恋愛もいくつか描かれるが、あれ

ぐらいなら邪魔にならんしな」

「戦時下だから、恋愛に逃げたい気持ちも判るしね。一人だけうざいと思ったキャラがいたけど、殺されるのでそれも良かった」

「なんとも可哀想な被害者じゃ」

「連続事件のおかげで、中盤のサスペンスも申し分ないよね。コックリルがいる場で、次の犯罪を行おうとする犯人。すべての状況が読者に提示され、実行は不可能と思わせて……という展開は、他の二作にはなかった」

「『はなれわざ』も『暗闇の薔薇』も、事件が起こったあとに、議論するだけだからな。言わば、本格の持つ弱点でもある」

「残念だったのは、病院の見取り図がなかったこと」

「必要ないとも言えるが……」

「推理にはね。でも雰囲気を盛り上げるためには、絶対に必要だと思うの。で、ここでも判ったの。ブランドって騙すためなら、何でもやるけど、関係ないところには手を加えない」

「つまり、見取り図がないってことは、推理とは関係ない」

「でも、それも寂しいでしょ。私は本格にはムードって大切だと思っているから」

「確かに、戦時下の病院で起こる殺人事件は魅力的じゃ。病院の中でも外でもたくさんの人間が死んでいるし、犯人も警部も爆弾で死ぬかも判らない状況で、一人の郵便配達夫の事件を追いかける皮肉さ」

「それだけに、もっと緊迫感を演出してくれても良かったと思うのよ。例えば、犯人指摘の場面は、空襲のさなか、灯りも消えた真っ暗な中でやる、とか」

「おお、それは面白そうじゃな」

「でね、クイーンとかカーならそれをやったかもしれないと思うの。でもブランドはそれをやらなかった。なぜなら……本当のパズル作家だったから」

「それを言うなら『暗闇の薔薇』の後半の展開は、パズル作家では書けないと思うぞ」

「だってあの作品は晩年に書かれたんでしょ。そりゃ作家的に違うところに目が行くわよ。そしてその試みは面白いと思うの。だから本格ではなく、サスペンスとして書いてほしかった。中途半端な警察とか出さないで、主人公をもっと好かれる性格にして、そうすれば、すごい名作になったと思うもの」

「そういう意味では、そのあとの書かれなかったミステリに興味がわく。考えれば、本格の女王だったクリスティも、恐怖小説に名作がたくさんある。そっち系のブランドも読んでみたかったな」

「コックリルの目の前で行われる手術シーンの緊迫感。あそこを読んだだけでも想像できるよね。彼女はきっと恐怖小説でも成功したんじゃないかと」

◉第二十試合出場作品とりっちゃんの評価

『はなれわざ』	トリックはいいけれど、事件が地味すぎ	△
『緑は危険』	ミスディレクションの見本市	◎
『暗闇の薔薇』	語り手をおバカさんにした意味が判らない	△

◉優勝

『緑は危険』

国樹由香の
本棚探偵の日常
第20回
探偵と国樹は英国の巨大メタルフェス「ダウンロード・フェスティバル」に行ってきました！
フェスはロンドンから特急で数時間のダービーという街でおこなわれるので
前乗りしてロンドン観光です！
ロンドン在住23年の友人作家入江《いりえ》敦彦《あつひこ》さんに案内していただきました
なんと探偵とは多摩美《たまび》の先輩後輩関係
ジモティーならではの美味《おい》しいお店とか
路上アートとか
わあっ
演技中
古本屋さんとか

でも今回どうしても行きたかったのは
今話題の『シャーロック』ロケ地巡りです！
ここは2人の住んでいたおうちの下！
死体の打ち上げられたテムズ川
何百年も昔のレンガのかけらを拾ったりして
ところが一番印象に残ってるのはグラント動物学博物館
モグラのホルマリン漬けがっ
でも妙に可愛《かわい》い
展示ケースの下には恐ろしげな包み
死体だ
死体だ

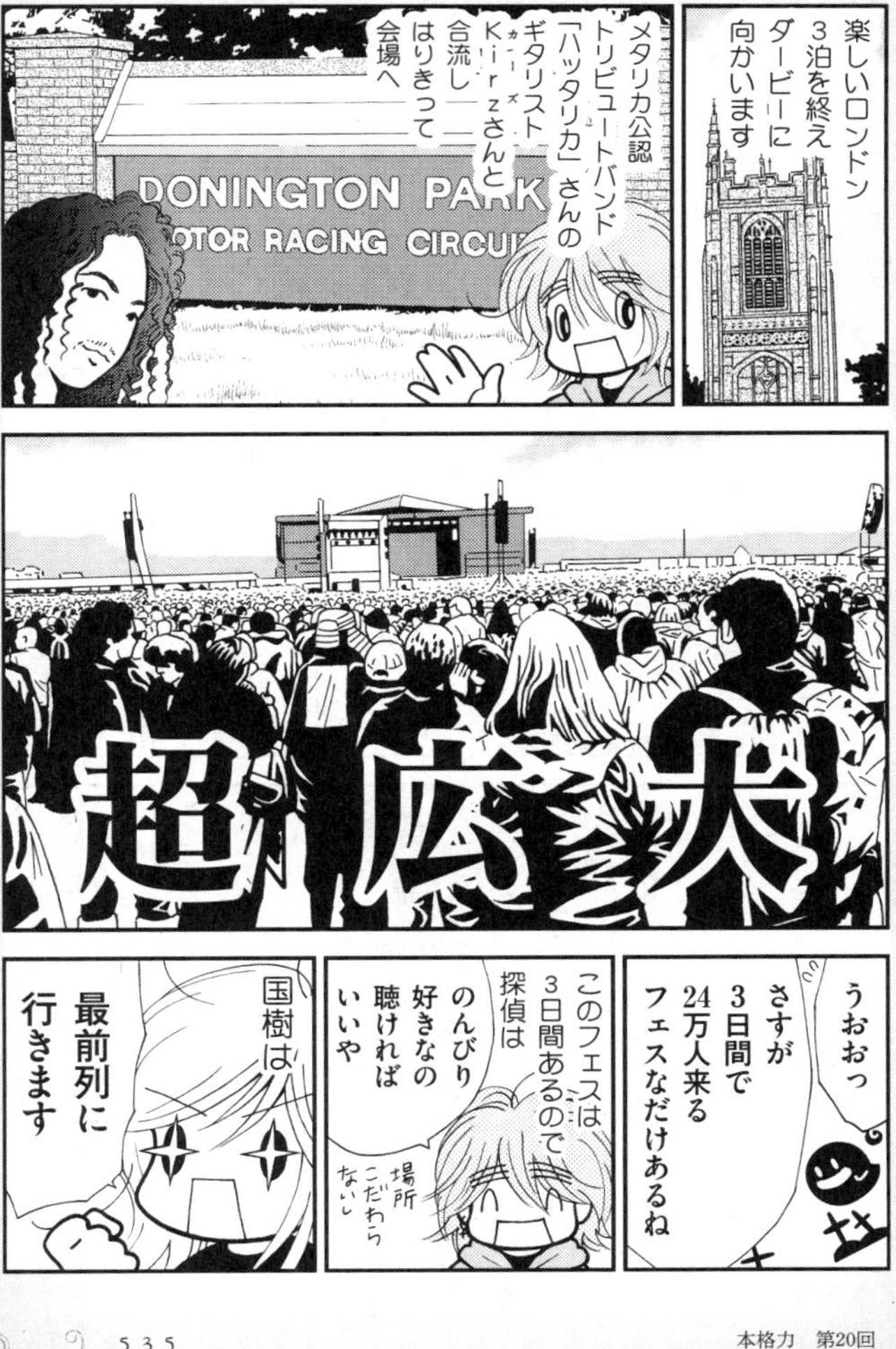
楽しいロンドン3泊を終えダービーに向かいます
メタリカ公認トリビュートバンド「ハッタリカ」さんのギタリストKirz《カーズ》さんと合流し――はりきって会場へ
DONINGTON PARK
超広大
うおおっ
さすが3日間で24万人来るフェスなだけあるね
このフェスは3日間あるので探偵は
のんびり好きなの聴ければいいや
場所こだわらないし
国樹は最前列に行きます

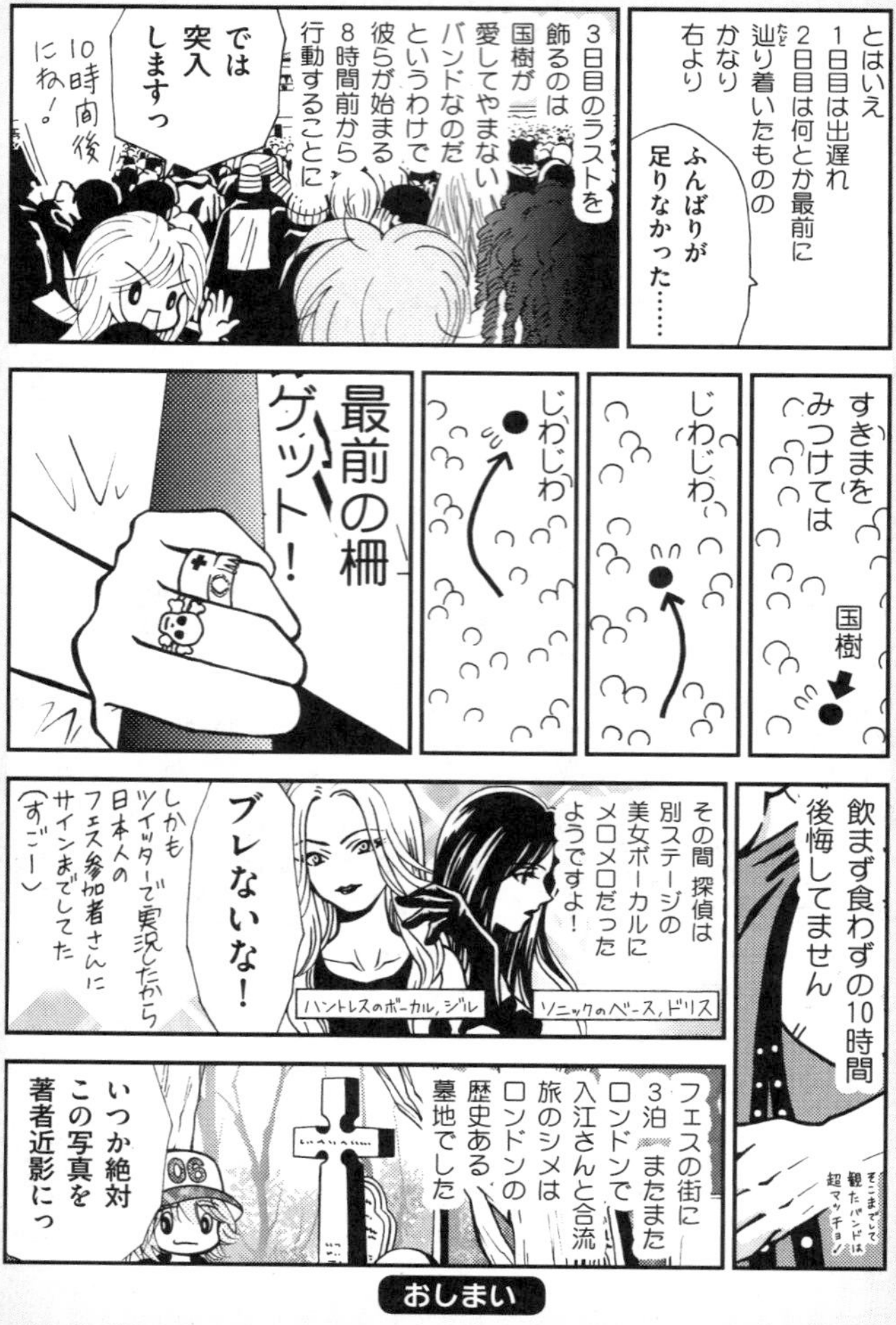
とはいえ
1日目は出遅れ
2日目は何とか最前に
辿《たど》り着いたものの
かなり
右より
ふんばりが
足りなかった……
3日目のラストを
飾るのは
国樹が
愛してやまない
バンドなのだ
というわけで
彼らが始まる
8時間前から
行動することに
では
突入
しますっ
10時間後
にね!
すきまを
みつけては
国樹
じわじわ
じわじわ
最前の柵
ゲット!
飲まず食わずの10時間
後悔してません
そこまでして観たバンドは超マッチョ!
その間 探偵は
別ステージの
美女ボーカルに
メロメロだった
ようですよ!
ブレないな!
しかも
ツイッターで実況したから
日本人の
フェス参加者さんに
サインまでしてた
(すごー)
ハントレスのボーカル,ジル
ソニックのベース,ドリス
フェスの街に
3泊 またまた
ロンドンで
入江さんと合流
旅のシメは
ロンドンの
歴史ある
墓地でした
いつか絶対
この写真を
著者近影にっ
おしまい

本格力

by Masahiko Kikuni, Yuka Kuniki

Hon Kaku Ryoku

Mystery book guide
of the bookshelf detective

第21回

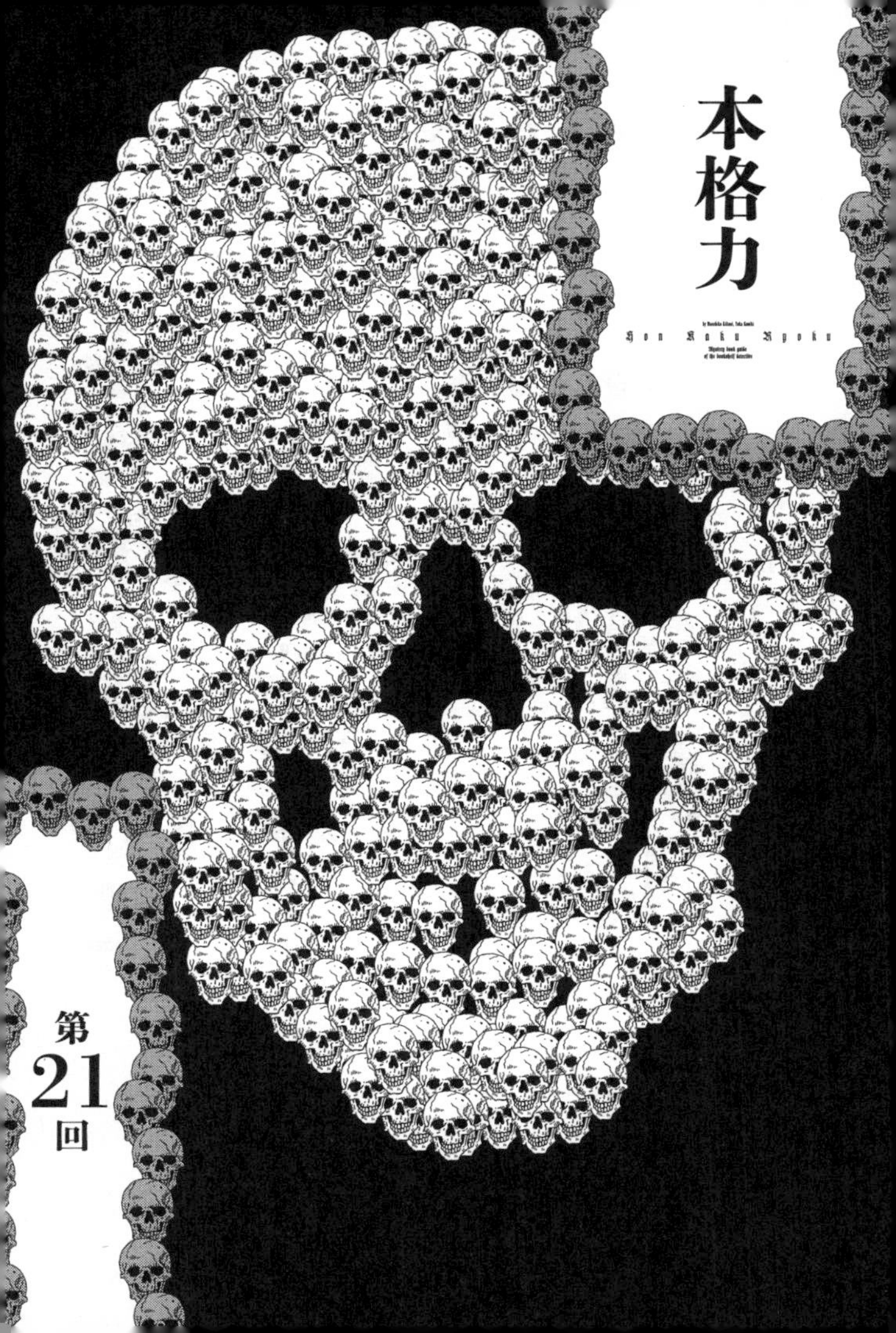

青銅のまじんて
ロボット？
ううん
にんげんだ
もの
みすを？

◎ほんかくだもの◎

宇宙かいじんて
宇宙じん?
にんげん
だもの

みすを?

◉　勝　手　に　挿　絵　◉

ストーリー

真夜中の渓流沿いの道。
うしろから尻切れ草履を履いた二人の子どもがついてくる。
ふと気がつくと、一人の子どもが自分を追いこしている。
「もう一人、どうしたンだ？」思わず尋ねた私への返答は……。

城 昌幸「まぼろし」昭和二十三年作品
『怪奇製造人』（国書刊行会）所収

坂東善博士

H-1グランプリ
本当にお薦めしたい古典を選べ！

りっちゃん

第二十一試合

◉ドロシー・L・セイヤーズ◉

「儂は坂東善博士。長年にわたって本格ミステリについて研究している」

「私はりこ。ごく普通の女子高生よ」

「その二人が、〈現代でも通用する古典本格ミステリとはなんぞや〉をテーマに、議論を戦わせるこのコーナー。さて、第二十一試合は、ドロシー・L・セイヤーズじゃ」

「『乱歩が選ぶ黄金時代ミステリーBEST10』の最後の一冊ね」

「そうじゃ。そのために今回のラインナップがこうなった」

「うわっ、どれもぶ厚い!!」

「じゃろ？　うち一冊は、文庫にしてなんと七百ページ。そして、りっちゃんが読む前にこんなことを言うのもナニじゃが、ちょっと退屈な作品での。どえらい難敵じゃった」

「うわ、言っちゃった！　私が読む前に感想を言ったの初めて」

「ぶっちゃけついでに言うと、実は前回のブランドは、セイヤーズと合わせて、大増ページでお送りする予定でもいた。同時代を生きた英国生まれの女流作家ということで共通点も多く、対比して語ればおもしろいかと思っての」

「でもダメだったのね」

「そう。この一冊が……どうしても読めなくて……」

「あのさー、さっきから期待しているのよ。『でも、いざ読んでみたら面白くて、自分の不明を恥じた』って言ってくれるのを」

「その返事はスルーする。ということで、今回はこの四冊なのでよろしく」

「ああっ、もう！」

あらすじ紹介（読了順）

『学寮祭の夜』創元推理文庫　浅羽莢子《あさばさやこ》訳

○探偵作家のハリエットは旧友に請われて母校の学寮祭に出席する。久しぶりの学び舎に複雑な思いを抱くハリエットだが、やがて学内に小さな悪意が蔓延《まんえん》しつつあることを知る。頼みのピーター卿は遠隔の地にあり、彼女は一人で調査に乗り出す羽目になった。

『忙しい蜜月旅行』ハヤカワ・ポケット・ミステリ　深井《ふかい》淳《じゅん》訳　○紆余曲折《うよきょくせつ》を経て、ようやく結婚に至ったハリエットとピーター卿はハネムーンに出かける。彼らが滞在先に選んだのは、ハリエットの故郷のとある屋敷。だが、彼らを出迎えるはずの前家主は、地下室で死体となって発見された。甘くなるはずだった旅は、一転、犯人探しのそれへと変わる。

『死体を探せ』現代文芸社　宇野利泰訳

○徒歩で旅行をしていたハリエットは、海岸の岩の上で、喉を切られた男の死体を発見する。今まさに切られたとしか思えない状況だが、見渡す限り犯人らしき者は見えない。その上、彼女が警察に知らせようとしている間に、死体は満ち潮で流されてしまう。はたして死体は誰だったのか？　そして犯人はどうやって消えたのか？

『ナイン・テイラーズ』集英社文庫　門野《かどの》集《しゅう》訳

○吹雪の中、車の事故で立往生となったピーター卿は、車の修理が終わるまで、その村の牧師館に泊めてもらうことになった。おりしも教会では、新年の鐘をつくための人員が足りなくなっていたため、心得のあるピーター卿が手伝うことになった。そして翌春……。村の墓から身元不明の死体が見つかり、ピーター卿は捜査のために、思い出のその地に戻るのであった。

「読んだわよ」

「おおっ、しかも儂が一番難儀した『学寮祭の夜』からか」

「その前に、一つ訊《き》いていい？　この作品のカバー袖に書かれている刊行リストを見たら『忙しい蜜月旅行』以外は、全部創元推理文庫から出ているじゃないの。なのに何で、渡された本は出版社がバラバラなの？」

「見つけたときに、それぞれ買っていたら、そうなっても何の不思議もないはずじゃ」

「それは判るけどさ。私に読ませるときに、同じ出版社で揃えておいてあげよう、という親切心はおきなかったわけ?」

「この連載の主旨を忘れてはいないか? 〝現代にも通用する本を選ぶ〟というのが表向きだが、実は〝手持ちの本を減らすためだった〟と暴露した回があったと思うんじゃが」

「だから、そのために新しい本は買いたくなかったと」

「そうじゃ。だから早く感想を言え。一冊でも早く処分したいんじゃ」

「もうビックリね。まあいいけどさ。そう、一番最初に一番厚いのを読みました。博士みたいになったら困ると思ってね」

「偉いぞ」

「そしたらさ、主要キャラの二人の関係は作品ごとに進展しているっぽいじゃないの。それを知っていたら、古いのから読んだのに」

「本当か? 本当にそうしたかったか?」

「…………」

「ホラ見ろ。実はどうでも良かったんじゃろ、二人の関係なんて。儂だってそこが重要だと思ったら、そうアドバイスをしたはずじゃ。でも、これまでに知ったりっちゃんの好みを考えると、それはどうでもいいと思ったんじゃ」

「ファンの人、ごめんなさい。その通りです。正直、二人の関係はどうでも良かった」

「これはすぐに判ることだから明かすが、主人公の小説家と探偵役のピーター卿は最初に出会った作品から恋愛関係にあり、それがシリーズを通して、作品ごとに進展するという大きな流れになっておる。そしてまさにそこが、セイヤーズファンがこのシリーズを好きな一番の理由なのじゃ」

「私も女の子だから恋愛要素は嫌いじゃないよ。でも判ったの、ここまで前面にそれが押し出されると、私の求めるミステリではないと」

「儂も恋愛要素はあっていいと思う。そしてこれを読んでいる間に考えた。あってもいいが、儂が好きなのは〈片思い〉や〈叶わぬ恋〉だと」

「私は〈青春〉と呼べるものが好き」

「じゃが、この二人は恋愛経験こそ少ないけれど、おじちゃんとおばちゃん。それが互いに相手の気持ちを十二分に知りつつ、何の障害もないにも拘わらず、じくじくうだうだと自分のプライドを納得させるために、よくわからない駆け引きをしているだけだから、鬱陶しくてしかたない」

「なんか女性作家なのよねえ。とか言うと、ジェンダー的なところから抗議がきそうだけど、今は女性の方がスパッとしてるから、ああ、自分は今、古典を読まされているんだなあ、と感じた」

「そうだな。男のキャラは時代が変わっても同じじゃが、女性はそれとは無縁ではいられない」

「この時代に、ミステリでそこを描くことに意味はあったと思うのよ。男はパズルをしていてもいいけど、女はそれだけでは生きていけないからね。でも、それが却ってアダになってる」

「パズル小説は百年後でも古びないが、人を描いたせいで古びてしまった」

「そのことは、ここで描かれている事件や動機にも関係していることでしょ。主要キャラは全部女性。そこで次々に〝嫌がらせ〟が勃発し、とうとう最後まで殺人は起こらず……」

「それは大声で言っておこう。この七百ページの大作では、殺人事件はおこらない、と」

「一〇〇ページまでに起きた事件は、嫌がらせの手紙が二つ！」

「探偵役が登場するのは四二七ページになってから！」

「そして死体は最後まで登場せず！」

「なのに登場人物表は三ページにわたってビッシリと！」

「しかもほとんど女性だから、誰が誰やらさっぱり判らず！」


「という話をしてて思い出したんじゃが、儂はこの作品の戦前訳の本を持っている。『大学祭の夜』（黒沼健《くろぬまけん》訳　春秋社　昭和十一年）というヤツなんじゃが、あれは四百ページぐらいなんで、そっちを読んだ方が面白いかもしれんな。今度トライしてみよう」

「どうして、そんなに短いの？」

「戦前は、翻訳者や出版社が原文を勝手にいじって短くする、なんてことが当たり前に行われていたんじゃ。これを〈抄訳《しょうやく》〉というんじゃが、場合によってはそっちの方が出来がよくて、後世に残ったりする場合がある。有名なところでは波多野完治《はたのかんじ》訳の『十五少年漂流記』。後に完訳版が何度か出されたが、未だに波多野版の人気は衰えない」

「へえー。じゃあ、その抄訳版を読んだら

感想を聞かせてね。でも……ああ、なんかこう、スッキリしたヤツを読みたくなったわ。女性が——あくまでも女性のキャラのままで、でもやることは、男勝り、みたいなヤツを」

「では、一冊お薦めしておこう。桐野夏生《きりのなつお》著『OUT』じゃ」

「いいの、それ？」

「りっちゃんが出した条件にピッタリじゃ」

「じゃ、それを愉しみに二冊目の『忙しい蜜月旅行』ね。てゆーか、さっきの感想はアレでいいのかな？　ミステリ的なことには一切触れていないけど」

「セイヤーズ自身が、ミステリではなく人間を書こうとしてるのは明白じゃからそれはいいじゃろ。で『学寮祭の夜』では、なんだかんだあった二人じゃが『忙しい蜜月旅行』では結婚して新婚旅行に出かけた」

「今度は死体も登場してくる。予想したよりも大分あとではあったけど。そして二人はもう結婚してるんだから、事件の方に目を向けてくれるのかと思いきや……」

「のろけまくりの二人のやりとりで話は進む。死体のことなどなかったかのように」

「従僕を加えて三人よ。でね、言ってしまう。これは読み進めるのが苦痛だった。今までこの企画で読んだ中では、間違いなく一番ぐらいに……」

「それは悪いことをした。で、儂的にももう一つだったから、ネットの感想を見てみた。みんながどう思っているのか」

「どうだったの？」

「概ね、好意的だった」

「ええっ⁉　どうして⁉」

「この作品を手に取る人の多くは、主人公二人のファンなんじゃよ。これはシリーズ最終作だから『二人のやりとりが、これで読めなくなるのが悲しい』という意見が多かった」

「だったら、私たちが語るのもこれまでにしましょう。肉を食べたい人が魚を食べて『これは肉じゃない！』って因縁をつけてるようなものだからね。選んだ博士が間違ってたということ」

「書庫のタイトルで間に合わせてしまってスマンかった」

「次『死体を探せ』。創元推理文庫の既刊案内に入ってないと思ったら、そっちでは『死体をどうぞ』というタイトルだったのね」

「ハリエットとピーター卿のシリーズは基本ユーモア小説じゃから、ちょっと軽めにしたんじゃろうな。ちなみに原題は『HAVE HIS CARCASE』。直訳すれば〝彼の死体を持て〟になって、なんだかよく判らない。自慢じゃないが英語は判らないので間違えていたらスマン」

「これに関して言えば『死体を探せ』がいいよね。いくらユーモアだからって、喉をパックリと切り裂かれて、赤い血がドロドロ流れている作品に『どうぞ』は合わないし、死体がないばっかりに犯行時間が特定できない、というミステリ的な仕掛けにも繋がっているワケだから」

「この三作目で初めて血が流れた。刊行順から言えばこれが先じゃが」

「私たちが読んだのは、二段組みの単行本で三百ページで、そんなに長いと思わなかったけれど、文庫だとやっぱり六百ページもあるのね」

「でもこれはそんなに長く感じなかった」

「私も。で、どうしてだろうと思ったら、この作品の二人の会話は、ほとんど推理に関することだった。プロポーズのシーンとかあるんだけど、自然な展開で邪魔にならなかった」

「そうじゃな。つまり、この頃のセイヤーズは、この二人の仲をそんなにしっかり描こうとは思ってなかったんだと思う。ゆくゆくは結婚させるにしろ『学寮祭の夜』のような、あんな〃大人の戯れ〃的なゴネゴネを書く気はな」

「私としては嬉しかった。やっとミステリが読めたーって」

「仮説を立ててはひっくり返して、の繰り返しが冗長にも思えるが、何だミステリ書けるじゃないか、と」

「暗号は出てくるし、ピーター卿が十一の手がかりを列挙するところも、探偵小説らしくていい」

「そして真相の〈唖然〉感!」

「怒る人もいるかもしれないけれど、これがミステリよね。そしてこれは最初にやった者の勝ち」

「この真相があるから、何度も推理をひっくり返せるというワケじゃ。儂的には暗号がちょっと複雑すぎたな。アルファベットの暗号で言うならば、エドガー・アラン・ポーの『黄金虫』とコナン・ドイルの『踊る人形』の二大名作があるから、どうしてもそれと比べてしまう」

「私はその二つを知らないから気にならなかった。いいのよ、暗号なんてどっちみち探偵が解くのを黙って見ているだけなんだから、その雰囲気があればいいの」

「おっ、ということは気にいった?」

「いや……」

「いや?」

「やっぱり、ちょっと長い。半分の長さだったら、最高に面白かったかもしれない」

「そうじゃよな。暗い作品なら長くても〈重厚〉という褒め言葉があるけれど、基本ユーモアテイストじゃからな」

「こっちの〈抄訳〉はないの?」

「残念ながら、ない!」

「残念。じゃ最後に『ナイン・テイラーズ』ね。博士念願の『乱歩お薦め10』の一冊」

「そうじゃ。第一試合のときから、抱えたまま」

「何年、苦しんでいたのよ」

「でも『学寮祭の夜』に比べたら、はるかに読みやすかった」

「そうね。面白さではこれが一番だった。事件も一番派手だし、雰囲気もあるし。そして……」

「ピーター卿は登場するが、ハリエットが出ない」

「そうなのよ。そこなのよ。書かれた時代をみると『死体を探せ』と『学寮祭の夜』の間なんだから、彼女が登場してもおかしくはないのよ。なのに、そうしなかったということは……」

「彼女は必要なかった。言い換えれば、セイヤーズはこれまでの黄金時代のルールに則ったミステリを書こうとした」

「そして、それがやっぱり一番面白かったんだから皮肉よね」

「儂らの間だけでなく、世間一般でも、この作品が彼女の代表作とされておる」

「天下の乱歩の目に間違いはなかったと」

「やっぱりこの作品も長いのは長いのよね。でも恋愛要素ではなく、教会の鐘に対する蘊蓄だからミステリに合うのよ」

「何せ、この鐘が主人公だからな」

「ミステリ的にはトリックもある。そしてそのトリックがトリックで終わっていないところがいいのよね。余韻があって」

「絵を描く立場からすれば、鐘を含めて、死体や、とある登場人物や村の様子など、絵にしたい場面がたくさんあるのがいい」

「でも、考えさせられたのが、大津波悦子《おおつなみえつこ》さんによる解説の『セイヤーズは容姿にはあまり恵まれず、コンプレックスを持っていたという』という部分。そうだとすれば、恋愛小説に重きを置こうとしたスタンスも頷けるかなと……」

「言われてみれば確かにの……」

「でね、いいとこ尽くしの『ナイン・テイラーズ』ではあるんだけどセイヤーズのもう一つの要素が馴染めなかった」

「〈ユーモア〉の部分か」

「これは前回のブランドでも感じたこと。選んだ作品はユーモア臭がなかったヤツだからね。だから『ナイン・テイラーズ』は将来もう一度読み直したい。私のそういう偏見がなくなっているかもしれないからね。感想が変わっている可能性は大いにある」

「儂は今でもユーモアが苦手じゃ」

「それは自分でもギャグ作品を描いているからでしょ」

「そうじゃろうな。ということで時間じゃ。

優勝は『ナイン・テイラーズ』かな？」
「そうね、好き嫌いを言ってると、同じ傾向のものばっかりになっちゃうから、違う
形としてこれを優勝にしておこうかな」

◉第二十一試合出場作品とりっちゃんの評価

『学寮祭の夜』	キャラに思い入れがあれば、違ったかも	×
『忙しい蜜月旅行』	キャラに思い入れがあったとしても	×
『死体を探せ』	二人の関係はこれが一番良かった	△
『ナイン・テイラーズ』	キャラが一人いなかったおかげで	○

◉優勝

『ナイン・テイラーズ』

国樹由香の
本棚探偵の日常
第21回
探偵の家にニューフェイスがやって来ました
アニマルシェルター出身の雑種犬（♀）
生後３ヵ月　柑奈（かんな）ちゃんと命名
ち…小さいっ
長いまつげ何故か涙目
うるうる
も
萌え――っ
あっ金時《きんとき》っ
柑奈ちゃんはまだ仔犬なんだから優しく
フンフン
スッ

ワン
ワン
ワン
ワン
ぎゅうっ
こ これはっ
めろめろ
ころーん
金時は今2歳だから人間の年齢だと23歳
柑奈ちゃんは生後3ヵ月だから
5歳!?
スマホしらべ
犬でよかったなあ
擬人化の絵は描かないでおこう

金時が我が家に来たときは老犬くり丸がいて
一方的に甘えていたけれど
わあい
がぶ
童顔だけどおじいちゃん
金時にとって初
ひとつ屋根の下にカワイイ女の子
そりゃ夢中にもなるよな――
ぼくのおひめさま
いやいや妹だからね
それがほんの3ヵ月前の話
7月現在
とたたたた…
す

♪
ジャンプ！
おうっ
柑奈っ人間を踏み台にしちゃダメだろ
あっ
ラグの糸抜いてる
柑奈――！
かんななんにもしてないのに
どうしておこるの……
口元になんならラグの糸ついてるから
金時の耳噛んでるっ
単に泣き顔なだけだったか
はみはみ
もう慣れっこ
当分やんちゃ姫に振り回されそうな探偵一家でした

おしまい

本格力
Hon Kaku Ryoku
第22回

◉ ほ ん か く だ も の ◉

おれぼくおいら
使いわけて
生きている
でも今日はわたし
性別じょじゅう
とりっくだもの

みすを？

坂東善博士

H-1グランプリ

本当にお薦めしたい古典を選べ！

りっちゃん

第二十二試合

◉隣町の気になる四冊◉

「儂は坂東善博士。長年にわたって本格ミステリについて研究している」

「私はりこ。ごく普通の女子高生よ」

「その二人が、〈現代でも通用する古典本格ミステリとはなんぞや〉をテーマに、議論を戦わせるこのコーナー。さて、第二十二試合は……」

「今回のタイトルの意味が判らないんだけど。普通ここには作家名とか叢書《そうしょ》名が入るんじゃないの？」

「うむ、解説が必要じゃな。どこから説明すればいいか。ええと……ハッキリ言うと、今回は本格ではない!!　じゃ」

「はい？」

「十一行前に自分の口で言ってるとおり、このコーナーは本格ミステリについて語る連載じゃ。だからこれまでにりっちゃんとそうしてきた。そしてそれは儂にとってすごく幸福な時間じゃった。自分の好きな作品に賛同をもらえればもちろん嬉しいし、意見が違ったとしても『なるほどそういう見方もあるのか』と勉強になったしな。だが一番わくわくするのはその前の作品選定の時間でな。書庫に籠って、りっちゃんとの会話を予想しながら、いろいろな作品を手に取って、初読時の——概ね青春時代じゃが——記憶を呼び覚ましたり、未読の作品のあらすじや書き出しを読んで内容を想像したりするのは、至福のときなんじゃよ」

「そこまで嬉しいのなら、もうちょっとギャラをはずんでもらいたいんだけど」

「その話は、また今度な。そして今回も一応、候補は選んでたんじゃが、これがどうにも失敗で……」

「どう失敗だったの？」

「ミステリの歴史的には、重要な作家なんじゃが、すべての作品が儂の肌に合わなくてな」

「博士に合わなくても、私には合うかもしれないじゃん」

「ところがな、その作家の作品は、これまでにも何冊か取り上げたんじゃが、りっちゃんも『私には合わない』って言い放っている」

「えーと、誰かしら？　言っちゃってよ」

「アントニイ・バークリー。別名フランシス・アイルズ。第五試合で『第二の銃声』と『ジャンピング・ジェニイ』、第十試合で『ピカデリーの殺人』、その他にもいくつか取り上げた」

「ああ、覚えてる。確かに合わなかった。で、なんでまた、その人のを選ぼうとしたのよ」

「あのときの『第二の〜』と『ジャンピング〜』はマニアに人気はあったが、一般的な代表作ではなかったんじゃ。だから正しく評価するには相応しくなかった。そこで……」

「代表作を選んだ、と」

「うむ。具体的に言うと『毒入りチョコレート事件』『殺意』『トライアル&エラー（試行錯誤）』の三冊。どれもミステリ史からは外せない重要な作品じゃ」

「じゃ、ひょっとして私たちだけが変なの？」

「そうかもしれないし、そうじゃないかもしれない。というのはな、この三冊はすべて変化球なんじゃ。『毒入り〜』は一つの事件を六人の犯罪研究家がそれぞれ推理したら全く違った答が出たという構成で、ある意味、推理小説のパロディになっているし、『殺意』は妻を殺そうとした男の心理描写に重きがおかれたもので、三大倒叙《とうじょ》ミステリの一つと言われたもの、『トライアル〜』は、犯人の計画がことあるごとに裏目に出てしまい、最終的に当初の目的と真逆なことになってしまう、という、読者の予想を裏切ることに命をかけているものなんじゃ」

「『殺意』以外はおもしろそうだけど」

「バークリーがそういう手法を取ったのは、従来の探偵小説のマンネリな部分に疑問を持っていたからなのじゃが、儂みたいに、そっちのファンからすれば批評で書かれた作品なんて〈大きなお世話〉ということになるし、方法論が先にあるので、事件そのものに魅力がないのが大きな問題でな、何も知らずにチョコを食べたら毒入りだった、なんて事件をああだこうだ推理されても、もうどうでもええわという気になってしまう」

「その辺の感想は私も同じだと思う。方法論は前面に出すものじゃなくて、読み終わったときに気づくものじゃないとね」

「儂らのこの対談が〈本格をいかに発展させるか〉なら、変化球に意味はあるし、歴史的な知識として必要じゃが、ただ〈好きな本格〉を選んでるだけだからな」

「でバークリーはやめたのね。私たちになぜ合わないかを語っても良かったんじゃないの？」

「いや、ファンが多い作家じゃからな。二人で『合わない』って言ってるばっかりじゃ、ただのイヤミみたいじゃないか」

「まあね。私としても『今回は優勝なし！』って言うのイヤだしね。で？」

『『毒入り〜』を読んでるうちに、本格ちょっと面倒くさいな、とか思っちゃってな」

「ダメじゃん。逆にそこで『バリバリの本格が読みたいー!!』ってならなきゃ」

「そうなんだけどな、ラーメンばっかりじゃ飽きちゃうのも真理じゃ。ちょっとカレーライスが食べたいぞと」

「ひょっとして〈隣町〉というのは、違うジャンルのこと？」

「そのとおり。でもな、そういうのも必要だと思うんじゃ。一歩下がって本格を見る」

「判りやすく言うと、浮気ね」

「同じ火遊びなら最高級の相手を選ばんとな。ということで今回の四冊は以下。選んだ理由はそれぞれじゃが、とびきりのべっぴんさんには間違いはなし。さあ読んでくれ」

あらすじ紹介（読了順）

ウイリアム・アイリッシュ『幻の女』ハヤカワ・ミステリ文庫　稲葉明雄《いなばあきお》訳　○夫婦喧嘩で家を飛び出した男は、酒場で出会った女を誘い、妻と出かけるはずだった劇場に行く。相手の名前も訊くことなく別れた男が家に帰ると、彼のネクタイを首に巻いた妻の死体が転がっていた。その夜を境に、彼のアリバイを証明できるはずの女はこつ然と姿を消し、すべての関係者が「彼はずっと一人だった」と証言する。あの女は幻だったのか⁉　死刑執行のときが刻一刻と迫る‼

ビル・S・バリンジャー『歯と爪』創元推理文庫　大久保康雄訳　○妻と運命的な出会いをした奇術師リュウの幸せな生活と、とある運転手殺しの裁判風景が交互に描かれる。犯人は誰？　動機は何？　そして裁かれるのは誰？　袋とじの中に隠された驚くべき真相とは⁉

マイ・シューヴァル＆ペール・ヴァールー『密室』角川文庫　高見浩《たかみひろし》訳　○連続銀行強盗のせいでストックホルム警視庁は多忙を極めていた。そんな中、負傷から復帰したベック刑事は一人の男の自殺事件をまかされる。何ごともなく解決するかと思われた自殺事件だが、前任者が見落としていた手がかりに気づいた途端、それは不可能犯罪の様相を呈した。刑事マルティン・ベックシリーズの問題作！

レイモンド・チャンドラー『ロング・グッドバイ』ハヤカワ・ミステリ文庫　村上春樹《むらかみはるき》訳　○私立探偵マーロウの友レノックスは妻殺しの容疑をかけられて自殺する。その死に納得がいかないマーロウだが、別の失踪事件を調べていくうちにレノックス事件の真相も浮かび上がってくる。ハードボイルド永遠の名作が村上春樹訳で蘇る！


「うん、どれも面白かったよ、まず『幻の女』だけどね……」

「その前に、どうしてこれを選んだか説明させてくれ。隣町なりの理由はちゃんとあるんじゃ」

「どうぞ」

「まず、この作品が日本で翻訳出版されたのは江戸川乱歩《えどがわらんぽ》の力によるところが大きいということ」

「はいはい。また乱歩ね」

「乱歩が『幻の女』の原書を読んだときにこう書き残した。『新らしき探偵小説現れたり、世界十傑に値《あたい》す。直ちに訳すべし。不可解性、サスペンス、スリル、意外性、申分なし』と」

「すごい誉めよう。でも、乱歩の世界十傑に入ってなかったよ」

「そうなんじゃ。初読のときは興奮した乱歩だったが、のちに再読したときに、そこまでもなかったと、ちょっと意見を変えちゃったんじゃ」

「ええーっ、何それ」

「でもな、初読の衝撃は確かにすごいんじ

ゃ。儂も実際そうだったし、過去、ミステリ作家などによるオールタイムベスト投票の海外編では、クイーンの『Yの悲劇』に次いで、第二位に入ったこともある（※1）。本格ではないから、今までりっちゃんに薦めることができなかったのが残念だったんじゃが、今回は良い機会だと思ってな」

「なるほどね。確かに私も驚いたし面白かった。導入部、女を目撃した人がただの一人もいなくて、主人公がどんどん追いつめられていくところの緊張感と怖さったらなかった。これはもう物理的な解決は無理。ミステリじゃなくてホラー。だから隣町なんだと勝手に思った」

「でも、立派なミステリだった」

「そうなのよね。そこは嬉しい驚きだった。文章がいいし、翻訳もいいし、読んでいるときのワクワク感は百点と言ってもいい」

「おおっ！」

「でもね……」

「きた（笑）」

「本を閉じて冷静になったら、ちょっと苦しいと思うところがいくつか。本格として見た場合、ルール的にどうなの？　ってとこもチラホラ」

「乱歩もそこが気になったんだと思う。純粋な本格ならば、ネタを知った上で読むと〈おお、こうやって切り抜けていたか！〉と加点になるところが、〈反則ではないけど……〉と、減点になってしまうんじゃな。アイリッシュが本格作家だったらもっと上手くやれたのに、と残念でならない」

「確かにそうよね。サスペンス的にはどこにも不満はないし、本格として見ても、意外な犯人あり、読者に向けたしかけあり、映像化無理なところあり、あの証拠があったか！　とガジェット満載なのに」

「あと、再読して思ったのは、現代ならば通用しない、じゃな。例えば、今なら防犯カメラがあちこちにあって、それを見れば女が一緒だったのかどうか判る」

「そうね。指紋が捜査に使われていない時代の作品を読んで『指紋を調べれば判るのに』と思うことがあるけど、それとはちょっと別の意味でね。うーん、上手く言えないけど……」

「判るぞ、その感覚。今、儂は防犯カメラと言ったけど、それは第三者の冷静な目、ということじゃな。レストランの化粧室の使い方は上手いと思った。あれは充分にあり得ることだし」

「タクシーに乗る時に出会った人物もいいよね。名乗り出ることができない理由がある」

「うん、あれもいい」

「で、結論だけどね。博士は隣町と言ったけど、私は本格に入れていいと思ったよ。その代わり、ちょっと点は辛くなるけどね」

「それならそれでいい。本格の入門編として読むなら存在価値は充分あるし、広義のミステリとしてみれば、間違いなく一級品じゃからな」

「あと一ヵ所、確認しておきたいのは、途中で〈アムステルダム〉という地名が出てくるんだけど、あれはオランダのことじゃないのね」

「それは儂も調べた。あそこで一瞬驚くんじゃよ。えっ、証人がそんなところにいるなら、死刑の日までに見つけるのは不可能じゃないか！　とね。ニューヨークは昔、ニューアムステルダムと呼ばれたらしいんで、その名残りかもな」

「普通の日本人には不親切よね。今の版なら直ってるかもしれないけど、博士が持ってるのって全部古いしね」

「これは初版じゃ、おっほん（※2）」

「そんなとこでいばるんじゃないの。えーと、次は『歯と爪』ね。これが選ばれた理由は……判るわ」

「そう、結末部分が袋とじになっておるからじゃ。〈返金保証〉といって、袋とじを開かずに出版社に送り返せば、購入代金を返してもらえるシステム。つまり『こんなおもしろいもの、途中でやめられるはずがない』という作者と出版社の自信の表れ。この遊び感覚は本格のものと言っていいじゃろう」

「私のはすでに、袋とじが破られていたけどね」

「当たり前じゃ、先に儂が読んだ」

「コレクター的にはどうなの？　未開封も持ってなきゃいけないんじゃないの？」

「好きな作家のならそうしてるだろうな。実際、未開封はちょっと高い値段で売られている。もっとも、今でも流通している本だから、旧装幀に限られるが」

「創元推理文庫の旧装幀、マークは本格ではなくサスペンス、スリラーの猫。だから隣町なのね」

「でも本格と言えないこともない」

「探偵役がいないせいかな。奇数章と偶数章で、二つのストーリーが同時に進むんだけど、奇数章は裁判風景——これは多分事件後の話。そして偶数章は——事件前の話。つまり本格で一番大切な捜査の過程がない」

「それも含めて、袋とじの部分がどうなっているのか気になるしかけじゃ」

「私はこれも本格に入れていいと思ったよ。犯人が警察に真相を隠すだけじゃなく、作者が読者にそれをしているし」

「二つのストーリーが交わるしかけはいくつもあるが、だいたい途中で予想がつく。でもこれは全く判らなかった。そこも本格っぽい」

「そうよね。予想出来るパターンは三つぐらいあるんだけど、そのどれでもなかった」

「裁判で争われている事件が運転手殺しというのも妙に思った。一般的なミステリの運転手は使用人と同じで、そんなに重要な立場には置かれない。そこも含めて本格脳が〈なぜ〉と刺激される」

「被害者は運転手だと判るんだけど、被告人の名前は伏せられたままだから、良い意味でイライラするよね。裁判はどんどん進んで次々に証人が出てくるんだけど、事件の全容は少しも判らない。確かにこれは、袋とじを破らずに返却するのは難しい」

「登場人物表には八人しか書かれていないので、何度も確認したな。容疑者は一体どいつなんだ、と」

「その八人のうち、検事と弁護士と被害者を除いたらたったの五人」

「もっと言えば、そのうちの一人の紹介は〈謎の男〉」

「その心意気が本格（笑）」

「内容説明にある『謀略工作のなかで自分

も殺された』は、本格ファンを大いに刺激する。普通、こういう書き方のときは大抵反則なんじゃが、これはオーケーかな」

「でも『最後の一ページの驚くべき大トリック』というのは嘘よね。だって、あのページには余韻しかないもの」

「読者にしかけられたトリックではなくて〈あの男にとって〉と読めば、そう読めないこともない」

「ひょっとして現行版なら直っている可能性も……」

「それは知らん（※3）」

「困るよねえ。古書マニアは」

「ストーリーと関係ないところでは、血液型を調べる場面で、一番多いのがO型になってるとこだな。ああ、アメリカだーって（笑）」

「なるほど。私、血液型診断には興味ないけど、そう言われたら納得する」

「関係ないところをもう一つ、原題が『THE TOOTH AND THE NAIL』。歯と爪ならピンと来ないが、ヘヴィメタルファンには嬉しい響きじゃ」

「面倒くさいんで訊かないけどね。とにかくこれはおもしろかった。バークリーじゃないけど、しかけに凝った作品は内容が負けてることが多いけど、これは満足。ストーリーの勝ち」

「おお、それは良かった。じゃ次は『密室』」

「これも選んだ理由が必要でしょ。はい、どうぞ」

「これはジャンルでいうと警察小説。立派な隣町じゃ。スウェーデン産の人気シリーズで、映画にもなった『笑う警官』で有名じゃ（※4）。マルティン・ベックという主人公はいるが、ストックホルム警視庁の刑事たちの群像劇でもある。一年に一作発表というスタイルで、結果的に十年間のスウェーデン社会の変遷《へんせん》を描くことにもなった。というような、社会派の作品でありながら、この作品のテーマは密室。シリーズの他の作品を全部読んでいないから断言はできないが、明らかにこれだけ浮いている。これが無名の作家によって書かれた作品なら、食指も動かないのだが、警察小説として多くのファンを持っているシリーズだけに、やはり一度は読んで欲しいと」

「読んだわよ。ちゃんと密室だったよね」

「英題からして『THE LOCKED ROOM』。直球じゃ」

「なのに、あの分量なのね。二つの事件が同時に語られるけど、密室の方って二割ぐらい……よね？」

「印象的にはそれぐらいじゃな」

「そして、連続銀行強盗事件が八割かというと、あっちは六割ぐらい……かな」

「残りの二割は、主人公の生活とかスウェーデン社会の問題を描いておる」

「なので、そういうのが要らないかな、と思ったんだけど、そっちがあるから面白かった気もする」

「ベックが老人ホームに入ってる母親を訪ねるシーンなんか、儂は読み飛ばそうかと思った。だが、スウェーデンといえば福祉国家。なら意味があるのかと思って、読むスピードを抑えたら、やっぱり問題点がいろいろと書かれていた」

「銀行強盗と密室。普通に書いたらエンターテインメントになるはずなのに、もう暗い暗い」

「警察官の人手不足とか不手際とか重要な備品の故障とか、何らかの障害で捜査は少しも進まない」

「なのに、途中に密室講義的な章も挟まれてるからね。一体どっちが書きたいのかと」

「それは簡単じゃ。どんな作家であろうと、ミステリを書いている以上、一度は密室を書きたいんじゃよ。ただのファンだった頃の自分の心に従えばな。一回ならばネタに困ることもないだろうし」

「事件全体の結末は、え、それでいいの？　というものだったけど、密室に関していえば、ちゃんと閉じてるものね」

「ファンの心がそうさせた」

「暗い内容だったからあれは救われた。二つの事件もなかなかシンクロしないしね。そういう色々な配置が、結果として面白く読めた」

「おお、面白かったのか、それは意外じゃ」

「本格として評価しなければね」

「それでもいい。今回の目的はそこにないからな」

「でも登場人物表がついていないのは痛いよね。特にこういう群像劇では」

「次の『ロング・グッドバイ』。こっちはりっちゃんなんかにも読みやすい堂々の新訳じゃ。しかも天下の村上春樹」

「どうして、これだけ？」

「持ってるはずの清水俊二訳が出てこなかった……」

「そんなことだろうと思ったわ。で、これ

を薦めた理由は？」

「これはハードボイルドという隣町では抜群の人気を誇る一作。『幻の女』が二位のときのアンケートでは三位じゃがしな（※5）。もっともそっちは清水訳じゃが」

「うん、おもしろかった。でもさすがにこれは本格ではないよね」

「はい、違います」

「どこにも本格要素ないよね」

「はい、ありません」

「だったら、なぜ薦めたの？　私、これを読むために週末つぶしたんだからね」

「クールな主人公のくせに、美女と遭遇したときの饒舌《じょうぜつ》具合が面白くて……」

「はい？」

「タフガイなのに、そこだけ中二みたいで……」


「まさか……それだけ？」

「ええと……。りっちゃんはハードボイルド読んだことないじゃろ。今後〈ハードボイルドスタイルだけど本格〉なんて作品を読むことになるかもしれない。そのときのために一冊読んどくのは無駄じゃないかと……」

「怒らないから正直に言って」

「ほんとに？　怒らない？」

「怒らない」

「じゃ言うけど……『密室』の末尾に、著者のシューヴァルのインタビューが載ってて……好きな作品を訊かれたときに『長いお別れ』と答えてて……それを読んで儂も読みたくなって……でも清水訳が見つからなくて……長い長い村上訳を読むことになって……少しも本格じゃないけど……りっちゃんに読ませたら……何行かかせげるのではないかと……実際こうやって四十行ほど書けたし」

「ううむむ……」

「あ、ひょっとして……」

「ごるあああああああ――――!!」

「わあーやめてー！　本は投げちゃダメー!! 本に罪はないから――――!!」


（※1）『東西ミステリーベスト100』（文春文庫　一九八六年）

（※2）未確認です。すみません。

（※3）これもまた未確認なのは、言うまでもない。

（※4）『マシンガン・パニック／笑う警官』（一九七三年　アメリカ製作）ウォルター・マッソー主演
（※5）二〇一二年版では六位。

◉第二十二試合出場作品とりっちゃんの評価

アイリッシュ	『幻の女』	細かいことを考えずに読めば	○
バリンジャー	『歯と爪』	〈返金保証〉に見合った内容	◎
シューヴァル&ヴァールー	『密室』	ミステリ作家の故郷はいつも密室	△
チャンドラー	『ロング・グッドバイ』	作品に罪はない	×

◉優勝

『歯と爪』

国樹由香の
本棚探偵の日常
第22回
いえーい
サンフランシスコ
行ってきました——
(一人で)
仲良しの友人が
住んでいるから
何度も行っている街
いらっしゃい
友人の女子ちゃん
ありえないほど
美形なコーギーの
女の子「モカ」
しかし
そのせいで
いわゆる有名
観光地は
ほぼクリアして
います……！
そんなわけで
今回は
のんびり
街歩き中心
街中
ハロウィンの
飾り付け始まってて
楽しいしね！
しかしこれは
やりすぎでは
まじ怖いぞっ
横溝…？

そうなると
つい入ってしまうのが
本屋さん
(こちらは犬連れOK)
これ
人気の絵本
へー
どんな……
模写はマズイだろうと 国樹の絵で再現しております
ow You gut the zombie.
内臓
血みどろ
ウサギ
ゾンビ!
子ども向けの
元本があってね
そのパロディ
つっ
訴え
られないの?
この
裁判大国で
買う
けどっ
あった
なんてラッキー!
数軒隣りにある
古書店の
無料本コーナーに
ありました
元本と
見比べたい
なー
あっ

帰国してすぐ探偵の誕生日が来るので
ミステリの古書をプレゼントしたいけれど私には探せないどころか
ALEISTER CROWLEY
ALCHEMY
間違って錬金術本のコーナー来ちゃうし!
やっぱ服かな――
カストロストリートへGO!
カストロストリートは新宿《しんじゅく》二丁目的エリア(でも夜の街ではなく普通の街)
CASTRO
ゲイの皆さんはおシャレだから服とかも気がきいてます
それにするの?
うーんサイズ感が判らないな――
外国はSでも大きいし
ぼくが着てみようかって
店員さんイケメン!!
どう?
胸筋で
ぱっつぱっつー
買います
美意識が高いゲイの店員さんは体を鍛えているので喜国さんサイズの服はぱっつんぱっつんなのだ!

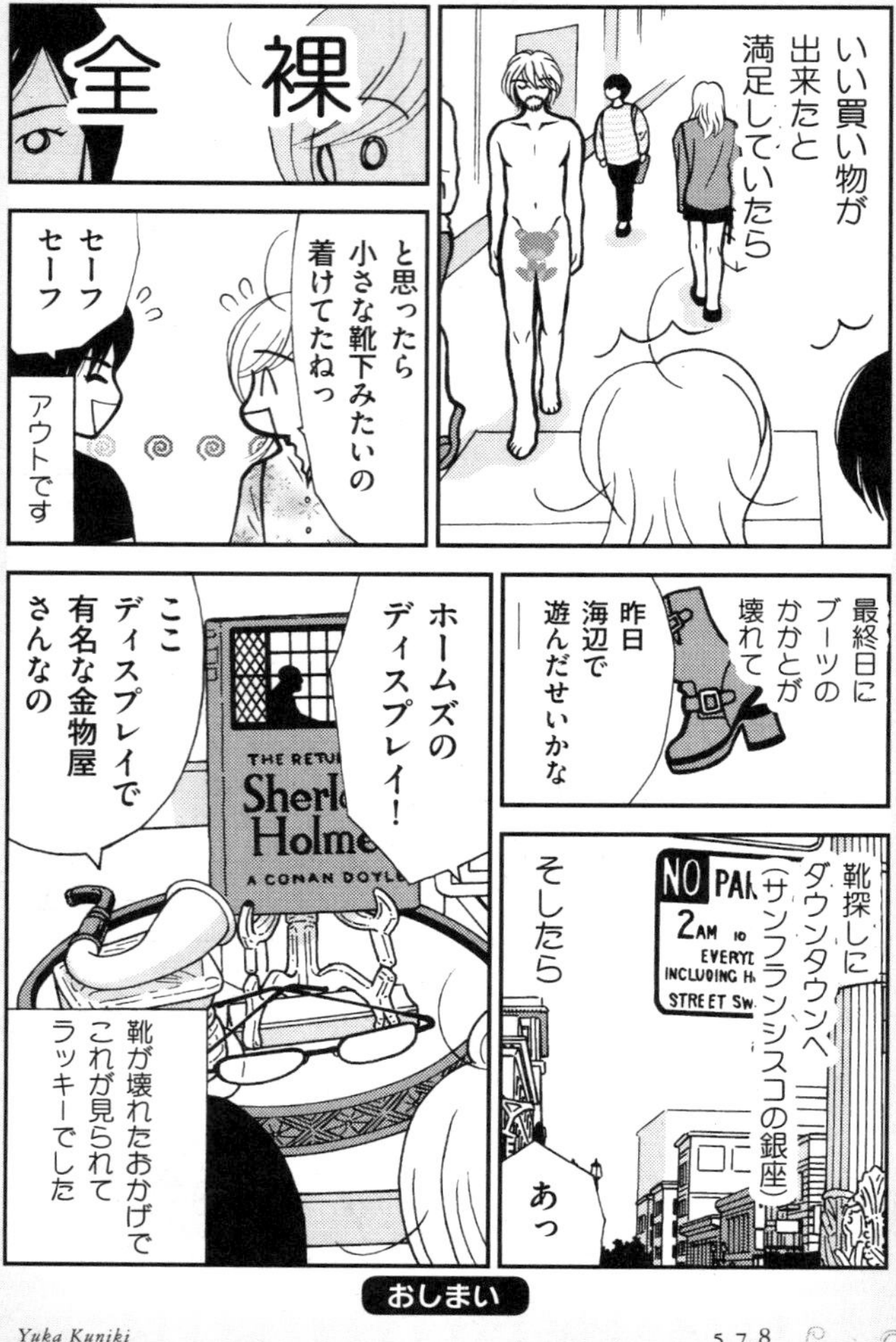

いい買い物が
出来たと
満足していたら
全裸
と思ったら
小さな靴下みたいの
着けてたねっ
セーフ
セーフ
アウトです
最終日に
ブーツの
かかとが
壊れて
昨日
海辺で
遊んだせいかな
ホームズの
ディスプレイ！
ここ
ディスプレイで
有名な金物屋
さんなの
THE RETU
Sherl
Holme
A CONAN DOYL
靴探しに
ダウンタウンへ
（サンフランシスコの銀座）
NO PAR
2AM
EVERY
INCLUDING H
STREET SW
そしたら
あっ
靴が壊れたおかげで
これが見られて
ラッキーでした

おしまい

第23回
本格力
Hon Kaku Ryoku
Mystery book guide
of the bookshelf detective

アリバイ崩し刑事《デカ》
山本
しかしヤツは16時には東京駅にいたんですよ 21時に犯行現場にいるのは不可能です やはり真犯人は他にいるのでしょうか!?
ううむ
よし 特務班《とくむはん》の〝アリバイ崩しの鬼〟と呼ばれた山《やま》さんに相談してみよう
おお あの数々のアリバイトリックを見破った伝説の刑事 山本《やまもと》さんですか!?
えーと 乗換案内によると 16時10分発ののぞみに乗って名古屋《なごや》で中央本線に乗り換えて それから──
おおっ さすが山さん たったの1分でトリックを崩した!!
俺──
要《い》る──!?
完

伊豆シャボテン公園にて

◉ミステリのある風景◉

坂東善博士

H-1グランプリ

本当にお薦めしたい古典を選べ！

りっちゃん

第二十三試合

◉落ち穂拾い◉

「儂は坂東善博士。長年にわたって本格ミステリについて研究している」

「私はりこ。ごく普通の女子高生よ」

「その二人が、〈現代でも通用する古典本格ミステリとはなんぞや〉をテーマに、議論を戦わせるこのコーナー。さて、第二十三試合は……」

「落ち穂《ぼ》拾い？」

「今回は四冊なんじゃが、それらをまとめるキーワードはない。だからといって適当に選んだワケでもないぞ。とある一冊を読んだあと、そこで重要だったワードとかテーマから連想される作品を次に選んでみた。つまりしりとり形式じゃな。〝虹のようだ〟とも言えるかもしれない。四作品はすべて違う色だけれど、並べると隣り合うものとは似た色をしていると。ただし、綺麗に並べると、それだけでネタの重要な部分が推察される恐れがあるので、読んだ順番は隠すことにした。もちろんりっちゃんにも内緒じゃ。四冊まとめて渡すから好きな順に読んでくれ」

「なるほど、面白い趣向ね。でも偶然に博士と同じ順に読んでしまっちゃったら、モロバレになっちゃう作品もあるってことよね？」

「ううむ。しまった」

「おいおい」

あらすじ紹介（**読了順**）

ドゥーセ『スミルノ博士の日記』東都書房　宇野利泰訳　○「君の活躍を本に書きたい」と言う〝僕〟に、私立探偵レオ・カリングは一冊の日記を手渡した。ワルター・スミルノという人物によって書かれたというその日記には、とある犯罪の発端から解決までのすべてが書き記されていた。ミステリ史から絶対に外すことのできない驚くべきトリックとは？

フレッド・カサック『殺人交叉点』創元推理文庫　平岡《ひらおか》敦《あつし》訳　○大学生男女六人によるグループとそれを見守るルユール夫人の間に起こったとある殺人事件は、解決されぬまま時効を目前にしていた。そんなある日、関係者の元に一人の男が現れる。「私はあの事件の犯人を知っている」と。二人の人物によって交互に語られる事件は、やがて一つの真相を浮かびあがらせる。

ヘレン・マクロイ『暗い鏡の中に』創元推理文庫　駒月雅子訳　○ブレアトン女子学

院に勤める女性教師フォスティーナは、ある日校長から突然の解雇を告げられる。だがフォスティーナにはその理由が思い当たらず、校長も一切それを明かさない。そのことに憤慨《ふんがい》した同僚教師ギゼラは精神科医ウィリング博士と共に事情の解明を始めるのだが、彼らの耳に入ってくるのはフォスティーナを取り巻く信じられない出来事ばかりだった。そしてついに博士の眼前で死亡事件まで起こってしまう。

トマス・トライオン『悪を呼ぶ少年』角川書店　深町眞理子《ふかまちまりこ》訳　○ペリー家のホランドとナイルズは十歳の双子の兄弟。まるで性格の違う二人だがいつも一緒だった。そんなとき起こった一つの事件。それをきっかけにして、ペリー家は次々と不幸に襲われることになる。牧歌的な風景の中で明かされる狂気の全容。

「はい読んだわよ。そしたらなんとなく博士の言う順番が見えてきたけれど……」

「はい、そこまで。それに関しては今後一切ここで語ってはならぬ」

「これだけは言わせて。複雑な繋がりの四冊よね。だってムニョムニョという括りでみれば『悪を呼ぶ少年』以外の三冊がそうだし、ゴニョゴニョだと『暗い鏡の中に』以外はそうだし、チョメチョメという数字にこだわれば『スミルノ博士～』以外がそうだし」

「はい、そこまで」

「判ってますって。ちゃんと伏字《ふせじ》でしゃべってたでしょ」

「それでもダメ」

「判ったわよ、じゃ個別にいくわね。まず『スミルノ博士〜』ね。これって――」

「はい、そこまで！」

「ちょっと待ってよ、まだ何も言ってないじゃないの」

「言わなくても判る。つまり某作品を思い出したということじゃろ？」

「自分で言ってるじゃないの」

「言われる前に境界線を示しておこうと思ったんじゃ。なぜなら『スミルノ〜』が語られるとき、百％某作品が引き合いに出されるからじゃ。おかげで儂も読む前からネタを知っていた。というか、それを知らずして『スミルノ〜』を読んだ人はこの日本にはいないんじゃないかとさえ思う。乱歩《らんぽ》の時代にまで溯《さかのぼ》らない限りはの」

「でもね、かなり読み進めるまで、私はそれに気づかなかったよ。それって良くできてるということよね」

「ああ、儂は知ってて読んだが、興味が削がれることはなかった。そして緻密《ちみつ》さから言えば、こちらの方が完成度が高いとも思ったな」

「事件は地味だし、文体もちょっと古いけど少しも退屈しなかった」

「話があちこちに飛んだら、散漫になったかもしれないが、限られた登場人物で場面数も限られていたから、集中できたのかもしれない」

「丁寧に描かれていて好感が持てたよね。そして、某作品よりこの小説の方が、探偵の関わり方が良かった。探偵の行動もユニークだし」

「はい、そこまで」

「でも古い作品を読んでて困るのは、当時の科学捜査でどこまで調べることが可能だったか判らないことよね。銃の撃たれた角度とか綿密に調べるくせにゴニョゴニョに関しては調べないし」

「日常生活の部分でもそうじゃな。同じ時代に書かれた作品であっても、電話があったりなかったりするからややこしい」

「ああ、この時代は電話がなかったのね、と思いながら読んでいると、突然出て来てビックリすることもある」

「時代と関係なく、家庭の都合で違ったりするしな。実際、儂の家もそうだった。カラーテレビが入ったのは遅かったが、水洗便所になったのは、クラスの誰よりも早かった」

「そういう意味でいうと、今の日本て横並びだから、風俗は書きやすいよね」

「おかげで〝キャラ立て〟も容易になったな。今の時代、携帯電話を持っていなかったら、それだけでひととなりを表すことになる」

「ところで、日記形式の作品って数多くあるじゃない。で、それらを読んでいつも思うことだけど、こんなに長い日記書く人いないよね。現代ならともかく、手書きの時代にさ。この作品だって、一夜の出来事書くのに、絶対三日ぐらいかかってるよね」

「それは仕方ないな。これは日記でなければならなかったし」

「そういう意味で言えば『殺人交叉点』は〝手記〟ではなく〝語り〟だから、その点の不自然さはないよね。あ、ひょっとして、そういう繫がりで読んだの？」

「だから繋がりに関してはしゃべらんと言うてるだろうが。というか、いいな、その繋がりの方が」

「何よそれ。でも丁度いいわ。私が次に読んだのそれだったから、そっちの話しようか？」

「『スミルノ～』で語り残したことがなければ」

「あ、まだある。よくまとまっていたけれど、ちょっと地味だったかな。博士はネタバレのことを気にしていたけれど、ひょっとして知ってて読んだ方がいいかもしれないよ」

「そうかもしれんな。でもそれは確かめようのないことじゃ」

「で『殺人交叉点』ね」

「最初に一つ解説をしておこう。まずこの作品は東京創元社のクライム・クラブ叢書の一冊として出され、のちに創元推理文庫に『殺人交差点』と改題、改訳されて出たのじゃが、その改訳版には訳者のミスによる致命的な欠陥があったんじゃ。儂の友人のミステリ評論家の小山正《おやまただし》氏は『ミステリ絶対名作201』（瀬戸川猛資《せとがわたけし》編　新書館　'95年）の中で『訳者がミステリの「粋《いき》」を理解していないがゆえに、てんでダメ』と酷評し、トリックの物凄さを味わいたいなら、旧版の方を『ぜひ図書館で探して欲しい。なんとしても探して欲しい』と書いている」

「え、じゃ、これって創元推理文庫だからダメな方？」

「いいや、これはさらに改訳された版だから大丈夫だ。見分け方は交叉点の〝叉〟の字。読んでもいいのは〝文〟。ミスがあるのは〝差〟」

「へえー。で、どこにミスがあったの？」

「この小説の肝はンニャニャラなんじゃが、〝差〟版ではゴニョラゴニョラとなっていた」

「えー、それって決定的なミスじゃない。普通の出版社ならまだしも、ミステリ専門の出版社がどうしてそんな失敗を」

「しかもわざわざ改訳したあげくのミスだからな」

「これってフランスのミステリでしょ。私はよく知らないけど」

「おっと、そこまで」

「もう、今回こんなのばっかり！」

「いいからそこには触れるな」

「逆に目立たせてるような気がするけど」

「煙幕かもしれんぞ。ふふふ」


「でも、見事に騙されたわ。途中で『こういうことかな？』って思ったのよ。それは当たっていたと同時に外れていたという。博士には判るよね？」

「ムニャラムニャラに何かあることは判ったけど、ホゲホゲまでは見抜けなかったと」

「そういうのって実に悔しいよね」

「面白いミステリというのはそこだと思う。全く予想外のところに答があったら、確かに衝撃は受けるけれど、傷の治りは早い気がする。それに比べて、答が予想の何歩か先にあった場合は、痛みは小さいけれどいつまでもじくじくと膿《う》んでいる、という感じかな」

「ミステリ的には面白いけれど、それぞれのキャラはもうちょっとどうにかならなかったかな。普通の人がいないんだもん」

「ストーリー上、必要なキャラではある。でもああいう設定のおかげで退屈せずに読めた、とも言えるかもしれない」

「なるほど、そう言われれば導入部の人物紹介なんて普通なら飛ばしたいところだけど、グイグイ読めちゃった」

「一転、警部のキャラはリアルで良かった。黒澤《くろさわ》監督の『生きる』に出て来た公務員を思い出した」

「知らない」

「判ってもらえる人にだけ判ってもらえたらいい」

「なんていろいろしゃべってるけど、一番言いたい部分に一切触れてないよね」

「そういう感想もあっていいだろ。当該文庫の訳者あとがきで解説してくれてるから、読んだ人には必然的に届く」

「では次『暗い鏡の中に』ね。一ページ目からゾクゾクしながら読んだ」

「ゾクゾクというか……正確に言うとイライラかな。いきなりフォスティーナに感情移入させて、怒りと疑問符でページをめくらせる」

「その次にやってくるのは不可能状況の嵐よね。もう物理的な解決は絶対に無理、と思わせるほどのシーンが次々に」

「儂は読みながらミステリ的な解決は諦めていた」

「私もそう思った。そして、それならそれでもいいかなとも思った。どうしてだろ？私の性分的には解決しなきゃスッキリしないはずなのに……」

「それは多分、文章の上手さじゃろう。だからこそ事件が始まる前から引き込まれた」

「言われてみれば、そうかも。だって文章は簡潔なのよ。必要最低限しか描いていない。でも、すごい伝わるの。登場人物の気持ちとか、この学院の周りの風景とか、映画のようにハッキリ見える」

「ホラー的なシーンもそうじゃな。サラリと描いているけれど、ゾワゾワッとする。不思議なものじゃが、著者が大げさな単語を使えば使うほど、読者の気持ちは離れて行ったりする。これはホラーに限らず、喜怒哀楽のどのシーンでも言えることじゃ」

「大きな声で叫んでいる人の言葉は聴こうとしない、と前にも言った」

「伝えたいことは囁け、じゃ。そのためには文章は上手くなくてはいけない」

「謎解きの場面もそうよね。実際には不可能だと思うけど、文章の力で納得させられる」

「謎解き場面もそうだし、二つ目の事件現場の状況もじゃ」

「怖いよねえ、被害者の立場であのときの状況を想像すると。そんな感じで、解決しなくても満足なほどの面白さの上に、ちゃんと解決するから満足の二乗」

「余韻《よいん》もいいから、さらに倍！」

「無茶なトリックには文章力か。勉強になるなあ」

「じゃ最後の作品『悪を呼ぶ少年』。これは正真正銘のホラーなので、ミステリとして語られることは少ないのじゃが、そのために見過ごされるのは残念な作品なので、敢えて取り上げてみた。そういう意味では前回の『隣町の気になる四冊』に混ぜても良かったんじゃが、今回でもおかしくはない気がする」

「確かにね。サスペンス仕立てなのに、読者を驚かせる、という意味では『暗い鏡～』と並んでても少しもおかしくないし、何より――」

「はい、そこまで！」

「もうっ、今回それればっかり。こんなんでフルの原稿料貰っていいの？　いつもの七掛けぐらいでいいんじゃないの？」

「りっちゃんの小遣いも少なくなるぞ」

「私はちゃんと貰うわよ。だって発言の意思はあるんだから」

「メフィストの発行元は太っ腹だから大丈夫じゃや。ということで感想は？」

「『暗い鏡～』と違って、文章が硬かった。だから最初は読みづらかった」

「儂もじゃ。三十年近く前に読んだ時はそう思わなかったから尚更驚いた。当時は退屈な純文学とかを読みあさっていた頃だからエンタメというだけで面白く感じたのか、年齢を重ねるごとに頭が固くなったからなのかは判らんが……」

「でも、一度この文章のリズムに乗ったら苦にならなくなった」

「その退屈な前半にも意味がある、納屋《なや》のアレとか、おばあさんとの遊びとか、いろいろな伏線がちりばめられている」

「各章の頭の記述者が誰なんだろうと思わせるところとか、完全にミステリよね。ホラーだけど超常現象は起きないし。『暗い鏡～』との違いって、探偵役がいるかいないかだけの気がするよね」

「ホラーなだけに事件は立て続けにおこる。人がたくさん死ぬ。そこが本格と違う、良い意味で。なんて言い方をすると本格に悪いかな」

「メガネ、ハーモニカ、意味ありげな煙草缶、と小道具もたくさん。見世物小屋とか雰囲気もたっぷり」

「儂的にはそういうホラーの要素ではなくて、アメリカのどこにでもありそうな田舎の風景が良かったな。遊び場所は限られていて、高いところから干し草に飛び降りるだけとか、遠くの夜汽車の音に思いを馳《は》せるとか、日本人である儂のノスタルジーも刺激してくれた。これを原作にした映画を観たせいもあるのかもしれないが」

「訳者あとがきに『映画化された』とあったけれど、博士はそれも観たんだ」

「というか映画の方が先だった。何も知らずに観てビックリした。類似作品にチョメチョメチョメというのがあるが、正直そちらより驚いた」

「じゃあストーリーを知った上で原作を読んだんだ」

「いいや、すっかり忘れていた。当時はテレビで観る映画なんて一期一会だったし、タイトルとかも忘れていた。なのでこの本を読んでいて、あのシーンで驚いたのなんのって。ああ、これだったのかと……」

「すごい興味あるな、これを映像化したらどうなるのか」

「残酷なシーンもあっさり描かれていたからな、こちらの原作でイメージをふくらませる方がいいかもしれんぞ。それでも観たいと言うのならDVDを持っているが」

「いつか観せてね、と言いながら、この作品も肝心なことについて全然触れていないよね。いいの、これで？」
「これでいいのだ！　今回はな」

「ということで結果発表は以上。次回は伏字なしでやりま――す」

◉第二十三試合出場作品とりっちゃんの評価

ドゥーセ	『スミルノ博士の日記』	ミステリマニアなら読むべきだけど	×
カサック	『殺人交叉点』	綺麗に騙された	◎
マクロイ	『暗い鏡の中に』	解決されていく快感	◎
トライオン	『悪を呼ぶ少年』	ジャンルで見過ごされるのは残念	○

◉優勝

『殺人交叉点』『暗い鏡の中に』

国樹由香の

本棚探偵の日常

第23回

今日はこの街で演奏、明日は別の街で。そうしてツアーは続いてゆく。嗚呼トラベリング・バンド。

本棚探偵の本業は漫画家。机にかじりついてなんぼの仕事だ。そんな探偵がここ数年とてもハマっていることがある。古本収集？　マラソン？　それらももちろん継続中だが、新たに増えたハマりもの。バンド活動だ。ひょんなことから始めた吉田拓郎《よしだたくろう》のコピーバンド「マサ拓Z」のボーカルとして奮闘している。

知っている人は知っている事実だが、探偵は平成元年に一世を風靡《ふうび》した『三宅裕司《みやけゆうじ》のいかすバンド天国』というTV番組に出演したことがある。イラストレーターであり漫画家のみうらじゅんさんと結成した「大島渚《おおしまなぎさ》」というバンドの一員としてだ。

みうらさんはボーカル&ギター、探偵はベース。元々ベースを弾いていたわけではなく、みうらさんに、

「ベースいないから、キクちゃん弾いてよ」

と言われ、やることになったという流されっぷりだった。

大島渚はそれなりの人気を得て、アマチ

ュアなれど地方ツアーもやった。番組の大きなイベントで武道館のステージにも立たせてもらえた。インディーズでCDを二枚出した。しかも一週間だけインディーズ売り上げチャート一位になった。

だが、夢のような日々は長くは続かない。業界人たちが集まって作ったバンドは本業の忙しさに追われ、バンドブームが終焉《しゅうえん》を迎える頃、静かにフェードアウトしていった。

漫画家になるという夢を叶えた探偵は、短期間とはいえミュージシャンになる夢も叶え、十分に満足してベースを置いたのだった。ベースの腕前は全く向上しないまま。

それから二十年以上が過ぎた今、まさかのボーカルとしてバンド活動が再開したのだから、人生は判らない。現在のバンドは凄腕ぞろい。音楽を生業《なりわい》としてきたメンバーがガッツリと脇を固めてくれている。とあるイベントで数曲演奏するところからスタートし、気が付けばワンマンをやるまでになっていた。

「喜国雅彦が吉田拓郎を歌うから、まんまマサ拓なんてどう?」

「じゃあいっそZって付けて、ももクロっぽく」

そんな軽いノリで決まった一夜限りのお祭りバンドだったはずなのに。

ベースのときは下がって大人しく弾いているだけだった探偵が、センターで楽しそうに人前で歌う姿を見るたび思い出すことがある。探偵にとって永遠の「心の兄」である、みうらじゅんさんの言葉だ。

「漫画家って机に座って漫画を描く仕事だけどさ。描いてる最中は孤独で、誰も褒めてくれないじゃん。バンドみたいに人前で描けたらいいなあって思うんだよね。観客の声援浴びながらさ」

確かにシャーペンで下描きしたら「おおー」と歓声、ひとペン入れごとに「ほう」とため息、仕上がったらスタンディングオベーション。やる気出そう。

大変な人見知りで地味な性格の探偵も、長いこと漫画家をやっていた反動か、すっかり声援好きになっていたというわけだ。

ところで探偵の故郷は近年すっかりうどん県の名称が定着している香川県。同郷の著名人に爆風スランプのドラマー、ファンキー末吉《すえよし》さんがいる。ファンキーさんはエネルギー溢《あふ》れる人で、国内外で音楽活動をされている上、東京の八王子《はちおうじ》でライブバーも経営している。実は探偵、ファンキーさんとはミラクルな繋がりがあった。

探偵の高校時代の同級生に現在クラシックのピアニストとしてイタリアに住む女性がいる。その彼女が学生時代に組んでいたバンドのドラマーが他ならぬファンキーさんだったのだ。当時会ったことはなかったそうだが、東京でようやく会えた際その事実ですぐに意気投合出来たらしい。そして、マサ拓Zの記念すべき初ワンマンはファンキーさんのライブバーでやったという流れ。ミラクルに次ぐミラクルだ。ところが真実のミラクルはこの先にあった。

探偵の故郷である香川県高松市には立派

なアーケード街がある。だが、その一角にある常磐（トキワ）街は寂れる一方。常磐の商店街に活気を取り戻そうというプロジェクトでファンキーさんが一肌脱ぐことになった。

「ロックで街おこしを！」

プロとアマチュアを取り混ぜた二日間のイベントトライブを常磐街でやるという。エネルギーの塊《かたまり》であるファンキーさんらしい発想と行動力だ。そんなある日のツイッターにファンキーさんから突然来たリプライ。

「そう言えば香川県出身のロック漫画家がおったではないか！　是非マサ拓で出演して下さい！」

探偵は大慌《おおあわ》てでバンドメンバーに連絡を取る。調整完了。ひょんなことから探偵は自分の故郷でライブが出来ることになったのだ。これっていわゆる凱旋《がいせん》ライブ？　漫画家になる夢だけを心に高松を飛び出して、三十八年目の奇跡。

「俺、トラベリング・バンドに憧れてたんだ」

ニコニコな探偵。実はマサ拓で石巻《いしのまき》に、別のアコースティックユニットで福島に行ったことがある。東北方面ばかりなのは復興支援イベントに呼んでいただく機会が多かったから。

「自分で機材積んだ車運転してさ。道中メンバーと音楽の話いっぱいしながら。ライブも楽しいし、往復も楽しいんだ」

うんうん、本当によかったね。

せっかく高松でライブなのだからと、探

偵のお父さんとお母さんに声をかけてみた。

お父さんは来る気満々。

「うちは行かんよ」

即答のお母さん。どうしてですか？

「マサちゃん、歌わんのやろ？　後ろにいるだけやろ？」

いえいえ、真ん中の一番目立つ場所でずっと歌いますよ。

「……歌うん？　でも行かんよ」

どうしてですか？

「マサちゃんのお友だちに会うの、恥ずかしい」

人見知りの探偵の母はやはり人見知りだった。必死で説得し、とにかく来てくれることに。

ファンキーさんからお声がかかって二ヵ月後、探偵は常磐街のステージに立った。観客席にはご両親、ご親戚、高校の同窓生など、地元感たっぷり。ライブ前に探偵のソウルフードである本場の讃岐《さぬき》うどんを食べ、充電もバッチリ。探偵いわく、

「本当は本場ならではの製麵所系に連れて行きたかったんだよ。自分で湯がくやつ。あー、それだけが残念」

十分美味しかったってば。

「親にも判る曲、入れないとな」

とセットリストに「襟裳岬《えりもみさき》」を。昭和生まれなら誰でも知っている森進一《もりしんいち》の大ヒットナンバーだが、吉田拓郎の曲とは知らなかった私。準備期間は長かったものの、始まったらあっという間の数十分だった。たいそう盛り上がったから、短く感じたのかも。

「マサちゃん、上手く歌えとったな」
嬉しそうなお母さん。説得してよかった。音がうるさくないか心配だったが、年齢的に耳が遠く問題なかったそうで、嬉しい誤算。

終演後のアットホームな幸福感は大林《おおばやし》宣彦《のぶひこ》監督による名作映画『青春デンデケデケデケ』を思い出す。あの映画はバンドものだし、舞台も四国だもの。また今の気持ちで観てみよう。

探偵には人生の節目ごとに重要な出会いがある。美大の漫研仲間、ミステリ作家の皆さん、古本者の皆さん、マラソン仲間、復興ボランティア仲間、そしてバンド仲間。どのジャンルの皆さんも、これからもずっと仲良くしたい人ばかりだ。

お気付きかもしれないが、探偵は自分の周りの出来事を全て作品にしてきた男。それでいくとそろそろバンドものを手がけるのだろうか。

「まあね。頑張るよ」

探偵が身近で作品にしていないのはうちの犬たちだけ。

どうして？　理由があるの？

「犬は由香ちゃんが描くものだからさ。俺は手を出さないの」

それでいくと私は探偵と犬たちのことばかり描（書）いてるな。これからも私のネタとして、色んなことを真剣にやってください。

本棚探偵、走る!!

歌うのは拓郎、聴くのはメタル。

バンマス（ベース）に「喜国さんの声にはコレだよ」と言われて買った57マイク。

先日ノー練習で東京マラソンなんとか完走。

ランニングTにスカル柄がないのが不満。自分で作ろうと思っている。

相変わらず乱歩命。

気に入ると二色買い（毎回）。

最近買ったお気に入りのスニーカー。私に見せないで買うと「何でそれ買ったの」と言われるので、写メ送ってきた。

本格力
Hon Kaku Ryoku
Mystery book guide
of the bookshelf detective
第24回

名作は忘れない
迷作は
もっと忘れない
本格だもの

◉ 勝 手 に 挿 絵 ◉

ストーリー

漆黒の翼の下に純白の風切り翅《はね》を持つ黒鳥。
己の姿をそこに見た青年は昔日を想う。
失った金貨。別れた弟。夕方の墓地。
恥の記憶が溜まったとき、人はどんな声を漏らすのだろう。

中井英夫「黒鳥譚」昭和四十四年作品
『中井英夫全集第２巻　黒鳥譚』（創元ライブラリ）所収

坂東善博士

H-1グランプリ

本当にお薦めしたい古典を選べ！

りっちゃん

第二十四試合

◎クレイトン・ロースン◎

「儂は坂東善博士。長年にわたって本格ミステリについて研究している」

「私はりこ。ごく普通の女子高生よ」

「その二人が、〈現代でも通用する古典本格ミステリとはなんぞや〉をテーマに、議論を戦わせるこのコーナー。さて、第二十四試合はクレイトン・ロースンじゃ」

「えーと、博士が作った資料によると、この人は奇術師で実際にステージにも立っていると」

「そう。ステージで観客を騙し、著作で読者を騙す」

「普通、副業って本業とかけ離れたものを選ぶことが多いけれど、こんな人は珍しいよね」

「奇術師と小説家。職業自体は離れている

けれど〝騙せば勝ち〟なところは共通じゃな」

「アレ、今回は三冊なのね？」

「副業じゃからな、長編小説は四冊しか出ていない。奇術の解説書も何冊か出ているようじゃが。で、儂の書庫にあったのがその三冊だったんじゃ」

「わーい。今回は楽。……いや、ちょっと待って。その分バイト代も少ない、なんてことはないよね？」

「大丈夫じゃ。安心して読みたまえ」

あらすじ紹介（**読了順**）

『帽子から飛び出した死』ハヤカワ・ミステリ文庫　中村能三訳　○神秘哲学者であるサバット博士が絞殺《こうさつ》された。その床には星形の模様が描かれ、しかも完全な密室であった。犯人は魔術師なのだろうか？　奇術師探偵グレート・マーリニが解決に乗り出すが、やがて第二の密室殺人事件がおきる。

『首のない女』東京創元社　上野景福《うえのかげとみ》訳　○奇術の小道具を販売するマーリニの店に現れた女は「首のない女」のネタを売ってくれと言う。その女に不審を抱いたマーリニは売らなかったのだが、店を留守にしている間に持ち逃げされてしまう。彼女がサーカスの芸人と気づいたマーリニは興行先に出かけていくのだが、その女が演技中に落下する事故がおき、彼の車からは、首のない女の死体が発見される。

『棺のない死体』東京創元社　田中西二郎《たなかせいじろう》訳　○ロス・ハートの恋人は大富豪の娘。彼らの関係は父親から認められていなかったが、ケイに屋敷に出没する幽霊の正体を暴いてくれるよう頼まれたマーリニはハートを助手に乗り込んでいく。そんな彼の前に幽霊が出現し、更に殺人事件まで発生、ハートは犯人にされてしまう。はたして犯人は幽霊なのか⁉


「まず最初に『帽子から飛び出した死』を読んだ。これってアレよね。私たちの苦手なヤツ」

「そう、登場人物全員が一度に登場するパターンな。誤解を恐れず言いきってしまえば、このパターンに名作はない！」

「一冊ぐらい例外に出会いたい」

「しかもこの作品でまとめて現れるそいつらの職業が全部一緒ときてるから、もう完全にお手上げ」

「厳密に言うと、職業はちょっと違っているよね。登場人物紹介のところを上から読むと、心霊学者、手品師、霊媒、奇術師、霊感術師、腹話術師……」

「手品師と奇術師はどう違うんだとか、心霊学者と霊媒の違いもよく判らない。腹話術師だけは区別できるが」

「トランプマジックとか道具が小さいのが手品、胴体切りのように大掛かりなのが奇術、だろうね、きっと」

「そして探偵役も奇術師！」

「そこまでは許してもいいけど、検死に現れた医師までが手品マニアってのは明らかにやりすぎよね」

「あそこは笑った。必然性もない。もう完全にコントじゃ」

「というわけで、そっちに集中力を奪われ

るから、せっかくの密室がかすんでみえるよね」

「そこにマーリニの衒学《げんがく》趣味がかぶさってくる。『黒死館殺人事件』かと思うばかりの饒舌さで。正直この段階で、もう殺人事件はどうでもよくなった」

「錬金術がどうしたとか、黒魔術がナニだとか、書いてるけど、本格ミステリなんだから現実世界の話に〝おちる〟のは判ってるものね」

「カーのように雰囲気作りになってればまだしも……」

「えーと、この小説ってロースンの何作目？」

「一作目、つまりデビュー作じゃな」

「それじゃ、カーに勝てるワケないよね」

「そう考えると、奇術師だらけなのも、しゃべりすぎなのも理解できるかな。最初はまず〝身近なこと〟を書くし、知ってることは全部書きたいしな」

「私はね、途中で探偵小説に言及するところが気になった。この作品だけじゃなく別の人の作品でもそう。登場人物が『これは探偵小説じゃないんだ！』って言うたびに興ざめる。だって探偵小説だし。完全に逆効果だよね」

「えーと、この小説ではヴァン・ダインの作品に登場する探偵ファイロ・ヴァンスの名が出てくるな」

「そう言えば、ヴァンスも衒学趣味だったよね。でもあっちは全然気にならなかった」

「そこも不利じゃな。自分より有名な作品を出したら、みんながそれと比べて〝あっちの勝ち〟となってしまう」

「密室講義も出てくるよね。えーと、カーが『三つの棺』でそれを書いたのは1935年だから、これはその三年後か。言いたかったんだろうね。俺も密室にはヒトコトあるぞ！　って」

「そこも間違えているな。『三つの棺』を取り上げたときにりっちゃんが言ったが（※第十八試合）、カーのは密室講義のフリをしたミスリード。密室の分類なんかどうでもよかったフシがある」

「そこを見抜けなかったのね。実生活ではカーと交流があったと『首のない女』の解説に書いてあった」

「自分で解決を思いつかなかったネタを交換して、それぞれが書いた」

「だったら、トリックだけでも頑張って欲しかった」

「どんなトリックだったか思い出せない。読んだのはたかだか数日前のことなのに」

「最初に言ったような理由で、入り込めなかったにしてもね」

「覚えているのは、鍵についての記述じゃな。むにゃむにゃごにょごにょのとこに全く触れられていないのは問題じゃ」

「タクシーからの消失も古いよね」

「解説を読むと〝古い〟ことは自分でも判っていたらしい」

「私はとある人物に、とあることをさせる方法がガッカリしたわ。今、これを書いたら投げつけられるレヴェルよね」

「…………」

「どうしたの？」

「この作品を読んでいる間、ずっと違和感があって、それが何か判らなかったんじゃが、やっと今判った」

「何？」

「うまく言えないのじゃが、儂は奇術師が犯人というのが納得できない」

「ええと……裏切りがないってこと？」

「なのかな？　とにかく奇術師は本格の犯人として最も似合わないと思う」

「刑事ドラマの犯人がヤクザだったらガッカリするけど、それかな？」

「そういうことにしておこうか。でもこの場ではさんざん言われようのこの作品じゃが、世間では人気があるな」

「えっ、どこが？」

「知らん。ちょうど隣にミステリ作家の我《あ》孫子《びこ》武丸《たけまる》氏がいるから訊いてみよう」

「は？」

「ねえねえ我孫子くん。『帽子から飛び出した死』って読んだ？」

「もちろん読みました」

「感想は？」

「昔なので覚えていません。『天外消失』は覚えていますが」

「ああ、あれは面白かった。でも短編だからここでは扱わない。ということで、ありがとう。ではさようなら」

「さようなら」

「何？　何だったの？　今の誰？」

「いいから次じゃ」

「納得いかないけど、次は『首のない女』ね。今度はサーカスが舞台」

「こっちはキャラの書き分けができてるな。綱渡りに空中ブランコに象使いに道化師」

「判りやすいし絵にもしやすいよね。一作目で反省したのかどうか知らないけど」

「翌日には次の町に移動するから、証拠が消えてしまうというサスペンスもある」

「でも一二〇ページにこの表現が出て来てしまう。『もしこれが小説かなんかなら』」

「小説なのにな」

「小説じゃないって言うたびに、小説だと意識してしまうよね」

「〃登場人物いっぺんに登場〃と同じぐらい、りっちゃんにとってはそこも鬼門なワケじゃな」

「あとね、すぐにアリバイ調べをするのが気になるよね。探偵小説なら当たり前のことだけど、それは容疑者の場合。疑わしくもなんでもない段階でとりあえずアリバイを訊くから時間の無駄よね」

「理由もなく訊くから伏線にもならない。そこがクイーンとは違う」


「途中まで、面白かったんだけどね。なにしろサーカスでしょ。いろんな特殊技能を持った人が出てくるから、サーカスならではのトリックかと思った」

「剣を飲むヤツ、象使い、空中が得意なヤツ。道化師は顔が隠せる。双子の女も出てくるから、いかようにも料理できたはず」

「でも、そのどれでもなかった。おもしろくなりそうなのに、すごく残念」

「サーカス物では井上雅彦《いのうえまさひこ》さんの『竹馬男の犯罪』という作品がある。サーカスならではのトリックや幻想がてんこ盛りでお薦めじゃ」

「了解。でね、終盤にキャラが増えるじゃない。で、この人についての説明が一切ない。誰だか判らないまま最後まで読み切ってしまって、慌てて読み返したら、最初の方でちょこっと出てた。これは不親切すぎるよね。で判ったの。この人は小説を書くのが下手なんだって」

「うむ。身もフタもないがの」

「そして、すっかり読書意欲をなくした三冊目の『棺のない死体』。ここでいきなり小説になった」

「これまでの二作とは別人かと思うぐらいにな」

「翻訳者の違いかとも思ったけれど、これまで記述者目線だけだったのが、神目線も導入した」

「自分がいない場所の記述ができるから作品に厚みが出る」

「これまでの二作では感じられなかった語り手の性格もよく判るのよね。それまでのマーリニの観察者から、恋愛問題を抱えた主人公に昇格していて、おかげで上手く感情移入をさせられる」

「神目線の方が、語り手の性格がよく判るなんて不思議じゃな」

「トリック的には、この作品が一番しょぼいんだけど、キャラに好感が持てると、ミステリとしておもしろく見える。それもまた不思議」

「主人公以外は類型的なキャラばかりじゃが、一人が活き活きしていると、気にならなくなる不思議」

「肉親が殺されているのに、遺族とか少しも悲しんでいないし」

「やっぱり小説にはなっていないと」

「予想したとおりに話が進む」

「本格ファンならどれもこれも知ってる展開じゃ」

「その辺が古典よね〜」

「最後に違う展開が待っていた……」

「普通は犯人にもうちょっとしゃべらせるよね。盗人《ぬすっと》にも五分の理と言うか、ミステリってそこが読ませどころでしょ？」

「マーリニも推理をするけど、それを誰も検証しないから、それが正しいかどうかは判らないままじゃ」

「本格ミステリとしては、相変わらず疵《きず》だらけ」

「でも憎めない」

「というか、おもしろかった」

「そんな評価でいいのかって話じゃな。このコーナーって、文章がどうとかより、ミステリ的なものに重きを置いて評価していたはずなのに。どうして、こうなってしまったんじゃろう」

「本格だった最初の二冊が、あまりにもおもしろくなかったから、違うモノサシが出て来ちゃった」

「ということで……勝ち抜けるとしたらこれになるのかな？」

「今はそれでもいい気持ちになっているけれど、これまでの作品と比べるとさすがにそれは失礼よね」

「じゃあ……」

「今回は優勝作はなし」

「では短編の『天外消失』は面白いので、そちらをお薦めしておこう。ハヤカワ・ポケット・ミステリじゃ。それからGoogle検索にヒトコト。ネットでローソンのことを調べようと〈ローソン〉と検索窓に打ち込むと〈もしかして：ローソン〉と出すのはやめて欲しい。自分の常識で判断するんじゃないぞGoogle君。本当に間違えたならともかく、君のデータにだってちゃんとローソンはあるんだからな。余計なことはせんように。以上！」

◉第二十四試合出場作品とりっちゃんの評価

『帽子から飛び出した死』	やる気が空振り	×
『首のない女』	設定をもう少し活かして欲しかった	△
『棺のない死体』	小説として完成するとミステリ的にも良	◯

◉優勝

なし

国樹由香の

本棚探偵の日常

●第24回●

二〇一五年三月。我が家は思いもよらない連絡にざわついていた。探偵がコツコツ書き続けてきた古本エッセイ『本棚探偵最後の挨拶』(双葉社刊)が、日本推理作家協会賞の評論その他の部門にノミネートされたのである。

あまりに意外すぎて実感が全く伴わない我々夫婦、

「でもまあノミネートどまりだろうな」

「最高の思い出になるね、ノミネート」

などと言い合っていた。この段階では完全に他人事《ひとごと》のような気分だったと思う。

気持ちが高まってきたのはツイッターでつぶやいてからだ。友人たちからお祝いのリプライが続々と。皆さん、とても喜んでくれている。

「ノミネートされただけでこんなにも!」

急にドキドキしてきた私。発表は一ヵ月も先だ。落ち着かない。早く探偵に引導を渡して欲しい。発表の日が刻一刻と近づき、双葉社の担当Hさんから連絡が入る。

「せっかくだから待ち会をやりますか?」

待ち会。

テレビのニュース映像で観たことがある。ノミネートされた作家の方々がそれぞれの担当編集さんはじめ関係者数名と集まり当落の連絡を待つという、緊張極まりない会だ。

「まあ、これも記念だしな」

「二度と無い経験の可能性が高いしね」

「小学館のM山とY田コンビにも声かけてみるか」

探偵は長いこと小学館の漫画誌で連載をしてきた。沢山の編集さんと繋がりがあるのだが、特にこのお二人とは腐れ縁としか思えないほど付き合いが長く深い。電話をかけたらとても乗り気だったそうで、ふたつ返事で彼らの参加も決定した。

さて発表当日。探偵と私は帝国ホテルの立派なティーラウンジに座っていた。

「こんなグレードの高いホテルで連絡待ちだなんて」

「受賞しなかったら相当寂しい感じになるよなあ」

ひそひそ話す我々夫婦の横には担当Hさん。そして双葉社のかたがもう二人。お一人は漫画文庫を担当されているかたなのだが担当Hさんいわく、

「あのねえ、彼が待ち会に出ると受賞出来るから！　今回獲れたら受賞十人目よ」

ええっ。急にその人が守護天使に思えてきた。言われてみれば穏やかな笑顔は自信に満ちている（ように見える）。

それはそれとして、落ち着かない。雰囲気を和《やわ》らげようとしてくれているのか、担当Hさんがアフタヌーンティーセットを注文しましょうよと言ってくださる。そうですよね、食べるしかないですよね。

「そうよ、ここのは豪華なんだから。あら、

そういえば小学館の方々は？」

「Hさん、すみません。たぶん当分来ないです」

「だって、待ち合わせ時間はとっくに過ぎてるわよ」

「漫画担当は時間にざっくりしてるんです。漫画家もざっくりしているせいか」

「ええー、ありえないー」

探偵とののどかな会話が続いている。小学館コンビが遅れてくれているおかげだ（皮肉ではありません。本気です）。

そうこうするうちアフタヌーンティーセットがテーブルの真ん中にどどんと置かれた。

「あら、こんなサイズだったかしら？　値段のわりに小さくない？」

「場所代でしょうね」

「記憶とずいぶん違う気がするけど、美味しそうよ。ほら由香ちゃん、食べて食べて」

「じゃあ苺《いちご》のケーキ、いただきます。あっ、皆さんも是非」

守護天使さまたちにもすすめながら更に他愛ない会話が続き、何をしに来たのか判らない感じになっている。そんなとき小学館コンビが到着した。

「いやあ、すみません」

とM山さん。名店のお菓子を持参している。

「帝国ホテルで待ち会って言うから、てっきり会議室みたいなとこかと思って。お茶うけ的なの持ってきちゃいましたよ」

「キミ、それはいかんだろ。ここはティーラウンジなんだから持ち込み禁止。しまってしまって」

けんもほろろな探偵だ。そしてもう一人のY田さんはというと、

「うわっ、珈琲《コーヒー》めちゃ高い！　これならビールとかのほうがお得な感じですよねえ」

などと言っている。

「キミ、昼間っから不謹慎だろ。しかも一応待ち会なのに」

またつっこむ探偵。急激にリラックスモード突入である。小学館コンビが予想外の行動をとってくれているおかげだ（皮肉では以下略）。

驚いているのは担当Hさん。

「ええー、待ち会やったことないんですか？」

「漫画賞のときは、やらないですねえ」

「ええー、ありえないー」

このやりとりが妙に面白く感じるのは緊張のピークを越えたからなのか。そして電話はいつかかってくるのか。いいかげん決定したのではないのか。悶々と考え込む私。

するとおもむろに携帯をつかみ立ち上がる探偵。全員がはっとする。

「トイレ行ってくる」

「待って！　携帯は」

「もちろん持っていくよ。トイレの間にかかってきたら困るだろ。俺が出なきゃいけないんだし」

そんなあ。決定的瞬間を見逃すなんて耐えられない。

「おトイレ我慢……」

「無理」

スタスタと行ってしまった。さっきまでは一刻も早くかかってきて欲しかったのに、今はかかってきて欲しくない。ああ、頭の

中が大混乱だ。

探偵が戻り、テーブルの上に携帯を置いた。皆でじっと携帯を見つめる。もしも携帯がしゃべれたならば、

「そんなに見ないでください。穴があきます」

と言ったことだろう（探偵はガラケー派なのでSiriには対応しておりません）。

それからどれくらい時間が経ったのか。今度は守護天使さまが立ち上がった。

「私もトイレに」

携帯とお守りが離れてしまっては！　思わず引き止めそうになった自分を心で制し、どうか早くお戻りくださいと祈るにとどめる。

数分後また全員で携帯を見つめるだけの簡単なお仕事が始まった。


「今回俺がノミネートされたのって、評論その他の部門でしょ」

「うんうん」

「明らかに俺のだけがその他なんだから、その他の部門で受賞させてくれたらいいのになあ」

今更なことを言い出す探偵。でも私も心の底からそう思ってるよ。

「それにしても遅いわねえ」

Hさんの言葉に皆うなずいている。急に不安になった私は、

「皆さん、もう時間ないですか？　駄目だったときはすぐに解散を？　あんまり寂しいし、せめて残念ごはん会を……」

ブーッ、ブーッ、ブーッ。

携帯の着信音。静かに出る探偵。

「はい。喜国です」

いつになく真面目な表情からは何も読み取れない。

「北原《きたはら》さんは？　……そうですか。残念です」

仲良しの北原尚彦《なおひこ》さんは長編部門にノミネートされていた。そちらのなりゆきも気にしていたから、すぐに訊いたのだろう。

それで、評論その他の部門は？

「……はい。はい。近くにいます」

「ち　か　く　に　い　ま　す　？」

ということは！　電話を切った探偵は言った。

「受賞だって」

や、やった――！

それからのバタバタはよく覚えていない。


記者会見に出なければならない探偵にくっついて新橋の第一ホテル東京に移動して、選考委員の皆さまの選評を伺って、ツイッターで速報ツイートしたらまたまた山ほどのお祝いリプライをいただいて、会見後は選考委員の皆さまと文壇バーに行って。怒《ど》濤《とう》の数時間だった。この日のことは探偵がもっと面白く書いてくれるに違いないから、私からの報告はここまで。

後日M山さんに「喜国さんより由香さんのほうが喜んでた」と言われたけれど、探偵は表情に出すのが下手なだけ。これからひと月後の贈呈式まで、我が家は早めのサンタクロースがやって来たような状況になるのだが、お祝いが届くたび探偵は本当に嬉しそうだった。

私はというと、受賞によって探偵が思いのほか皆さんに愛されていたことを知ることが出来、幸せでたまらない。占いの類いを全く信じない私も叫びたい気分だ。十人目の守護をありがとうございます！

メロイックサイン
記者会見のときから
ずっと
探偵は
同じポーズ
それは
メロイック
サイン
詳しい説明は
ネットにおまかせ
するとして
とにかく
ヘヴィメタルファンなら
とっておけという
ポーズである
この雑誌でも
ポスト
だからって
贈呈式でも
取材でも
ポーズ
とりまくり
そしたら贈呈式で
探偵の後ろで一緒に
メロイックする…
北方謙三先生が!!
夢かと
思ったっ

ポアロ&レーン

本格力
Hon Kaku Ryoku
第25回

◉ほんかくだもの◉

題名に嘘は
ないけど
哀しかった
本当にとうめい
にんげん
だもの

◉ 勝手に挿絵 ◉

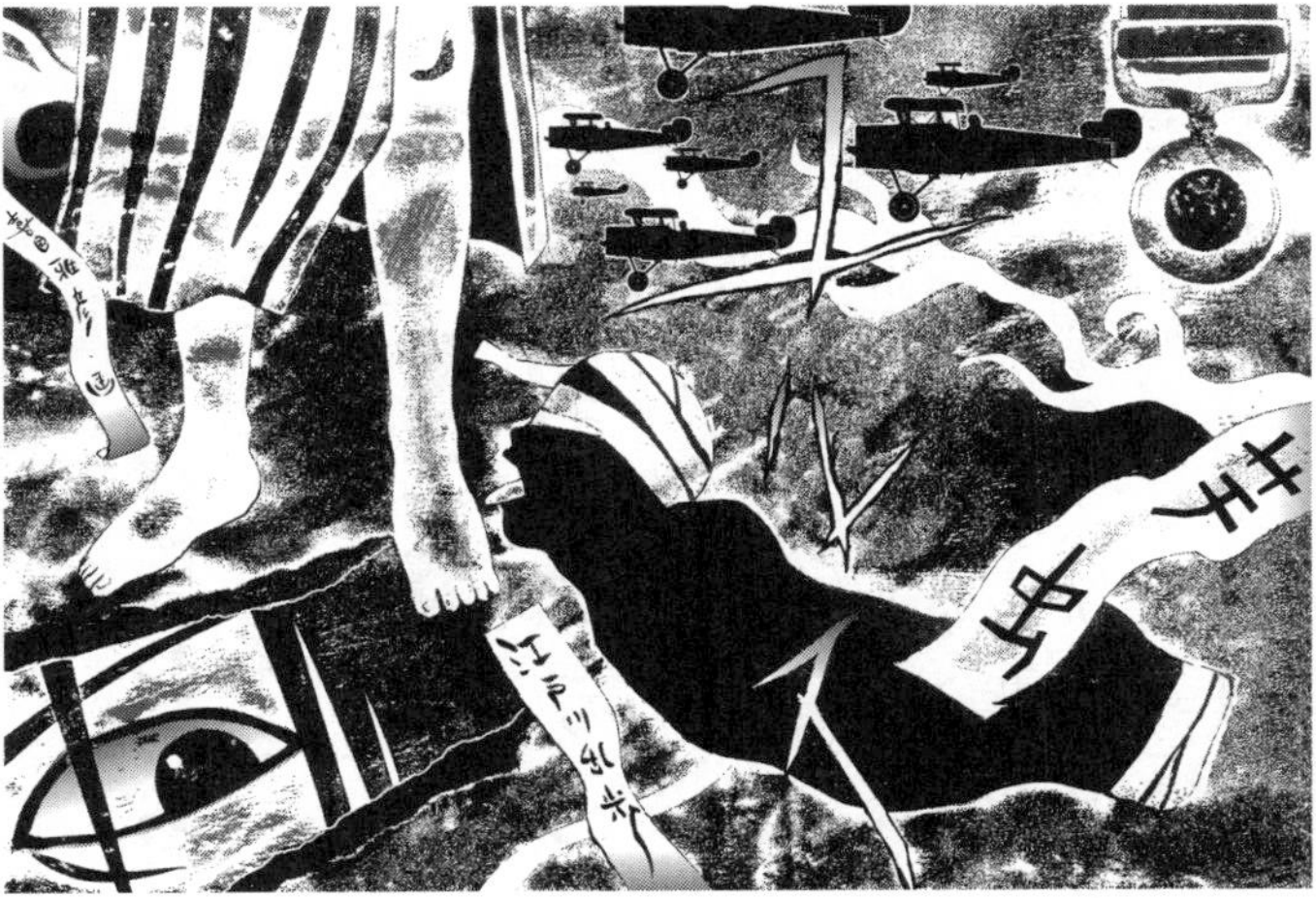

ストーリー

戦争のために変わり果てた姿で家に帰ってきた須永《すなが》中尉。
妻の時子《ときこ》は献身的な介護をしながら、
心のどこかに嗜虐的《しぎゃくてき》な感情が芽生えてくるのに気がつく。
そんなある夜、須永中尉の刺すような視線に耐えかねた時子は、
己の情念を爆発させるのであった。

江戸川乱歩『芋虫』昭和四年作品（角川ホラー文庫）

坂東善博士

H-1グランプリ

本当にお薦めしたい古典を選べ！

りっちゃん

◉ 第二十五試合 歴史ミステリ ◉

「儂は坂東善博士。長年にわたって本格ミステリについて研究している」

「私はりこ。ごく普通の女子高生よ」

「その二人が、〈現代でも通用する古典本格ミステリとはなんぞや〉をテーマに、議論を戦わせるこのコーナー。さて、第二十五試合は歴史ミステリじゃ」

「歴史ミステリって、確か前にやったよね」

「ジョン・ディクスン・カーが書いた歴史ミステリを第十三試合でやったな。カーは歴史ミステリが多いので別枠にしたのじゃが、今回はその他の作家の書いたやつじゃ」

「歴史ミステリって〈作品の舞台が現代ではなく、過去におかれたもの〉だったよね」

「そのときにはそれだけの説明だったが、実は歴史ミステリには二種類ある」

「すっごい昔の話とわりと最近」

「違うな」

「東洋と西洋」

「それも違う」

「太いのと細いの」

「儂の場合、ラーメンの麺《めん》は細い方が好みじゃが、女性の足は太い方が好きじゃ。って、それも違う」

「これやってたら一生終わらないから、早く正解を言って」

「正解はな、フィクションとノンフィクションというか、歴史上に実際にあった出来事を扱っているか、完全な作り話なのかで分けられる」

「実際にあったって……まさか過去に密室殺人とかアリバイトリックの事件があったの？」

「有名なところでは〈切り裂きジャック事件〉とかじゃな。ミステリ的なトリックはないが、今に至るも犯人が判っていないから、これを題材にしていろんなアプローチのミステリが書かれた」

「その事件なら知ってる。映画でもいくつか観た」

「でもな、歴史ミステリというのは、何もそういう血なまぐさい事件ばかりではないんじゃ。簡単に言うと、そこに〝謎〟があればいい」

「例えば？」

「邪馬台国《やまたいこく》はどこにあったのか？　ナスカの地上絵はなんのために書かれたのか？　とかじゃな」

「スーパーひとしくんとかでやってるヤツね」

「『世界ふしぎ発見！』な。うん、やったりする。でもあまりにも壮大なテーマだと〝ミステリ小説〟ではなく〝ミステリー〟になってしまうから、そこの匙《さじ》加減には注意が必要じゃ」

「え、ミステリとミステリーって違うの!?」

「全然違うぞ。実はかつてミステリ小説のファンが集まるイベントが行われたんじゃが、場所を提供してくれる店がミステリーの集まりだと勘違いして、ちょっと不審がられたんじゃ」

「え、どういうこと？　意味が判らない」

「世間的に〝ミステリー〟というのは、宇宙人とか超能力とかオカルトとか、現代科学で解明できないものを指す言葉になっておる」

「えっ、ミステリが推理小説でミステリーは超常現象なの!?」

「そうじゃ」

「博士がいつも推理小説のこと調べてる本は『海外ミステリー事典』ってタイトルだけど」

「何ごとにも例外はある」

「『このミステリーがすごい！』もあるよね」

「あれは誤植じゃ」

「いい加減なこと言うなー!!」

「ということで、今回はこの四冊。よろしくじゃ」

あらすじ紹介（**読了順**）
ジョセフィン・テイ『時の娘』ハヤカワ・ミステリ文庫　小泉《こいずみ》喜美子《きみこ》訳　〇王位継

承のため、幼い二人の甥《おい》を殺害したとされるリチャード三世は極悪人として英国史にその名を残している。だが、入院中にリチャード三世の肖像画を見たグラント警部は疑問を持つ。「そんなことをした人物には見えない……」。その瞬間に退屈な病室は捜査本部に変わった。実際に残されている文献だけを頼りに、リチャードの汚名をそそぐためのグラントの推理が始まる。

リリアン・デ・ラ・トア『消えたエリザベス』東京創元社　平井呈一《ひらいていいち》訳　〇一七五三年、英国の片田舎で一人の娘が出かけたまま行方不明になった。一ヵ月後、ふらりと戻った彼女は「誘拐され、売春宿で監禁されていた」と恐怖の体験を語る。宿の関係者たちは捕まるが、誰一人誘拐監禁を認めようとしない上に、娘の証言も二転三転する。実際に起こった事件を元に作者が見つけた可能性とは⁉

コリン・デクスター『オックスフォード運河の殺人』ハヤカワ・ミステリ文庫　大庭忠男訳　〇入院していたモース主任警部は、その退屈さから一冊の研究書を手にする。『オックスフォード運河の殺人』と題されたそれは、十九世紀に一人旅をしていた女性が二人の船員によって殺された事件について書かれたものだったが……。『時の娘』と全く同じ形式を借りて、デクスターが歴史ミステリに挑む。

ウンベルト・エーコ『薔薇の名前』東京創元社　河島英昭《かわしまひであき》訳　〇フランチェスコ会修道士のウィリアムは、とある論争に決着をつけるために、北イタリアの修道院を訪れる。だが、そこでウィリアムを待っていたのは連続殺人だった。事件の解明に立ち上がったウィリアムであったが、なぜか修道院は協力を拒む。事件の背景にはたして何が隠されているのか⁉　世界中でヒットした二十世紀最大の問題小説！

「読んだわよ……」

「疲れているようじゃな」

「疲れたわよ。ものすごい古い翻訳はあるし、書いてある意味が判らないヤツがあるし……」

「そうじゃろう。儂も辛かった。実はな、今回あと一冊用意してたんじゃ。だがその作品もいろいろと問題があったので、エントリーから外したんじゃ」

「えっ、これらより問題な作品があったの⁉　逆に読みたい気がするわ」

「それはあとで説明するとして、まずは『時の娘』じゃな」

「文章は良かったわ。どのキャラクターもいいし、病院という設定も抜群にいい。導入だけなら百点だよね」

「グラント警部が極悪人とされているリチャード三世の事件に疑問を持つきっかけもいいよな」

「彼の肖像画を見て、最初、裁判官か何かの絵と間違えるのよね。それぐらい良心的な人物に見えた」

「なぜ間違えたんだろう？　そんな警官としてのプライドが、事件に目を向けさせる」

「資料と推理だけで、五百年近く前の事件をひっくり返す、というアイデアはおもしろいけれど、いかんせんその事件が……」

「日本人には馴染《なじ》みがないからのう。薔薇

戦争という単語だけは授業で習った覚えがあるが」

「前フリを知らないからサゲられても意味がない」

「いきなり『熱いお茶が怖い』と言われてもな」

「何それ？」

「いやこちらの話。それで？」

「訳者あとがきのところに、この作品をバウチャーが全探偵小説の一つと激賞したとか、博士の好きな乱歩《らんぽ》がそれに同意した、的なことが書かれているけど本当？」

「今でもオールタイムベストのアンケートを取ると必ず上位に入っているし、ちょっとネットで検索しても、誉めているのばかりがヒットするな」

「みんな頭がいいのね」

「それはどうかの。別のところ（※）で中《なか》島河太郎《じまかわたろう》氏が書いてたんだが、この小説は英米では評判になったが日本の読者には歓迎されなかったらしい」

「だって馴染みがない事件だもの」

「儂が思うには、この作品が受けたのは、やはりその形式にある気がするんじゃ。史書に記録されているデータだけを使って、後世の人物が安楽椅子探偵をする、というカタチがな」

「この後で読んだ『オックスフォード運河の殺人』なんか、まさにそのまま。パクリと言っていいレベルだったね」

「そのことはまた後で語るとして、他に気になったところはないかな？」

「一番の問題は歴史人物たちの名前ね。次から次にいろいろと出て来るけど、ヘンリーとかリチャードばっかり！」

「エドワードもたくさんいるぞ」

「二世とか三世ってついてるならまだしも、ただのリチャードもいっぱいいる」

「巻頭に親切に家系図を載せてくれているが、リチャードの子供がリチャードだったりして、もう全然ワケが判らない」

「英国の王家ってそれでいいの？　区別できてるの？」

「そういや、先日、ウィリアム王子とキャサリン妃夫妻の間に生まれた娘の名前は〈シャーロット・エリザベス・ダイアナ〉。もう、近しい人の名前を全部乗せちゃった感に満ちておる」

「歴史的にはそれでもいいかもしれないけど、ミステリ的にはダメでしょ。同じ名前を利用した叙述トリックかと思った」

「あと、真相にも驚いたぞ。自信満々にグラント警部が出した推理が、既出のものだったと。ええっ、それでいいのか⁉　と、思わず叫んでしまった」

「そうなんだ。実は私、途中からちゃんと読むのやめちゃった」

「なんと！」

「でもそれも含めての評価よ。歴史的に重要な作品かもしれないけれど、私にはハードルが高すぎた。もし今度イギリス人に生まれ変われることがあるなら、そのときにきちんと評価する。それでいい？」

「いいじゃろう。では次は『消えたエリザベス』」

「これも読み辛かったわ。訳が古くて」

「昭和三十三年の版じゃからのう。平井呈一訳は格調が高くて名訳も多いのじゃが、さすがにこれは古かったな」

「格調が高いのはいいけど、それが事件と合ってないのよ。だって田舎の売春宿が舞台の話だからね」

「そう言ったら身も蓋もないが」

「一番の問題は文章の意味が判らないことね。最初は訳のせいかと思ったけど、途中で登場人物たちの知性が高くないからだと気がついた。誰も彼も論理立ててしゃべれていない」

「しゃべれないし、大切な証拠の服も洗濯してしまうし……」

「最もミステリに不適合な登場人物たち（笑）」

「実際の裁判の記録を元にして書いているから、そうなっているんだろうな。この事件がここまで複雑になったのも、このあやふやな証言があったからだし、小説として整理するワケにはいかなかった」

「作者が見つけた答も、そのあやふやさがあればこそ、だしね。事件そのものは小さいけれど『時の娘』と違って、ミステリにピッタリな題材という気はするよね」

「あやふやな村人ばかりだけれど、裁判シーンになると論理的な人たちがたくさん登場してくる。でも証言者たちはころころと意見を変えるから一向に真実が見えてこない」

「証言はあやふやだけれど、裁判シーンはハラハラした。そして最終的な判決も出て、歴史の一つとして記録される……そして作者が顔を出す。この判決は間違っているのではないか。私の推理なら、エリザベスのあやふやな証言のすべてに説明がつけられますよ、と」

「まあそういう流れじゃな。そして、そうやって作者が顔を出すことが、一つのポイントになる」

「どういうこと？」

「小説として考えた場合、作者が直接、意見を言うのって、ちょっとダサくないか？」

「それはそうね。その点『時の娘』は上手いよね。推理する役を作品内に登場させているんだもの」

「まさしく、そこが認められて『時の娘』は歴史ミステリの頂点にいるのじゃ。実際はこの『消えたエリザベス』が歴史ミステリというジャンルを作った功績者なのにな」

「なるほどね。歴史的に結論が出ているものをひっくり返すためには、〝歴史の外〟という枠が必要だけど、『時の娘』は見えない額縁に仕立て上げたと」

「そういうワケじゃな」

「小説としてはこっちが断然おもしろかったけどね」

「推理された真相は既出じゃないし」

「そこから立ち上がる哀しみも胸を打つよね。王家の権力争いなんかどうなってもいいけど、無実の罪で国外追放になった一人の市民の気持ちを思うとやりきれない」

「『時の娘』の作者、ジョセフィン・ティもそう思ったのだろう。だから『時の娘』を書く前に『消えたエリザベス』を自分で書き直していた」

「えっ、どういうこと⁉」

「『時の娘』の三年前に『フランチャイズ事件』という作品を書いているのじゃが、これは『消えたエリザベス』の設定をそのまま現代に持ってきたものじゃ」

「えっ、いいの、そんなことして⁉　てかコンビニが舞台じゃないよね。でもって、そんな重要な作品がどうして今回の課題図書に入ってないの？」

「これを見れば判る」

「うわっ、ボロボロ！　表紙は剝がれているし、本文用紙が茶色く変色しているから、活字が見づらい！」

「古書店の均一台で拾ったこの本しか持ってなくての。老眼の儂にはさらに辛くて、途中で断念せざるを得なかった」

「ええー、気になるじゃん！　結末はどうなのよ？　まさか『消えたエリザベス』の真相をまんま使ってるワケじゃないよね⁉」

「さすがに儂もそれが気になったので、ちょっとネット検索してみた」

「ミステリの博士がやることじゃないよね、それ。で、どうだったの⁉」

「『消えたエリザベス』の方がおもしろい、という意見がいくつかあった」

「ダメじゃん、ジョセフィン！」

「でも一番驚いたのはな『フランチャイズ事件処理の手引』という、コンビニ関係の本が出ていたことじゃ」

「本当にあったんかいー！」

「日本弁護士連合会消費者問題対策委員会が著した本でAmazonでも売っておる。定価は三千円」

「高っ！　次行くよ。『オックスフォード運河の殺人』ね。さっきも言ったけど、『時の娘』の設定をまんまいただいている。

ユーモア仕立てのとこことか、退屈しのぎに推理するとことか、ナースとのやりとりとか、脇役の性格もほとんど一緒」

「一緒じゃないのは、事件が多分、実際にあったことじゃないとこ」

「え、そうなの？　使用した資料名とかちゃんと書いていているから、本当にあった事件かと思った」

「儂もそう思ったが、そうなると、モースが退院してからの行動が不可能になる」

「解決が出来過ぎだと思ったのよ。ええー、作った事件なら、いくらでも自分で手がかり作れるじゃん！」

「そうなんじゃ。これなら同時進行の事件で構わない。『時の娘』の設定を使いたかったただけ、としか思えない」

「で、せっかくいただいた設定なのに、主人公が大して刺激的とも思えない官能小説読むとこことか、意味なくモテまくるとこことか、要らないとこにページを使いすぎ。てか、今カバー袖を見て気がついたけど、この人の『ウッドストック行最終バス』って、ここで読んだことあるよね。確かあのときも納得のいかないモテ方をしていた覚えがある」

「あの作品で見事だったのは、すべての住民の中から推理で一人を選び出すところだったが、この作品でも飛躍した推理を披露《ひろう》してくれる」

「そこはおもしろかったけど、逆に言うと、おもしろいのはそこだけのような気がしないでもない。以上！」

「じゃ最後の『薔薇の名前』じゃ。これはちょっと言いたいことがあるじゃろうな」

「おもしろかったわよ」

「えっ、嘘!? 何で!?」

「実はね、映画を観ていたの。好きな映画よ。で大筋が大体判っていたから、必要なさそうなとこは飛ばして読んじゃった。だって、映画がそうだったんだもん。そうやっても何の問題もないと思った」

「そうか。てっきり『何ちゅう物を読ませるのよ!』と怒っているかと思った」

「だってさ、始まってすぐのところで、失踪した馬の特徴を推理するとこがあるじゃない。でね、名前まで当てちゃうとこを読んで、ああ、これは真面目に読んじゃダメなんだと思った」

「なんと、あのくそ真面目な小説をギャグだと言い放つのか?」

「だってそうじゃない。最終的に探り当てた真相がああだしね。これは真剣に書かれたギャグとして読むのが正しいと思うよ」

「初めて聞いたぞ。そんな感想は」

「ミステリとして邪魔な記述だなー、と思うところは多かったけれど、それを帳消しにするぐらいおもしろいシーンも多かった。墓場のとことか、文書庫で迷うとことか。絵になる場面も多かった。それは映画を観ていたせいかもしれないけどね。登場人物も多いけれど、映画の俳優の顔を浮かべて読んだら、混乱しなかった」

「絵になるといえば、横溝正史《よこみぞせいし》的なシーンも多かったな。『犬神家の一族』と同じ場面もあったし、終盤のアクションは『八つ墓村』を彷彿《ほうふつ》とさせるし、文書庫の構造は小栗虫太郎《おぐりむしたろう》の『黒死館殺人事件』を思い出してゾクゾクした」

「暗号のところも出来すぎてて笑った」

「あそこはエドガー・アラン・ポーやホームズへのオマージュじゃな。最初の馬のところもじゃ」

「重要な手がかりを知ってる人物が、懺悔で告白して、ウィリアムには言わないとこ、とか、キリスト教という設定を活かしてて上手いと思った」

「以前にも言ったがヒッチコックの映画『私は告白する』という映画がおもしろいんじゃ。懺悔室での告白は外に持ち出せないというルールのために、神父が苦境に立たされるというサスペンスじゃ」

「よく知らないけど、キリスト教って〈懺悔したら許される〉みたいなことになってるの?」

「イエス様は許してくれる。ただ、やってしまったことの責任はきちんと取らないといけない」

「何だ。無罪じゃないんだ。それはさておき、飛ばした箇所をちゃんと読んでみたいという気もある。でも今の私には無理だから、いつかイタリア人に生まれ変わったときに、ね」

「今回はそればっかりじゃな。でもしかたがないところはある。外国の歴史を読むにはそれなりの教養が必要じゃからの。ところでこの作品は古典ではないから、本来なら取りあげるタイトルではないのじゃが、読んでおくべき作品だと思ったから怒られるのを承知で出してみた」

「登場人物表は本文ではなく、挟み込みになっているから注意が必要よね。私なんかそれに気がつかないで、自家製の人物表を作っちゃったもの」
「あと、この作品の一番の感想は〝禁欲生活は良くない〟ということじゃな」
「そうなったら博士も××に走ったかもね」
「考えたくない……」

(※)『消えたエリザベス』の解説

◉第二十五試合出場作品とりっちゃんの評価

テイ	『時の娘』	英国人に生まれたら読み返したい	×
トア	『消えたエリザベス』	伏線がすべて回収される心地よさ	◎
デクスター	『オックスフォード運河の殺人』	外枠を外して読みたい	×
エーコ	『薔薇の名前』	映画ありがとう。ぜひ将来読み返したい	◯

◉優勝

『消えたエリザベス』

国樹由香の

本棚探偵の日常

第25回

最近見つけた無料アプリが面白い。

一つは「Japan Complete」というアプリで、自分が行ったことのある都道府県に色を付けていくというシンプルなもの。「立ち寄った」「旅行した」「住んだ」と三色に塗り分けていく。

それによると国樹は日本の78・72％を制覇しているらしい。いつの間に！　自覚がなかったので驚いた。

そうなると次は世界に目を向けたくなる。「Mark O'Travel」は世界地図を色塗り出来るアプリだ。ただし国別なので、アメリカ合衆国とカナダとメキシコを訪れたことがある私は広大な北米大陸を制覇したことになり、どうにも納得がいかない。

ちなみに旅したことがある国は独身時代も含めて十六ヵ国。まだまだ先は果てしないなあと思ったところで改めて、

「私は旅がとても好きだ」

ということに気が付いた。

長期滞在が可能ならば旅先でのんびりと無目的に過ごしたいが、そうもいかないから短期間で達成感がある旅を好む。もちろん探偵には是非同行してもらいたい。

ここで重要なのは「言い出すのはいつも私」という点だ。探偵はいざ出かければ目

一杯楽しむけれど、積極的に海外に行きたがるタイプではない。
なので、探偵も喜びそうな旅プランを考える。そのキーワードが「本」「マラソン」「音楽」だった。

本の旅は探偵と親しいシャーロック・ホームズ研究家の北原尚彦《きたはらなおひこ》さんにお誘いいただいた英国古本旅が素晴らしかった（詳しくは喜国雅彦著『本棚探偵の生還』をお読みください）。

マラソン旅は楽しさとキツさのせめぎあいだ。過去に参加した海外の大会はホノルル、台北《タイペイ》、プーケット、ローマの四つ。「数日間自由に観光したのちにフルマラソン」というパターンなので、観光が楽しければ楽しいほど最大目的であるはずのマラソンが嫌になるという本末転倒さ。

それでもコロッセオ前からスタートして、トレビの泉などの観光名所を観つつ走るローママラソンは最高に感動したし、フライパンの上で焼かれているかのように熱かった……もとい暑かったプーケットマラソンだって、過ぎてしまえばいい思い出だ。

そして音楽旅。二人して大好きなヘヴィメタルのライブを観るため、あちこち飛び回っている。この連載で漫画に描いた英国のロックフェスが二年前。今年の九月にはモトリー・クルーというバンドを追いかけてメキシコに行ってきた。

何故行き先にメキシコを選んだのか。

持ちかけたのは例の如く私だが、ライブツアーの日程を見た探偵が、

「アメリカ以外の国がいい」

と言ったからだ。別にアメリカを嫌っているのではなく、親しい友人が住んでいて何度も訪れているため、違う国の空気にふれてみたくなったというわけである(規模的に行ったことのないエリアのほうが多いが)。

モトリー・クルーはアメリカのバンドなので当然アメリカでのライブが多くなる。我々に時間が作れる時期で、ツアー日程に含まれている未体験の国。それがメキシコだった。

メキシコ。

サッカー、タコス、死者の日、映画『レジェンド・オブ・メキシコ/デスペラード』が頭に浮かんだ。おっと『サボテン・ブラザース』も忘れるわけにはいかない。ううむ、イメージが混沌《こんとん》としている。一番気になるのは治安がよろしくなさそうということか。

ネットで早速検索してみる。二〇一五年版の「世界安全都市ランキング」にヒットした。第一位は東京。うん、納得。二位はシンガポール。なるほど。三位が大阪か。日本ってありがたい国だなあ。気になるメキシコシティは?

……四十五位。微妙! どころか全然安全ではない。

国樹は国際的な空手団体である極真会館の総本部道場に通っていて、道場には各国の外国人がいる。早速詳しそうな人たちに質問してみた。まずは航空会社勤務のフランス人。

「トテモ、危険デスネ。オ金ハ、ワケテ持ツ。ソウスレバ、強盗ニハ財布ワタシテ、靴ノ中ノオ金デ、ホテル帰レマス」

強盗に遭う前提――！

次はチリ人。

「危ナイネ。チリ以上。流シノタクシー危険。乗ラナイデ」

チリとメキシコって近しい印象だったのに、そんなに危険度違うの？　安全都市ランキングで確認。チリのサンティアゴは二十八位か。うーん、これまた微妙な。

いよいよメキシコ人ハーフの道場生に突撃。彼はメキシコシティに高校卒業時まで住んでいたのである。

「あー、危ないですよ。空港からホテルに向かうのに地下鉄なんて絶対使っちゃ駄目。バックパックにナイフで切り込み入れられて中身盗まれますから。僕の日本の親戚がメキシコに来たとき、まんまとやられました」

そ、そんなあ。ジモティーに訊けば「大げさだな。大丈夫ですよ」と笑い飛ばしてくれるかと思ったのに。

「基本、陽気な国民なんで楽しいと思いますけどね。夜遅くの移動が不安？　ホテルと契約している正規のタクシーをチャーターしてください。流しのタクシーだと誘拐されることもありますから」

リサーチすればするほど不安しかない。いつも行き当たりばったり旅をする我々夫婦だが、今回ばかりは事前に現地情報を調べた。調べまくった。

そして見つけたのである。防犯対策を、ではない。我々が絶対に訪れるべき場所を。


――ヴァスコンセロス図書館。

一度は行くべき世界のすごい図書館として有名らしい。不勉強で全く知らなかった。画像で見るかぎり本当にすごそう。

本に関する期待は全くしていなかったメキシコ旅だったので、喜びのあまり不安が一瞬で吹き飛んだ。本の力は偉大である。

そんなこんなで挑んだメキシコ六泊九日の旅は最高に楽しかった。ざっと書き出してみる。

メキシコシティは東京と同じ印象の大都市で、人も車も多い。せっかくなので、グアナフアトという田舎町にも行ってみた。世界遺産に登録されている古き良き街並みが美しい。中南米一と名高い夜景も観ることが出来た(このエッセイを書くため改めて調べたら『レジェンド・オブ・メキシコ／デスペラード』の撮影地と! うわぁ、行く前に知っておきたかった事実)。

言語はスペイン語で、英語はほぼ通じない。それこそ「ハウマッチ」さえも。ここまで異邦人気分を味わえた海外旅行は初めてだった。たまに出会う英語が話せるメキシコ人との会話の楽しさ。英語が母国語ではない者同士、通じ合うものがあるのだろう。再訪の際はスペイン語をもう何語か覚えて行きたい。あの陽気な人々はきっと大喜びしてくれる。

メキシコ料理は辛いもの好きの私にはストライクの味。魚介類も美味しく、ソパ・デ・マリスコス(魚介類のスープ)は是非もう一度食べたい。

旅の最大目的であるライブも素晴らしかった。ステージの効果として使われる炎が日本では消防法で無理なレベル。観客の盛り上がりも凄まじい。バッタもんのツアーグッズが格安で堂々と大量に売られているアバウトさに笑ってしまう。ライブ会場で自分たち以外の日本人がいたのが嬉しく、すぐ友だちになったり。

という風にひたすら楽しかったのだ。ライブの途中で国樹のスマホを盗まれてしまうまでは。

あまりに人々が優しかったから「治安が悪い」ということを完全に忘れた頃にやられた。オールスタンディングのおしくらまんじゅうだった場内。自分の迂闊さに腹が立つ。たった一人のスリ以外、出会ったメキシコ人全員がいい人だった。間違いなく。

こういうときの探偵はすごい。

「過ぎたことをクヨクヨしても仕方ないよ。切り替えて残りの日程を楽しもう」

と少しも動じない。スマホには旅の写真が全部入っていたのに。ほんの数枚、ネットにアップした以外全部パアなのに。

少しだけメソメソした私も、最終日テオティワカンの遺跡に行き、太陽のピラミッドに登り雄大な風景を眺めたら完全にふっきれた。

不思議なことにテオティワカン訪問以来、現在もラッキーが続いている。メキシコの太陽神が守護についてくれたのかと思うほどに。無神論者の私をもそんな気にさせるメキシコの魅力たるや。

というわけで、ヴァスコンセロス図書館

の画像も数枚を残し消えてしまった。ＳＦ映画の登場人物気分になれること間違いなしの空中に浮かぶ書架を是非ご覧ください。

本格力

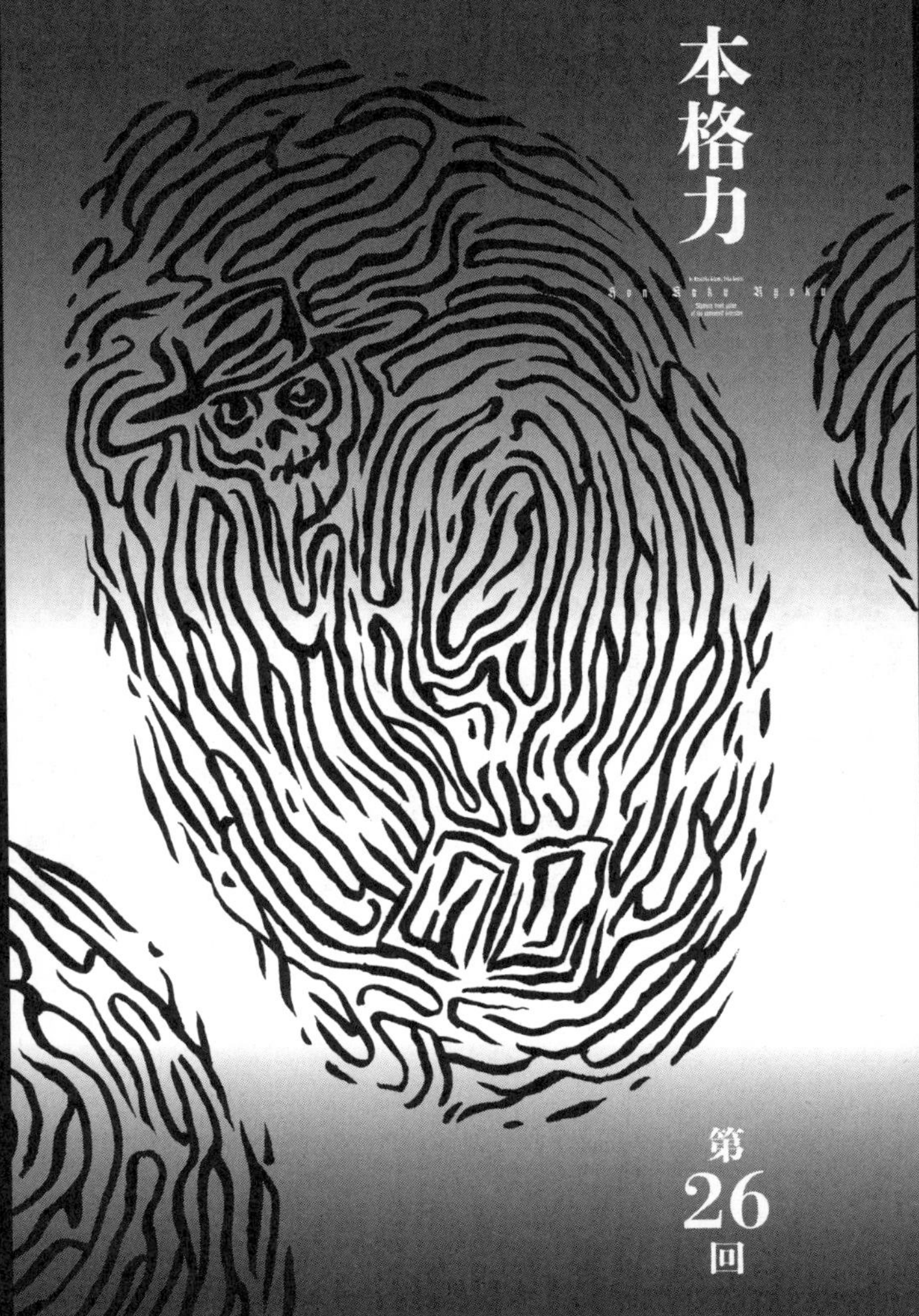

第26回

こどもむけの
トリック本で
いっぱい
バラされた
でもおかげで
どっぷり
ハマったんだ
なあ

みすを

坂東善博士

H-1グランプリ
本当にお薦めしたい古典を選べ！

りっちゃん

第二十六試合

◎ホームズとそのライバルたち◎

「儂は坂東善博士。長年にわたって本格ミステリについて研究している」

「私はりこ。ごく普通の女子高生よ」

「その二人が、〈現代でも通用する古典本格ミステリとはなんぞや〉をテーマに、議論を戦わせるこのコーナー。さて、第二十六試合は、ホームズとそのライバルたちじゃ。そして、今回は、この企画初めての短編ミステリじゃ」

「うんうん」

「でだ。短編集にもいろいろあるので、今回は名探偵の代名詞となっているシャーロック・ホームズと、その人気に追いつけ追いこせとばかりに生まれた同時代のライバル探偵もので括ることにした」

「ホームズの初登場とその他の探偵では二

十年近くの差があるけど、ホームズが長く書き継がれたから、同時代ということになるのね」

「歴史の移り変わりが激しい現代と違って、昔の二十年は誤差の範囲と考えていいと思う。電報は電話に、ガス灯は電灯に、馬車は自動車にと、実際の生活は大きく変わっているけれど、ミステリとして読んだ印象はほとんど差がない」

「それを言うなら現代もでしょ。本格と名探偵は永遠に変わらない」

「だから〝時代遅れ〟と揶揄されたりもするけどな。謎を解きたい欲望は昔も今も同じじゃ」

「犯行に至る動機もね」

「確かにな。そっちは千年経っても変わらんじゃろうな。ということで、今回は次の五冊じゃ」

あらすじ紹介（読了順）

アーサー・コナン・ドイル『シャーロック・ホームズの冒険』光文社文庫　日暮雅通訳　〇問答無用、詳細不要の世界で一番有名な探偵。百年以上経った今でも読み継がれる大ヒット短編集第一弾。

G・K・チェスタトン『ブラウン神父の童心』創元推理文庫　中村保男訳　〇大きな黒い帽子を被《かぶ》り、こうもり傘を持った小柄な神父は、なぜかいつも飄々《ひょうひょう》とそこにいる。謎のないところに謎を嗅ぎ付け、皮肉とユーモアを武器に、独自の道徳観でそれを解いていく。

バロネス・オルツィ『隅の老人の事件簿』創元推理文庫　深町眞理子訳　〇女性記者

ポリー・バートンが昼食をとるＡＢＣショップのお気に入りの隅の席は、いつからか一人の老人の指定席となっていた。その老人は誰に言うともなく語り始める。自分だけが気づいた数々の事件の真相を。

ジャック・フットレル『思考機械の事件簿Ⅰ』創元推理文庫　宇野利泰訳　○哲学博士、法学博士、医学博士、歯科博士など数えきれないほどの肩書きを持つヴァン・ドゥーゼン博士の別名は〈思考機械〉。「この世に不可能はない」と言いきる博士は、数学の解を求めるように論理で謎を解く！

オースチン・フリーマン『ソーンダイク博士』東京創元社　妹尾《せのお》韶夫《あきお》訳　○捜査に使う七つ道具が入っている緑色の小箱を片時も離さないソーンダイクの捜査法は、それらを使って、証拠品の緻密《ちみつ》な観察分析から答を導き出すものだ。ホームズと人気を二分した最大のライバル！

「読んだわ。というか、感想の前にひとこと質問を。創元推理文庫にはそのものズバリ「シャーロック・ホームズのライヴァルたち」というサブタイトルをつけたシリーズがあるのに、どうして創元推理文庫じゃないのが混ざってるの？」

「儂も創元推理文庫で揃えたかったんじゃが、光文社文庫は新訳で読み易い上に文字が大きくてのう。老眼の身にはそれが有難いのじゃ。今では、創元推理文庫も新訳になってるらしいが」

「じゃ『ソーンダイク博士』は？　東京創元社の発行は同じだけれど、文庫じゃなくて「世界推理小説全集」版。調べたら、文庫とは収録作品も違ってるみたいだし」

「文庫が見つからなかった、ただそれだけじゃ」

「またそれか。こっちの版じゃなきゃいけない理由があるのかと思って、考えちゃったじゃないの」

「本との出会いはすべて運。それもまた人生じゃ」

「また適当なことを。じゃ感想ね。まずホームズ。実は全九冊、少し前に読んでいたの」

「マジか？」

「だって、この作品が本格ミステリのスタート地点でしょ？　これを読まないで、博士と討論するのもなんか違う気がしてね」

「うう、成長したのう。儂は嬉しいぞ〜」

「そんなことで泣かないの。もう困るよねえ。齢をとると涙もろくって」

「いいから、いいから。ぐすっぐすっ。でホームズの感想を」

「改めて言うことでもないけどね。面白かったわよ」

「そうじゃろうそうじゃろう。ぐずっぐすすっ」

「いいから、泣くのはやめれ」

「儂がこれを再読するのは何回目かのう。そのたびに発見があるのがすごいところじゃ」

「例えば？」

「ホームズ譚の中でも特に有名な「まだらの紐」は、そのトリックばかりが有名じゃが、実はそれを成立させるために細かな神経が使われていたりするとこじゃな。そこに気をつかうか、疎《おろそ》かにするかで、名作になったりバカミスになったりする」

「私は一目で相手のことを見抜くところね。最初に読んだときは素直に感動したけど、今回は『さすがにそれは無茶でしょ？』と思う自分がいる反面『やっぱりすごい！』と感心せざるを得なかった」

「例えば「ボスコム谷の謎」じゃな。事件現場で拡大鏡を使って調べていたホームズがレストレード警部に『犯人は？』と訊かれて答えるシーン。『背が高く、左ききで、右足が悪い。底の分厚い狩猟用の靴を履き、グレイの外套《がいとう》を着て、ホルダーを使ってインド産葉巻きを吸い、ポケットに刃先の鈍ったペンナイフを忍ばせている男だ』」

「こっちが予想している倍ぐらい答えちゃうのよね」

「そこがまた絶妙での。これ以上やったらギャグになってしまうというギリギリのところなんじゃな」

「あと気がついたのは、書き方のバラエティさというか……依頼主がベイカー街の事務所を訪ねてきて、奇妙な依頼をして、ホームズが出かけて行って解決する。というのが基本的な流れなんだけど、その中にも変化があって、マンネリ感がないのよね」

「そうなんじゃよ。依頼主の現れ方一つをとっても、突然来る場合もあれば、予告してから来たりもするし、窓の外を眺めていたホームズが『ここに来るぞ』的な推理をしたり」

「本当に困って助けを求める人もいれば、怪しさぷんぷんの人もいる」

「同時進行だったり回顧録だったり」

「ということで、今さら私なんかが語るこ

ともないと思うから、とっとと次に行くね。最後に一番好きなのを挙げておくと……「技師の親指」かな。これだけが特殊でね、〝痛い〟のよ。リアルに（笑）」

「儂は「唇のねじれた男」かな。真相がユニークなのと〈まともに働くより○○の方が儲かる〉というとこ。あれはショックじゃった。ポプラ社版ではどう描かれてるか判らないが、子供が読んだらどう思うか心配じゃ」

「ということで、次は『ブラウン神父の童心』ね。いやー、読みづらかった」

「ホームズのあとに読むと、特に感じるな。実際、中学生で読んだ時は、なにがなにやら判らなかった」

「ホームズと違って、最初に謎の提示があるワケじゃないから、どこに向かっているかさっぱり判らないのよね。でそれに加えて文章がまったくもって素直じゃないし（笑）。だからブラウン神父が何かに気がついても、何に気がついたのかも判らない」

「その最たるものが一話目の「青い十字架」じゃな。起こる事件もワケが判らないし、誰が主人公かすらも判らない」

「『童心』というタイトルがピッタリなのは判ったけどね。だから逆に第二話の「秘密の庭」でひっくり返った」

「これはすごい話じゃ。一話目と色がまったく違うし、登場人物の立場が入れ替わっているところもすごい」

「高い塀《へい》に囲まれて出入りができない館。パーティの最中に起こる殺人。密室。首の切断。意外な犯人。ミステリの要素がすべて入っている。これ短編の設定じゃないよね。長編でもおかしくない」

「チェスタトンは短編だけだから、惜しげもなく使ったのかもな（※1）」

「第三話の「奇妙な足音」もすごい。部屋の中にいる神父が、廊下から聞こえる足音を聴いただけで、犯罪が進行していることを知って行動するというストーリー」

「一番驚くのはブラウン神父が、一般的な論理とは別の次元で生きていること。だから犯人を警察に引き渡したりとかには、全く興味がない」

「今回も出てきた。神に懺悔したら、許されたことになるっていう流れ」

「だからブラウンも捕まえたりはしない」

「出来心の盗みとかならそれでもいいと思うけどさ、「奇妙な足音」では人も殺されているのに、えっ、その解決でいいの？と思うよね」

「「見えない男」は『童心』の代表作。ここで登場したトリックは、のちに一つのジャンルとなって、色々な作家によって描かれることになるんじゃや。まあ、儂はここで読むより先に、トリック本でバラされていたけどな」

「それは可哀想に。でさ、ミステリでときどき〈葉っぱを隠すには森の中〉的な記述を見るけど、「折れた剣」の中で『賢い人間なら樹の葉はどこに隠すかな？』『森のなかですよ』という会話をしてるんだけど、ひょっとしてこれが発祥？」

「そうじゃな。でも「折れた剣」で一番言いたかった部分は、そこではなくて――」

「『だが、森がなかった場合にはどうするかな？』すごいよね。怖いよね」

「儂が嬉しかったのは「青い十字架」で『犯人は創造的な芸術家だが、探偵は批評家にすぎぬのさ』という記述を見つけたことじゃ。どこで読んだのか思い出せずに、ずっと気持ち悪い思いをしてたんじゃ」

「そんなの検索しちゃえば、すぐに判るのに。ホラ、ちゃんと出る。あ、でもアニメの怪盗キッドの言葉だと思っていた人がずいぶんいるみたい」

「時代じゃのう」

「じゃ次『隅の老人の事件簿』ね。第一の感想は——これぞ短編小説!! 無駄なところが一切ない。そして、この文庫の最初の紹介で『安楽椅子探偵の代表』と書かれているけれど、これって安楽椅子探偵じゃないよね？」

「全く違うな。安楽椅子探偵というのは、部屋から一歩も出ずに、他人からの情報や新聞記事だけで、真相を見破る人のこと。隅の老人は現場にも出かけて行くし、検死審問には全部顔を出して容疑者の様子も見たりする。安楽椅子探偵と言えるのは、関係者や警察と会話ができないことだけ」

「出た、検死審問！ 日本にはない司法制度で、これまでにここにも何度も登場した」

「あと安楽椅子探偵のところには、その情報を持ってくる聞き役が必要なのじゃが、隅の老人はその立場も違っておるな」

「聞き役が持ってきた謎を探偵が答える、のが普通だけど、隅の老人は全部、一人でやるよね」

「一話目こそ、聞き役のポリーが話の口火を切る格好になっておるが、二話目からは老人が勝手にしゃべって勝手に解決。最後の方になると、ポリーはいるのかいないのか判らん状態じゃ」

「小難しいブラウン神父のあとだっただけに、無駄な会話や手順がない分、読み易くて嬉しかったけどね。さすがに後半になると飽きてきた。無駄がなさすぎるあまり、なぞなぞみたいに感じちゃった。犯人の検挙までいかないから、最終的に推理が当たっていたのかどうかも誰にも判らない。そこもなぞなぞ的だと感じたところ」

「事件の内容も似たり寄ったりで、ちと飽きる。犯行の動機は遺産相続。疑われるのは相続人。そんな中にあって、国家の極秘情報を守るという「商船〈アルテミス〉号の危難」は動きがあって面白かった」

「一番面白かったのは最終話の「隅の老人最後の事件」ね」

「未読の人に驚いてもらいたいから、詳しいことは言わんが、あの小道具がまさかのホニャララで……。ところで日本のミステリ作家、高木《たかぎ》彬光《あきみつ》氏に『墨野《すみの》隴人《ろうじん》』というシリーズがあるのじゃが」

「墨野隴人……隅の老人……ダジャレ!?」

「じゃな。こちらはちゃんとした安楽椅子探偵もので『黄金の鍵』『一、二、三―死』『大東京四谷怪談』『現代夜討曾我』『仮面よ、さらば』と、五作の長編が書かれたのじゃが、やはりラストに驚きが用意されておる」

「真似したくなるぐらい『隅の老人』が、あとに続く作家に与えた影響は大きかったと」

「そういうことじゃな」

「次は『思考機械の事件簿I』ね。この主人公の名前、ヴァン・ドゥーゼンと言うんだけど、どこかで聞いた名前よね」

「儂か？　坂東善。ヴァン・ドゥーゼン。確かにちょっと似ているな。頭の良さも同じぐらいだし」

「面倒だから突っ込むのはやめとくね。で、この作品は『隅の老人』と違って、物語性に富んで様々な事件が起こるから、メリハリがあって面白かった」

「情報漏洩《ろうえい》有り、幽霊譚あり、絵画の盗難あり、すべて色が違っておる」

「他のライバル作家たちが、みんな英国人だけど（※2）、この人だけがアメリカ人。その違いもあるのかしら」

「あるのかもしれんな。そもそもフットレルは通俗小説で売れっ子だったらしい。歴史小説からウエスタン、スポーツ小説まで書いたらしいから、サービス精神に溢れていたんじゃろう。あと、この頃のアメリカは、ポーを生んだ国でありながら、英国と違って、世界的に有名なミステリ作家がいなかったから、フットレルが余計に張り切ったのかもしれん」

「解説で戸川安宣《とがわやすのぶ》さんが『機械といわれるだけに、ヴァン・ドゥーゼン教授の人間味は極度におさえられている（略）そこに本家のホームズほど人気を博さない要因があるが（略）』って、書いているけど、私はそんなに〝機械機械してる〟とは思わなかった」

「誰かが『不可能ですよ』って言うたびにムキになる。『不可能という言葉は、ぼくの前では口になさらないでください。神経に障《さわ》りますから』って。あのときは確かに人間じゃ（笑）」

「あと、この作品の相棒役の新聞記者が良かった。ちゃんと役割があるしね。研究で忙しい博士に代わって調査をするし、話を面白くするためのわざとらしいドジもない」

「確かにの。ホームズのライバルならば、ワトスンにもライバルがいて欲しい。でも『隅の老人』の相棒は、ただの聞き役だし『ブラウン神父』の相棒は、そういうのとは違うし、このあとの『ソーンダイク博士』の相棒も存在感が無さすぎて、いることとすら忘れてしまうからな」

「でさ、どれも面白かったんだけど、解説を読んで気になったのは、原書の第一話であるはずの「十三号独房の問題」という作品が、この創元推理文庫版には含まれていないこと」

「この短編集がまとめられる前に、江戸川乱歩が編集した『世界短編傑作集1』に、その作品が収録されておるから、重複を省いたんじゃな。ハッキリ言ってその作品が一番面白いから、残念ではある」

「でも一番驚いたのはフットレルの最期。まさか、タイタニック号の被害者だったとは⁉　しかも奥さんだけ救命艇に乗せて、自分は未発表の原稿と共に沈んだなんて、可哀想すぎる」

「作品以上に劇的な半生だったワケじゃな」

「じゃ最後の『ソーンダイク博士』ね。こっちも思考機械的な探偵だけど、『思考機械』以上にキャラに特徴がなくて、全く面白みがない探偵だった」

「英国人の真面目さが裏目に出たというか……。フリーマンの作品は、このコーナーでもいくつか取り上げたと思うが……」

「ええと、第七試合で『証拠は眠る』。第十試合で『赤い拇指紋』を読んでるわね。感想はそれぞれ……『好感は持てるけど、地味』『地味じゃった』って、全く一緒（笑）」

「なるほどフリーマンの持ち味は〝地味〟だったか」

「『隅の老人』に枝葉がなくて〝なぞなぞみたい〟って思ったけど、こっちも不必要なことが書かれていないから同じ感想なのよ」

「序文に自身でこんなことを書いておるな。『推理小説のなかにも、感情だとか、劇的な行動だとか、ユーモアだとか、哀感だとか、恋愛だとかの要素はふくまれているだろうが、推理小説ではそんなものはアクセサリー的存在にすぎない』。つまりまあハッキリと〝推理以外は要らない〟と書いてある」

「さすがに長編では推理以外も書かないと場が持たないから、確か『赤い拇指紋』では恋愛が描かれていたと思うけど、全く面白くなかった気が……」

「簡単に言うと、恋愛要素がミステリをつまらなくする、のではなくて、フリーマンが下手なだけだったと」

「しかし本当に真面目よねえ。「ポンティング氏のアリバイ」なんて証拠が多すぎる。〈服の背中だけに動物の毛がついていた〉ってのは、いい手がかりだと思うんだけど、他の証拠が多すぎて、推理をするまでもないもんね」

「証拠の多さなら「オスカー・ブロズキー

事件」も負けていないぞ」

「あの犯人は完全犯罪について一家言持っているはずなのに、目の前のニンジンに釣られて衝動的に殺人をしてしまうから、持論が全く意味をもたない」

「兇器を塀の外の草むらに投げたり、燃え残りそうなものを暖炉で焼いたり、重要な証拠を拾い忘れたり、逆にそこにあっちゃいけないものを置いてきちゃったり」

「やっちゃいけないことのオンパレードよね」

「列車に乗る時間が迫っているから、あせったという理由はあるにしてもな」

「だったら、次の機会を選べばいいだけの話でしょ。二度と会えない相手じゃないんだし。少なくとも自宅の中を現場にしちゃいけないよねえ」

「そして、さっき少し触れたが、記述者である相棒の存在感がなさすぎる」

「ワトスンという形だけを借りたかった、にしか思えないよね」

「この短編集の最初の三作品は〈倒叙推理小説〉と名付けられておるが、フリーマンの功績は、ホームズのライバル探偵を生んだ、ではなく、倒叙推理という形式の創始者だったということじゃな」

「この中で好きなのは「暗号錠」かな。暗号にちょっと無理があるし、金庫に閉じ込められるドキドキ感はもうちょっと演出して欲しかったけど」

「儂は「予謀殺人」じゃな。「オスカー・ブロズキー事件」と同じく倒叙ものだが、あっちと違って、〝犯行に至る前に〟綿密な計画が練られるからな」

「だったら、○○に隠れるという、一か八かは止めろと言いたいけどね（笑）」

（※1）『木曜の男』『詩人と狂人たち』という長編はあるが、本格ミステリとは言い難い。

（※2）オルツィは英国で活躍したが、出身はハンガリー。

◉第二十六試合出場作品とりっちゃんの評価

ドイル	『シャーロック・ホームズの冒険』	すべての原点	◎
チェスタトン	『ブラウン神父の童心』	少し読みにくいけれど、癖になる	○
オルツィ	『隅の老人の事件簿』	究極の短編集。忙しい人にお勧め	△
フットレル	『思考機械の事件簿Ｉ』	海に消えた六編が読みたい	◎
フリーマン	『ソーンダイク博士』	もう一度言うよ。真面目すぎる……	△

◉優勝

『シャーロック・ホームズの冒険』

『思考機械の事件簿Ｉ』

国樹由香の

本棚探偵の日常

●最終回●

「本に埋もれて死にたい」

いかにも探偵が言いそうだと、これをお読みの皆さまは思われていることだろう。だが意外や意外、探偵にとっては義母にあたる国樹の母がいきなり言ったセリフである。

数年前、母が急に耳の不調を訴えた。周囲の音がとても聞こえにくいと言うのだ。町医者ではらちがあかず耳鼻咽喉科の有名病院に入院するも、いっこうに回復しない。最新の治療もむなしく、原因不明のまま両耳とも完全失聴してしまった。

音のない世界はどれだけ孤独で怖いことだろう。自分の声さえ聞こえない状態など想像もつかない。聞こえる人間が耳栓《みみせん》をしているときとは全く違う、海の底のような静寂。

明るくて常に笑顔を絶やさなかった母が絶望にふさぎこんでいるのが堪《た》え難く、一《いち》縷《る》の望みをかけて「人工内耳」の埋め込み手術に踏み切ることとなった。

人工内耳とは「聴覚障害者の内耳の蝸《か》牛《ぎゅう》に電極を接触させ、聴覚を補助する器具」だ（ウィキペディアより）。

あくまで補助なので元通りに聞こえるよ

うにはならないし、長いリハビリを根気よく続けなければいけない。人によって劇的な成果があがる場合と、そうでない場合がある。

それらを伝えても、母は手術を受けたがった。幸運なことに人工内耳の権威であるドクターに執刀してもらえることも決まり、もう後へは引けない。

高齢ゆえ心配された手術を無事乗り越え、第一段階のリハビリを頑張り、退院が決まった母に声をかけてみる。こちらの心臓もばくばくだ。

「お母さん」

「…………」

「お母さん！」

「……聞こえた！」

探偵も声をかける。

「お母さん、僕の声は」

「聞こえる、聞こえてる！」

見守っていた周囲から歓声があがる。よかった。本当によかった。

ところが、である。

電話もリハビリ次第で使えるようになるとのことだったが、全然上手くいかない。ごく稀に聞こえたとして、男女の区別さえもついていないようだ。

ここで衝撃の事実が判明した。母は話す相手の顔が見えているときだけ、声の聞き分けが出来るのだ。

「顔を見ると、その人の声を脳が思い出すんだろうな」

と探偵。私も同意見だった。脳すごい。初めて会う人たちの声は全部同じで、喩《たと》えるなら宇宙人かロボットの音声のように聞こえるらしい。

「無理もないよな。その人の本当の声を知らないんだから」

母は歌が大好きで昔はママさんコーラスをやっていた。近年はフォークダンスの会に入り、楽しい音楽に乗って軽快に踊ってもいた。

しかし人工内耳になった現在、音楽を聞き取るのはかなり困難（聞こえるようになる人もいるらしい）。

字幕があるテレビ番組は観られるものの長時間意識を集中させているせいか、次々と変わる画面に疲れてしまうようだ。

耳が聞こえない人はバランス感覚もおかしくなるので、若さでカバー出来ない母の場合は一人歩きもまず無理。一気に喜びと悲しみを味わう羽目になってしまった。

リハビリしながら一歩ずつゆっくりと人工内耳との付き合い方を模索した数年間（余談だが、法月綸太郎《のりづきりんたろう》さんの『誰彼《たそがれ》』〈講談社〉に書かれている人工内耳の描写は完璧だったということもよく判った）。

そんなある日、探偵が日本推理作家協会賞をいただくという大事件が。母は嬉しさのあまり、自分が通うデイサービスでそのことを話したらしい。そうしたら、

「推理？　推理ものが好きなの？　じゃあこれ面白いからどうぞ」

と、デイサービス利用者のお一人に一冊の本を借りて帰ってきた。なんと京極夏《きょうごくなつ》

彦《ひこ》さんの『姑獲鳥《うぶめ》の夏』である。

母は全く読書家ではない。いくらなんでもハードルが高すぎるのではと心配したが、我々夫婦をよそに、驚くべき速さで読み切った。

「難しかったけれど、とっても面白かった」

完全失聴して以来初めて見るレベルの嬉しそうな笑顔。探偵は大急ぎであれこれおすすめ本をチョイスし、母にプレゼントしてくれた。

それからはもうすごかった。差し入れた本を数日で読了してしまう。感想を携帯メールで送ってくるのだが、それもなかなか的確で興味深い。

そしてついに冒頭のセリフが飛び出したのである。


「お母さん、本に埋もれて死にたいわ。今まで本をゆっくり読んだことなんてなかった。こんなに面白いのね。耳が聞こえなくてもちっとも寂しくないの。いろんな世界に自由に行けて楽しい」

探偵と二人で妙に感動してしまった。本の可能性は素晴らしい。何より「読む人それぞれが自分に合った速度で楽しめる」のがいい。

我が家には本がそれこそ売るほどある。音を失った母に最後に差し込んだ希望の光が一番身近な本だったなんて。これこそメーテルリンクの『青い鳥』ではないか。

現在探偵は日々コツコツと「トランク一つで死ぬ」準備にいそしんでいる。要するに人生最後は身軽でいたいということらしい。倉庫にある荷物を選別し綺麗なものはリサイクルに出したり、古びたものはきっぱり処分したり。

詳しく知りたいかたは『本棚探偵最後の挨拶《あいさつ》』（双葉社）を是非読んでいただくとして、そのトランクにつめるもので一番悩みまくっているのが本なのだ。

にわか本マニアの母でさえ、

「本に埋もれて死にたい」

と言っているのに、本をこよなく愛する探偵にそんなことが出来るのだろうか。ましてここまで本の底力を知ってしまった今。

「自分内のルールが決まってるから大丈夫」

本当かなあ。

実は国樹も「トランク一つで死ぬ」のを目指していたりする。

着替えは洗えばいいから季節ごとに三枚ずつくらいかな。下着に化粧品に花粉症の薬。花粉、本当に辛いからね。洗面道具と、地味に大事な爪切り。そして、空手着は絶対。脛《すね》サポーターがあるからかさばるなあ。最近買った髪の毛がさらさらになるドライヤーは高かったから入れたいし。あっ、重要なもの忘れてた。リーディンググラス。まあ老眼鏡なんですけど。

音楽も映画も入れたいのがありすぎて困る。探偵と趣味がかぶっているから手分けすれば結構持っていけそう。問題は『ブロークバック・マウンテン』だな。「それ俺なくて大丈夫」って言われそう。いーや、絶対持っていく。

肝心の本。もちろん紙派だけれど、ここは電子書籍にも活躍してもらわないとどうしようもない。お友だちのサイン本は宝物だから入れて。

リアルなところでは画材。最近はパソコンで仕上げが出来るようになったから助かる。でもアナログ好き夫婦だから紙とペンはいるよね。

いざ書き出して思った。意外とコンパクトに出来るかも！　電子書籍ありにしたおかげ。最後にプライベート用のMacと仕事用のWinを入れてトランクの蓋を閉じる。ジーンズのポケットにはiPhone。

我が家には一番かさばる宝物があるけれど、それはトランクに入れずに歩かせる。はい、お察しの通り「犬」です。探偵と一匹ずつ連れて歩く。いい感じだ。

ところで長くおつきあいいただいた『本棚探偵の日常』は今回が最終回である。一回限りが連載となり、気付けばかれこれ八年も経っていた。その間に本当に色々なことがあったなあと、しみじみする。

現在アラカンの探偵は十年後、更に二十年後は何をしているのだろう。探偵いわく、「本棚探偵（自称）を続けてるさ。この仕事をやっているのは日本で自分一人だから。唯一無二だよ」

ならば私は「本棚探偵探偵（自称）」ということにしよう。だって絶対二十年後もその愉快な生態を観察していると思うから。それでは皆さま、またいつかお会いしましょう。どうもありがとうございました。

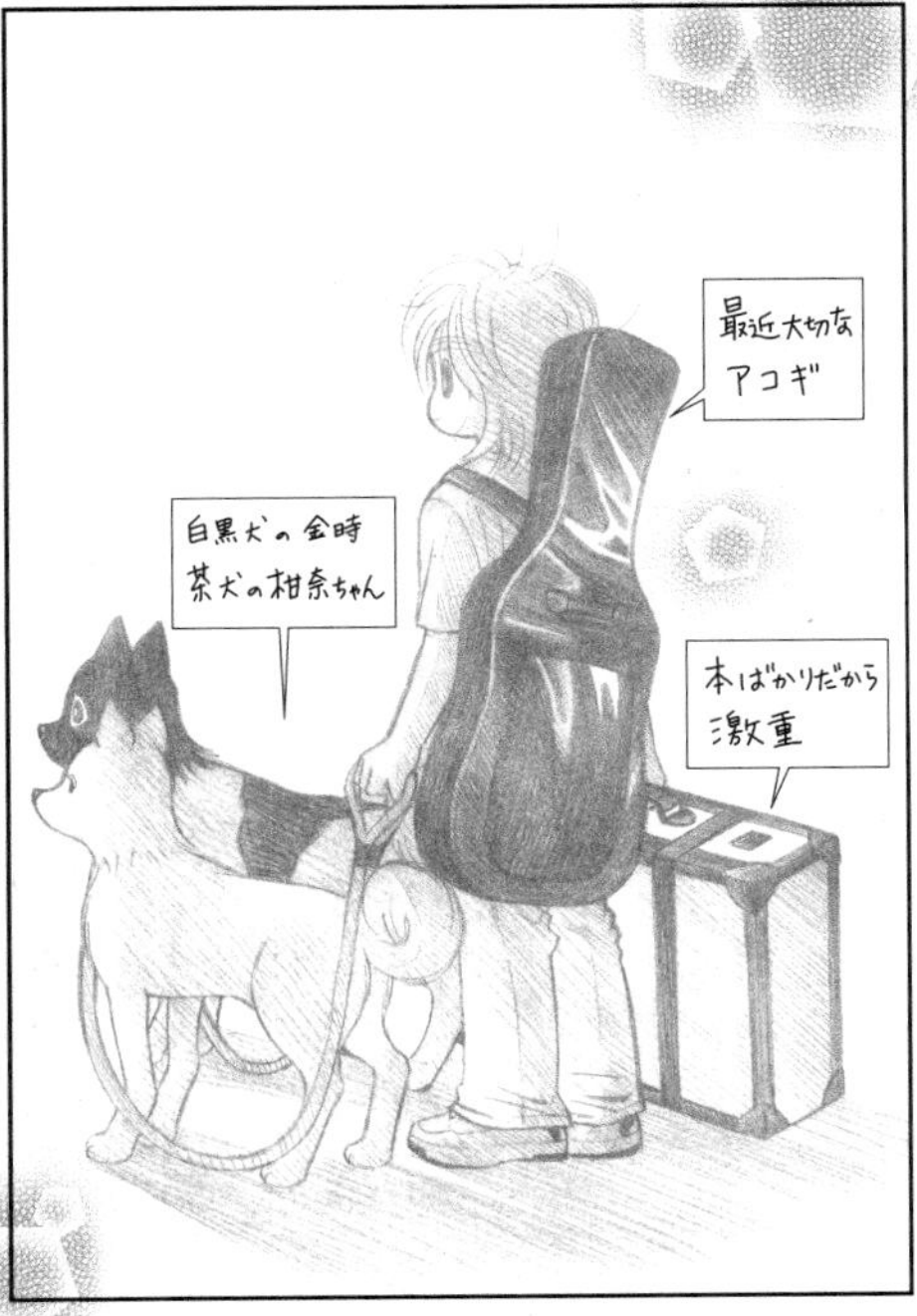
最近大切なアコギ
白黒犬の金時
茶犬の柑奈ちゃん
本ばかりだから激重

金田一&明智

本格力
Hon Kaku Ryoku
最終回

夜は若く、彼も若かったが、夜の空気は甘いのに、彼の気分は苦かった。

ウイリアム・アイリッシュ
稲葉明雄＝訳
『幻の女』（ハヤカワ・ミステリ文庫）

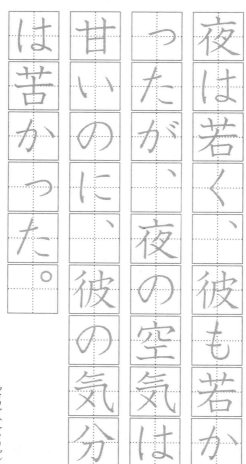

本屋さんの文庫新刊コーナーを通ったとき『幻の女』という文字が目に入った。ウィリアム・アイリッシュのあの名作が今更そこに並ぶとは思わなかったので、同題の異本だろうと思って手にとったら、まさかのアイリッシュだった。しかもハヤカワ・ミステリ文庫の。

　天下の名作だ。ミステリのオールタイムベストの上位に必ず入るどころか、第一位に挙げる人も多い名作中の名作である。もちろん僕も大好きだ。初読のときのわくわくどきどきは、個人的ミステリ幸福体験の五本の指に入るほどに。

　なるほどこれは新装版か。表紙にもそう表記してるしね。と本を置こうとして衝撃が走った。よく見ると〈新装版〉ではなく〈新訳版〉とあったからだ。

　『幻の女』を知っている人ならば、僕が驚いた理由は判るはずだ。『幻の女』ハヤカワ・ミステリ文庫版は名作であるとともに、名訳でも知られているからだ。その旧版を訳していたのは稲葉明雄。氏の訳した冒頭一行目は、翻訳ミステリの歴史において（いや、すべての海外文学の中でも）最も有名な一文である、と言いきっても間違いではないだろう。

　あの名調子が新訳ではどうなっているのだろう？　確かめずにはいられない。慌ててページを繰《く》る。冒頭と同じぐらい有名な目次に続いて当該箇所が現れる。そして僕はもう一度驚くことになる。そこにあったのは、前々ページに掲げた文章。そう、稲葉明雄訳がそっくりそのまま流用されていたのだ。訳者（黒原敏行《くろはらとしゆき》）あとがきのページにはこうあった。

〈『幻の女』の新訳が出たとなれば、なによりもまず、かの有名な冒頭の名句の訳がどうなっているかが気になるはずです。～中略～そうです。このたびの新訳では、稲葉明雄氏の名訳を、ご遺族の了解をいただいたうえで、そのまま使わせていただきました。新訳者の務めを果たしていないと叱られそうですが、どうもそれ以外にないのです〉

そのあとには英語による原文と、これまでその部分がどう訳されてきたかの解説が詳細に書かれていた。

一読、大いに頷いて、心の中で拍手を送った。叱る人などいないはずだ。新訳の黒原氏は送り手側であると同時に、稲葉版の愛読者であったはずだろうから。しかもだ、新人の翻訳者ならともかく、黒原氏は百冊近い訳書がある大ベテランで、その人をもってしても「ここはこうでなければならない」と判断せざるを得なかったのだ。

そういえばと、思い出したことがある。'02年に白亜書房からコーネル・ウールリッチ傑作短篇集（アイリッシュの別名ね。念のため）が全6巻（5巻＋別巻1）で刊行されたことがある。訳者は門野集。今回の黒原氏と違って門野氏はそれまでに何冊もの（稲葉氏よりはるかに多くの）アイリッシュ（ウールリッチ）の翻訳を担当し、評価も得ている人で、その集大成として出した全集にもかかわらず、最終巻の別巻はまるまる過去の稲葉訳を収録したのである。

それほどまでに影響を与えた稲葉明雄恐るべし、だ。

ところで672ページの訳だが、実は稲葉氏自身によって'94年に微妙に改訳されている。僕が持っているのは'76年発行の初版なのでこれとは違っている。ということも黒原氏の解説で知った。

一回前だけ
書道アプ
りを使って
しまったん
だなあ

みすよ?

◉　勝　手　に　挿　絵　◉

最終回なので模写をしてみました。好きな挿絵画家は
たくさんいますが（竹中英太郎さんと岩田専太郎さんは特に）、
今回はシドニー・パジェットを選びました。
「ストランド・マガジン」掲載の
シャーロック・ホームズ譚《たん》の挿絵で有名な挿絵画家です。
久しぶりの模写（高校のとき以来）は、すごく愉《たの》しかったです。
そしてやっぱり勉強になります。
この絵の元となるイラストは、光文社文庫版の
『シャーロック・ホームズの冒険』の中の「青いガーネット」で
見ることができます。

坂東善博士

H-1グランプリ
本当にお薦めしたい古典を選べ！

りっちゃん

◉第二十七試合（最終回）「在庫一掃大棚ざらえ」◉

「儂は坂東善博士。長年にわたって本格ミステリについて研究している」

「私はりこ。ごく普通の女子高生よ」

「その二人が、〈現代でも通用する古典本格ミステリとはなんぞや〉をテーマに、議論を戦わせるこのコーナー。さて、第二十七試合は……」

「いや待って。なによ最終回って？」

「毎回、愉しくこうやって君と語らってきたけれど、気づいたらもう九年の月日が経っていた」

「ええっ⁉　九年‼」

「そうなんじゃ。この連載も単行本化を目指してやってきたわけなんじゃが、うっかりしている間に、適正な分量を大幅に超えてしまっていることが判った」

「だから急遽《きゅうきょ》、お終いに？」

「良かったの。りっちゃんも、ようやくJKを卒業じゃ」

「えぇーっ、まさか私、ずっと高校生だったの!?」

「某海産物一家さんしかり、某画材幼稚園児しかり。〈日常キャラは成長しない〉という宿命じゃな」

「いやよ……返して……。最初の三年間はともかく……失われてしまった青春の六年間を返して――――!!」

「というわけで、今回はこれまでに読み残してきたタイトルを一冊でも多く紹介したいから、対談形式はやめて儂一人の感想を書く」

「じゃ、私は読まなくていいの？」

「よい。失われた六年間に想いを馳せてなさい」

「うわ～～～ん！」

「最終回のテーマは〈在庫一掃〉。儂の書庫に並んでいて、これまで取り上げることがなかった作品を適当に挙げていく」

「最終回なのに出番がないなんて、二重にひどすぎる～！」

＊　＊　＊

ハーバート・ブリーン『ワイルダー一家の失踪』ハヤカワ・ポケット・ミステリ　西《にし》田政治《だまさじ》訳　○古き良きアメリカの歴史を感じさせるとある村。そこに建つワイルダー家はこれまでに何人もの住人が謎の失踪をしていた。ある者は砂地に足跡だけを残して。ある者は地下室にワインを取りに行って。ある者は階段が一つしかない二階の部屋から忽然《こつぜん》と消え失せて。この村の記事を書くためにワイルダー家に部屋を借りることになった新聞記者のフレームがその謎に挑む。

●人間消失がこれでもかと続く導入部のワクワクは最高じゃが、いずれの真相も腰砕けじゃったな。

描きようによって、それはそれでアリなんじゃが、すべての章の冒頭にホームズ譚からの引用があるだけに、期待がふくらんだ分、ガッカリ感が増すことになった。

村の古き歴史、地下室、墓地、と雰囲気はいいのじゃが。

アイラ・レヴィン『死の接吻《せっぷん》』ハヤカワ・ポケット・ミステリ　中田耕治《なかだこうじ》訳　○〈彼〉

はドロシイと結婚しようとする。だがそこに愛はない。彼女の父親の財産を自分のものにするためにだ。

しかしドロシイが妊娠してしまったせいで、その計画は大きく狂い始める。窮地に立たされた〈彼〉は標的を姉のエレンに替えることにした。ドロシイを殺して……。

●章立ては三人の娘の名前になっておる。それを見て「こういうことだろう」と予想した展開は、いい意味で裏切られることになった。

全く異なった手法で描かれた三つの章。小説でしか成立しない仕掛けに気づいた瞬間「なるほど、こういうことだったのか!」と深く感心させられた。

これがデビュー作とは思えない描写力と構成の妙。本格とサスペンスの幸福な結婚じゃ。

マージェリー・アリンガム『幽霊の死』ハヤカワ・ポケット・ミステリ　服部達《はっとりたつ》訳
○亡くなった有名な画家の展覧会。そのレセプション・パーティは大勢の招待客で賑わっていたが、突然会場が停電になり、その間に若い画家が刺殺された。招待客の一人だった私立探偵のキャムピオンは捜査を始める。
●殺人現場に容疑者はいたはずなのに、少しも聞き込みをしない警察。途中で犯人が判ったと言いながら、決め手となる推理が一つもない探偵。等々、本格の大切なものが足りないために、ちょっと入り込めんかった。
変に文章が凝っているのもその要因の一つじゃろう。

早い段階で犯人が名指しされ、後半は探偵と犯人の知の戦いになるなど、違う意味でおもしろかったけれど。

エリザベス・フェラーズ『私が見たと蠅《はえ》は云う』ハヤカワ・ポケット・ミステリ　橋本福夫《はしもとふくお》訳　○女が殺された。容疑者はその女が住んでいたアパートの住人の中にいるとしか思われない。かくして一癖も二癖もある住人同士による推理合戦が始まり……。
●という骨子だけを見たら、本格以外の何物でもないんじゃが、住人がまともでないために、推理が推理としてまったく納得できんかった。
例えば冒頭、見つけた兇器の銃を誰が警

察に持って行くかで議論が始まって「このやりとりに何の意味があるんじゃ？」となったり、第二の事件の兇器を住人の一人が摑んで指紋を台無しにしたりな。

犯人は犯人で他の人物に疑惑の目を向けさせようとするんじゃが、持ち出した根拠がそりゃないだろうというシロモノだったり、とにかく、登場人物の思考や行動に納得がいかないことが多すぎた。

結論。推理合戦は賢い人物がやってこそ意味があると。

犯人のバカなセリフを埋没させるために、他の人物も全員バカにしたのならある意味すごいが、間違ってもそれはないじゃろうな。

エリオット・ポール『ルーヴルの怪事件』

東京創元社　小津次郎《おづじろう》訳　◯ルーヴル博物館で三百万フランの絵が盗まれ、フランスの美術大臣、ダンタン公爵が行方不明となる。捜査の依頼を受けた遊び人探偵エヴァンズが事件解明に乗り出すのだが、まず自身の命が狙われる。そして、博物館収蔵のミイラの中身が公爵の死体とすり替えられているのを発見するのだった。

●博物館をめぐる衒学趣味やミイラとすり替えられていた死体など、本格の匂いはプンプンするんじゃが、探偵役が銃で狙われたり、彼の女友達が問答無用で狙撃犯を撃ち殺してしまったりと、少し本格のルールから外れているので、座り心地が悪かったな。

著者自身が愛したパリを舞台にしておきながら、簡単に銃を撃つのは、アメリカの作家だからじゃろうかの？
　死体の口の中を見て「英語圏の人間でない」なんて推理もあるんじゃが、論理が強引すぎてまったく納得できんかった。
　ユーモアがあるキャラ、ウイットに富んだ会話、粋な文章……が好きな人には軽快に読めるかもしれんが……。

ワルター・ハーリヒ『妖女ドレッテ』東京創元社　稲木《いなき》勝彦《かつひこ》訳　○荘園主ブランケンホルンは冷酷な性格故に、妻や娘から嫌われていた。荘園管理人のシュテーゲンは、かつて愛した女性ドレッテがその後妻になっているのを哀しみ、主人の殺害計画を立てる。だが彼が行動する前に、その計画どおりに荘園主が殺される。一体誰が実行したのか？　やがて捜査の手がシュテーゲンにのびる。

●自分の計画どおりに殺人が行われた。犯人は自分以外にはいない状況だ。自分が犯人でないことは自分が知っているのだが、思いを寄せる相手はそう思ってくれない……というサスペンスはヒッチコックの映画を観るようで面白かった（この単行本にはジョン・バカン『三十九の階段』が同時収録されているのだが、そちらはヒッチコックによって映画化〔邦題『三十九夜』〕されている）。
　小説としてはとても面白いし、密室殺人もあるのじゃが、本格として薄かった。うーん残念！

アン・オースチン『おうむの復讐』東京創元社　池田《いけだ》　薫《かおる》訳　○外科医にしたいという父親の願いを裏切って、犯罪学への興味を満たすために、殺人課の刑事になったボニーの元に「私は殺されるかもしれない」という老婦人からの手紙が届く。ボニーはその捜査のために、差出人が住むアパートに身分を隠して入居するが、その日のうちに老婦人は殺され、やがて連続殺人へと発展していく。犯人はアパートの住人の中にいると推理するボニーだが……。

●唯一の目撃者であるおうむが何かキーワードをしゃべるんだろうなと予測をしたら、はたしてそのとおりじゃった。

ここで犯人の名前を言ってしまったら、ミステリでも何でもなくなるので、何を言わすかが難しいところじゃな。

「おうむがいろいろとしゃべって気まずい思いをする」というギャグは何度か描いたことがあるが、はて、発想の元となった作品はどれだったんじゃろう。少なくともこれでないことは確かじゃ。

少しずつ手がかりが見つかり、ゆっくりと進んでいく。誠実な構成と主人公のキャラで好感は持てる。が、関係者の聞き取りだけで百二十ページもかかるんでは、さすがに今の時代には合わんな。

文中「これは推理小説じゃないんだ」というセリフがあるが、これ系をみるといつも鼻白《はなじろ》む。だって推理小説だし。

トリックのための小道具が、今回読んだ別の作品と被っていた（処理の仕方は違うが）が、こちらの方が先に書かれた分、無理もあったと。

アントニー・バウチャー『ゴルゴダの七』
東京創元社　田中西二郎《たなかせいじろう》訳　〇スイスから

の非公式特使が散歩中に射殺される。登場人物の大半はカリフォルニア大学の教職員や学生たち（その人種も様々）だ。宗教、文学、演劇論が戦わされる中、やがて第二、第三の事件が起こる。現場に残された記号は何を語るのか？　サンスクリット語の教授アシュウィンが謎に挑む。

●登場人物表で重要なキャラには印がつけてあるし、手がかり一覧、殺人動機講義みたいなのもある。読者への挑戦もある。ヴァン・ダインやクイーンについての言及もある。宗教にまつわる衒学趣味もある。つまり何から何まで本格なんである。

でも……地味なんじゃのう。

突出したところがないんじゃ。美点でなくてもいい、たとえ欠点だろうと、飛び抜けてさえいれば、それが個性になるんじゃが……。

あとはドキドキ感がないな。まじめすぎる人はおもしろくない、というヤツかもしれん。

トリックの一つが、とある有名作と同じなんじゃが、あとから書いてコレというのは、どうなんじゃろう。

ヒルダ・ロレンス『雪の上の血』東京創元社　鈴木幸夫《すずきゆきお》訳　○私立探偵マーク・イーストは秘書をやってくれとの依頼を受けて、雪深い村クレストウッドへと降り立った。彼は自分の役目は実はボディ・ガードではないかと気がつくのだが、その予想どおり、依頼主の老考古学者が失踪する。火事による家政婦の焼死、投石事件。次々と雪に埋もれていく手がかりを、彼は見つけることができるのか？

●まず家政婦が焼死する。次に女中が殺される。この段階で、「おやっ？」と思った。ヴァン・ダインの二十則では使用人を犯人にするのを禁じていて、読者の頭の中にも暗黙のルールとしてそれが認知されておるから、そこに違和感が生まれたんじゃな。

もっともこの作品では、犯人ではなく被害者なんじゃが、探偵小説では犯人と同じぐらい重要な役である被害者に（それも連続して）選ばれるのは、やはりちょっと変わっている。

それがいけないと言っているんではない。ガンガンやっていい。それが読者を裏切ることになるなら、ば。

登場人物表に保安官の子供の名前まで書かれているのもおかしな感じがした（儂はまず最初にそれをじっくり眺めて、ストーリーを予想するのが好きなんじゃ）。登場人物が少ないので、数合わせかとも思ったんじゃが、予想に反して彼にもきちんと役割があった。

隣に住んでる二人のばあさんも同じじゃ。証言者の役割かと思ったら、ラストに驚愕の行動を見せてくれた。

つまり、この作品はこれまで探偵小説で重要視されていなかった、使用人、子供、隣のばあさんなどにスポットライトを当てているところが個性なのじゃな。

そういうパッと見、脇役な人物が犯人という作品は他にいくつもある。だがそれは、推理ゲームとして読者を裏切るためであることが多い。

しかし、この作品に於いてはそうではない気がする。なぜなら作者は女性じゃ。弱者（探偵小説内での）に対して、違う視点を持っていたと考えると、大いにしっくりくるのじゃが、どうかな。

C・デイリー・キング『鉄路のオベリスト』

カッパ・ノベルス　鮎川哲也訳　〇超豪華列車トランスコンチネンタル号は史上初のアメリカ大陸横断に出発した。だが売り物の一つであるプール車で銀行頭取の死体が発見され、その娘は何者かに狙撃される。犯人は列車内にいる。警備のために乗り合わせていた警部補ロードは目的地サンフランシスコ到着までに事件を解決することができるのか⁉

●『オリエント急行の殺人』を思わせる設定じゃが、刊行されたのはなんと同じ年！（アメリカとイギリスの違いはあるけれど）ミステリ界ではこういう奇蹟もときどき起こる。じゃが作品の出来には天地ほどの開きがあるな。

あっちは雪の中を列車が立ち往生して、推理する状況にあったが、こっちは事件が起きているにもかかわらず、列車を停めず、死体も下ろさず、西海岸へ急ぐ理由がない（某映画のように「減速したら爆発する」という理由でもあれば納得できるんじゃが）。

トリックがどうとかロジックがなんとかと言う前に、これは大きな減点で、読み進めている間、ずっと違和感が拭《ぬぐ》えなかった。

今回読んだ作品は地味な設定が多かったから、列車に招待された人が集まってくるオープニングが豪華で、いつも以上にワクワクしたんで、裏切られた感も強い。

探偵役も迂闊《うかつ》すぎる。最初の段階で気づ

くべきことに気づいていないし、まさか、事件現場のプールを封鎖していないなんてこっちは思ってないから、物語の終盤で乗客たちが普通に水泳しているシーンでロアングリじゃった。

　結局、この作品で一番重要なのは〈翻訳者〉ということじゃな。


E・D・ビガーズ『チャーリー・チャンの活躍』創元推理文庫　佐倉潤吾《さくらじゅんご》訳　◯世界一周観光船が寄港したロンドンのホテルで、乗客の一人が絞殺された。ロンドン警視庁のダフ警部が捜査をするが、観光船の出発時間が来てしまい、犯人は見つからぬまま旅行団は船に乗る。だが、パリ、南仏、イタリアと彼らが行く先々で事件は起き、船は最後の地、アメリカへと向かう。ダフ警部の要請により、ホノルルで船に乗り込むのはチャン警部。サンフランシスコに到着してしまえば、容疑者は全米に散り散りになってしまう。チャン警部の推理は⁉
●世界一周観光船での連続犯罪と聞けば、洋上での事件を想像するが、実はほとんどの事件は陸地で起こるところがミソじゃな。その割に各都市の描写が少ないから、世界一周の効果が出ていないのが勿体ない（日本の港にも立ち寄るが、うっかりしたら読み飛ばしてしまうほどの分量じゃ）。
　主人公のチャンを中国人にし（て更に人気を得）たところが歴史的金字塔。そしてこの作品は前半を捜査型、後半を推理型の警部が担当するところも読みどころとなっておる。

　が、推理の決め手となったポイントが弱

い。あれだけの事件が起きているのに結局そこか？　と腰が砕けた。

「まだまだ読み残した作品は多いが、紙幅が尽きたのでここまでじゃ。では単行本で再会しよう。さらば」

「ちょっと待ったー‼」

「お、りっちゃん、いたのか？」

「ずっといたわよ！　てか、私に最後の挨拶もさせないで終わる気？」

「そうじゃな。ではどうぞ」

「ひょんなことから――お小遣い目当てに始めたこのH－1だったけど、すごい楽しかったわ。今まで知らなかった世界を教えてくれてありがとう」

「これでお別れは寂しいのう。本当はもっといろんなことを教えたかったんじゃがな」

「ホラー小説とかサスペンス小説とか、或いは日本の本格ミステリとかね」

「いや、特殊な体位とか」

「最終回だからっていきなり露骨な表現に変わるというね」

「何せ、りっちゃんはもう未成年じゃないし」

「またそこをむし返す。でもね、初心者を口実にずっと好き勝手を言わせてもらったけど、このコーナーで下した評価はあくまで私個人のもの。読む人が替われば感想も変わるのが文学のおもしろいとこ。これをきっかけに、古典ミステリに興味を持ってくれたら嬉しいなっと」

「ゲーム形式にした方が判り易いから勝ち負けを決めたにすぎん。例えば儂らはユーモア小説に厳しかったが、ユーモア好きの人はそこを逆に読んでくれれば、裏メニューならぬ裏お薦めが見つかるかもしれんしの」

「博士が書庫から掘り出せなかったというしょーもない理由で取り上げられなかった作品もあるしね」

「おう、その点はもう大丈夫じゃ。もう二度と読むことがないと判断した本をゴッソリ処分したおかげで、書庫の風通しもだいぶよくなってきたからの」

「博士的には、蔵書を減らすという一番の目的が果たせて万々歳と」

「いやいや悩みはまだあるんじゃ」

「どういうの？」

「戦前の古書じゃ。内容ではなく装幀で集めたヤツ。創元推理文庫の『チャーリー・チャンの活躍』は処分出来ても、春秋社の異訳本『観光船殺人事件』（昭和十年　函付き）は処分出来ない。ああ、どうすりゃいいんじゃ――――!!」

「おあとがよろしいようで」

◉第二十七試合出場作品と博士の評価

ブリーン	『ワイルダー一家の失踪』	雰囲気は良かったが	△
レヴィン	『死の接吻』	儂の求める一つの理想型	◎
アリンガム	『幽霊の死』	夫が画家なので美術界は得意	×
フェラーズ	『私が見たと蝿は云う』	賢くない人たちの推理合戦	×
ポール	『ルーヴルの怪事件』	本格で銃を撃ってはいけない	×
ハーリヒ	『妖女ドレッテ』	サスペンスとして読みたい	△
オースチン	『おうむの復讐』	誠実な作風に好感	○
バウチャー	『ゴルゴダの七』	本格は難しい、という見本かも	△
ロレンス	『雪の上の血』	脇役の使い方に目からウロコ	△
キング	『鉄路のオベリスト』	鮎川コレクターだけ読めばいい	△
ビガーズ	『チャーリー・チャンの活躍』	中国人探偵の金字塔	△

◉優勝

『死の接吻』

坂東善博士

H-1グランプリ

本当にお薦めしたい古典を選べ！

りっちゃん

◉H-1グランプリ優勝作品◉

※入手し易い出版社を記していますが、品切れの場合もあります。
※出版社によってタイトルが違う場合があります。

◉**第一試合**

イーデン・フィルポッツ『**赤毛のレドメイン家**』
創元推理文庫

◉**第二試合**

エラリー・クイーン『**ギリシャ棺の謎**』
創元推理文庫／ハヤカワ・ミステリ文庫／角川文庫

エラリー・クイーン『**Yの悲劇**』
創元推理文庫／ハヤカワ・ミステリ文庫／角川文庫

◉**第三試合**
クリストファ・ブッシュ『**完全殺人事件**』
創元推理文庫

◉**第四試合**
アガサ・クリスティー『**ナイルに死す**』
ハヤカワ・クリスティー文庫

◉**第五試合**
ジョエル・タウンズリー・ロジャーズ『**赤い右手**』
創元推理文庫
シリル・ヘアー『**自殺じゃない!**』
国書刊行会

◉**第六試合**
ヴァン・ダイン『**僧正殺人事件**』
創元推理文庫
ジョン・ディクスン・カー『**皇帝のかぎ煙草入れ**』
創元推理文庫

◉**第七試合**
パトリック・クェンティン『**グリンドルの悪夢**』
原書房

◉**第十試合**
S＝A・ステーマン『**六死人**』
創元推理文庫

◉**第十一試合**
F・W・クロフツ『**スターヴェルの悲劇**』
創元推理文庫

◉**第十三試合**
ジョン・ディクスン・カー『**ニューゲイトの花嫁**』
ハヤカワ・ミステリ文庫

◉**第十四試合**
P・ボアロー『**殺人者なき六つの殺人**』
講談社文庫

◉**第十五試合**

エラリイ・クイーン『**フォックス家の殺人**』

ハヤカワ・ミステリ文庫

エラリイ・クイーン『**十日間の不思議**』

ハヤカワ・ミステリ文庫

◉**第十六試合**

D・M・ディヴァイン『**五番目のコード**』

創元推理文庫

◉**第十七試合**

モーリス・ルブラン『**水晶の栓**』

創元推理文庫／ハヤカワ・ミステリ文庫／偕成社

モーリス・ルブラン『**虎の牙**』

創元推理文庫／偕成社

◉**第十八試合**

ジョン・ディクスン・カー『**曲った蝶番**』

創元推理文庫

◉**第十九試合**
E・S・ガードナー『**すねた娘**』
創元推理文庫

◉**第二十試合**
クリスチアナ・ブランド『**緑は危険**』
ハヤカワ・ミステリ文庫

◉**第二十一試合**
ドロシー・L・セイヤーズ『**ナイン・テイラーズ**』
創元推理文庫

◉**第二十二試合**
ビル・S・バリンジャー『**歯と爪**』
創元推理文庫

◉**第二十三試合**
フレッド・カサック『**殺人交叉点**』
創元推理文庫

ヘレン・マクロイ『**暗い鏡の中に**』

創元推理文庫

◉**第二十五試合**

リリアン・デ・ラ・トア『**消えたエリザベス**』

東京創元社

◉**第二十六試合**

アーサー・コナン・ドイル

『**シャーロック・ホームズの冒険**』

光文社文庫／創元推理文庫／新潮文庫／角川文庫／河出文庫

ジャック・フットレル『**思考機械の事件簿I**』

創元推理文庫

◉**第二十七試合**

アイラ・レヴィン『**死の接吻**』

ハヤカワ・ポケット・ミステリ

文庫版のためのあとがき

皆さま、こんにちは。あとがき担当の国樹由香です。元号も変わった二〇二〇年の夏に『本格力』の文庫版を出していただけること、本当に嬉しく思います。

親本のあとがきでもふれましたが、連載期間が長かったため自分の作品中で色々なことが起きており、読み返してびっくりしたものでした。

あれから四年。誰も想像しなかった世界に私たちは生きています。新型コロナウイルスによる未曾有の事態。東日本大震災ではボランティアが集まってお手伝い出来たのに、今回はそれが禁忌。なんという罪なウイルスでしょう。

最前線で頑張り続けてくださる皆さまのお役に立てる唯一の手段が「ステイホーム」という状況で、私はまた気付くのです。読書というものの素晴らしさに。

今は亡き国樹の母が完全失聴し外出もままならなくなったとき、初めて読書に目覚め「耳が聞こえなくてもちっとも寂しくないの。いろんな世界に自由に行けて楽しい」と喜んだと、この本に書きました。

今現在、籠の中の鳥のごとく羽ばたけない私たちを遠くの空まで連れて行ってくれるのは、やはり本でした。古いロンドンの街でアフタヌーンティーを楽しんだり、月面を歩いたりすることさえも、物語の中では可能なのです。母の言葉が心に深く響きます。

親本のときに推薦文でお世話になった辻村深月さん、編集長（当時）の河原さん、担当の岡本さん、文庫担当の鈴木さん、そして今回も素晴らしい装幀は坂野さん。皆さまのおかげで無事に形になりました。心から感謝いたします。

「第十七回本格ミステリ大賞（評論・研究部門）」を受賞出来た幸福なこの本、とてもぶ厚い一冊となりましたが、どうぞごゆっくりお楽しみいただけましたら幸いです。

終の住処に引っ越しまっただ中の国樹由香拝。

ま行

や行

な行

は行

た行

◉著書別海外作家◉

あ行

か行

さ行

た行

ナ行

ハ行

サ行

タ行

カ行

◉著者別海外作家◉

ア行

索引

◉略語説明

(鉛)…… エンピツでなぞる美しいミステリ
(ほ)…… ほんかくだもの
(絵)…… 勝手に挿絵
(ミ)…… ミステリのある風景
(H)…… H-1グランプリ
(言)…… 言及

◉注意

①ミステリ作家はすべて拾ったがジャンル外の作家は気分で選んだ。
②作業の途中で、翻訳者も対象にすべきだと気づいたが、あとの祭り。疲れたので今回はパス。
③索引は【著者別】と【著書別】があり、それぞれ「日本人作家」「海外作家」の順に並んでいる。
④H-1グランプリ出場作品はその回の1ページめを記した。

◉著者別日本人作家◉

本書は、二〇一六年十一月に小社より単行本として刊行され、
文庫化に際し、目次と索引を新たに加えたものです。

|著者| 喜国雅彦　漫画家、雑文家、装画家、プチ音楽家、本棚探偵といくつもの顔を持つ。ミステリとヘヴィメタルと古書とニーソが好き。代表作に『日本一の男の魂』『月光の囁き』など。講談社文庫では、共著の『メフィストの漫画』のほか、綾辻行人氏の「館」シリーズの装画を手がける。1997年にみうらじゅん賞、2015年に『本棚探偵最後の挨拶』で第68回日本推理作家協会賞、2017年に本書で第17回本格ミステリ大賞受賞。

|著者| 国樹由香　漫画描き。近年はエッセイも手がけている。ミステリとヘヴィメタルと空手と犬好き。代表作に『こたくんとおひるね』『しばちゃん。』『犬と一緒に乗る舟』など。講談社文庫では、共著の『メフィストの漫画』がある。2016年、極真空手弐段に昇段。ヘヴィメタルDJもこなす。2017年に本書で第17回本格ミステリ大賞受賞。

本格力《ほんかくりよく》　本棚探偵《ほんだなたんてい》のミステリ・ブックガイド

喜国雅彦《きくにまさひこ》｜国樹由香《くにきゆか》

講談社文庫

定価はカバーに
表示してあります

2020年8月12日第1刷発行

発行者――渡瀬昌彦
発行所――株式会社　講談社
東京都文京区音羽2-12-21　〒112-8001
電話　出版 (03) 5395-3510
　　　販売 (03) 5395-5817
　　　業務 (03) 5395-3615

Printed in Japan

デザイン―菊地信義
本文データ制作―講談社デジタル製作
印刷――信毎書籍印刷株式会社
製本――加藤製本株式会社

ISBN978-4-06-520640-9

講談社文庫刊行の辞

二十一世紀の到来を目睫に望みながら、われわれはいま、人類史上かつて例を見ない巨大な転換期をむかえようとしている。

世界も、日本も、激動の予兆に対する期待とおののきを内に蔵して、未知の時代に歩み入ろうとしている。このときにあたり、創業の人野間清治の「ナショナル・エデュケイター」への志を現代に甦らせようと意図して、われわれはここに古今の文芸作品はいうまでもなく、ひろく人文・社会・自然の諸科学から東西の名著を網羅する、新しい綜合文庫の発刊を決意した。

激動の転換期はまた断絶の時代である。われわれは戦後二十五年間の出版文化のありかたへの深い反省をこめて、この断絶の時代にあえて人間的な持続を求めようとする。いたずらに浮薄な商業主義のあだ花を追い求めることなく、長期にわたって良書に生命をあたえようとつとめるところにしか、今後の出版文化の真の繁栄はあり得ないと信じるからである。

同時にわれわれはこの綜合文庫の刊行を通じて、人文・社会・自然の諸科学が、結局人間の学にほかならないことを立証しようと願っている。かつて知識とは、「汝自身を知る」ことにつきていた。現代社会の瑣末な情報の氾濫のなかから、力強い知識の源泉を掘り起し、技術文明のただなかに、生きた人間の姿を復活させること。それこそわれわれの切なる希求である。

われわれは権威に盲従せず、俗流に媚びることなく、渾然一体となって日本の「草の根」をかたちづくる若く新しい世代の人々に、心をこめてこの新しい綜合文庫をおくり届けたい。それは知識の泉であるとともに感受性のふるさとであり、もっとも有機的に組織され、社会に開かれた万人のための大学をめざしている。大方の支援と協力を衷心より切望してやまない。

一九七一年七月

野間省一